Scrittor
111

1-4 15th OCTOBER p11-1

5-8 12th NOVEMBER p110-182

9-12 10th DECEMBER p183-263

13-16 14th JANUARY p264-356

p359-379 Notes on the authors.

Collana Scrittori

ultime uscite

75. Luigi Ferrari, *Triade minore*
76. Kamila Shamsie, *Io sono il nemico*
77. Rhiannon Navin, *Il mio nome e il suo*
78. Margaret Atwood, *Il canto di Penelope*
79. David Mamet, *Chicago*
80. Emanuele Trevi, *Sogni e favole*
81. Trevor Noah, *Nato fuori legge*
82. Sébastien Spitzer, *I sogni calpestati*
83. Cristina Marconi, *Città irreale*
84. Marco Fabio Apolloni, *Il mistero della locanda Serny*
85. Cedric Lalaury, *Da qualche parte è sempre mezzanotte*
86. Francesco Pecoraro, *Lo stradone*
87. Marco Aime, *Gina*
88. Hanne Ørstavik, *Amore*
89. Philippe Claudel, *L'arcipelago del Cane*
90. Rosa Montero, *La ridicola idea di non vederti più*
91. Margaret Atwood, *I testamenti*
92. Sandra Newman, *I cieli*
93. Leonardo Luccone, *La casa mangia le parole*
94. Ritanna Armeni, *Mara. Una donna del Novecento*
95. Virginia Woolf, *Momenti di essere*
96. Christophe Palomar, *Frieda*
97. Joanne Ramos, *La fabbrica*
98. Stefano Corbetta, *La forma del silenzio*
99. Marta Orriols, *Imparare a parlare con le piante*
100. Domingo Villar, *L'ultimo traghetto*
101. Mattia Insolia, *Gli affamati*
102. Margaret Atwood, *Tornare a galla*
103. Marco Albino Ferrari, *Mia sconosciuta*
104. Jean-Paul Dubois, *Non stiamo tutti al mondo nello stesso modo*
105. Lisa Ginzburg, *Cara pace*
106. Simone de Beauvoir, *Le inseparabili*
107. Margaret Atwood, *La donna da mangiare*
108. Maria Grazia Calandrone, *Splendi come vita*
109. Anselm Oelze, *Una lettera per Mister Darwin*
110. Elizabeth Wetmore, *La notte di San Valentino*
111. AA.VV., *Musa e getta*

Ritanna Armeni, Angela Bubba,
Maria Grazia Calandrone, Elisa Casseri,
Claudia Durastanti, Ilaria Gaspari, Lisa Ginzburg,
Chiara Lalli, Cristina Marconi, Lorenza Pieri,
Laura Pugno, Veronica Raimo, Tea Ranno,
Igiaba Scego, Anna Siccardi, Chiara Tagliaferri

MUSA E GETTA

Sedici scrittrici
per sedici donne indimenticabili
(ma a volte dimenticate)

A cura di
Arianna Ninchi e Silvia Siravo

ISBN 97888-3331-528-7

Redazione e impaginazione: Scribedit - Servizi per l'editoria

In copertina: Sofia Bonati, *Zelda Fitzgerald*
Progetto grafico: Giulia Voltini

Ponte alle Grazie è un marchio
di Adriano Salani Editore s.u.r.l.
Gruppo editoriale Mauri Spagnol

Il nostro indirizzo Internet è www.ponteallegrazie.it
Seguici su Facebook e su Twitter (@ponteallegrazie)
Per essere informato sulle novità
del Gruppo editoriale Mauri Spagnol visita
www.illibraio.it

Musa e getta

alle nostre madri

A.N. – S.S.

Ecco il rosmarino per la memoria; ti prego, amore, ricorda.

William Shakespeare

Prefazione

A volte si parla così tanto di una cosa, e lo si fa da così tanto tempo, che quando poi diventa necessario scriverne sembra impossibile trovare le parole. Ma ci proveremo. E partiremo dall'inizio, com'è normale.

In principio sono stati dei libri. Uno in particolare, *Lizzie Siddal. Il volto dei preraffaelliti* di Lucinda Hawksley, che ci siamo passate per poi farlo passare in buone e lisce mani. Anzi, prima ancora di acquistarlo, è stato un articolo su una rivista d'arte, datato 2013 e preziosamente conservato: *Un'eroina di nome Lizzie*, la recensione di Paola Ugolini titolava. La biografia della musa di Dante Gabriele Rossetti, eccolo, se così si può dire, il nostro seme zero.

Perché, da lì a qui, altri semi abbiamo gettato. Gettato, sì, ma nella terra che accoglie, dove almeno altri tre libri hanno germogliato: *Se tu avessi parlato Desdemona. Discorsi immaginari di donne arrabbiate* di Christine Brückner, *Les fées ont soif* di Denise Boucher, *Cassandra* di Christa Wolf. Testi noti a chi, come noi, si occupa di teatro, ma anche classici della letteratura femminista.

C'è stata poi, nel 2019, la grande mostra antologica *Dora Maar* al Centre Pompidou di Parigi. E il souvenir, una foto di lei che, con le sue piccole dimensioni, è diventata manifesto per noi: *Assia, o Donna che ha paura della sua ombra*, il sottotitolo impresso a fuoco.

E ci sono stati altri luoghi: una spiaggia del litorale laziale, un locale trendy (#parolaorrenda) della capitale, un giardinetto in attesa di nuove feste e di fioriture nuove.

C'è una domanda, soprattutto, e da subito: e lei? Lei nel rapporto squilibrato, lei accanto all'uomo di genio, lei che ha ispirato, lei con un compagno dalla personalità dirompente e soverchiante? Lei con i suoi talenti più o meno nascosti, lei relegata (dall'epoca, anzi dalle epoche...) a comprimaria, a subalterna, lei nell'iniquo? Una domanda che si è propagata, portandoci a meglio osservare le sfumature di rosso tra il sacrificio estremo di Jeanne Hébuterne e l'esistenza ribelle di Lou von Salomé. Con quel lei che, nel mentre, era diventato loro, quindi magnifica rete, già allora.

Non sta a noi dire cosa sia questo libro, che è stato soprattutto occasione di scambi spesso illuminanti e di amicizie sempre succose. È un'antologia al femminile, certamente, che raccoglie sedici contributi appassionati di sedici stupende scrittrici. Che hanno accettato di far parte di una pubblicazione collettanea pensata per l'editoria e per il teatro, perché su questo terreno fiorirà anche uno spettacolo. Scrittrici che hanno narrato, con libertà di scelte, forme e stilemi, vite di donne di talento che hanno vissuto accanto o che hanno gravitato nelle esistenze di uomini celebri e affermati.

Dai semi gettati sono nate piante con le radici in realtà storiche diverse o con lo stelo alto levato a osservare le nostre, di contraddizioni. Difficili da catalogare o semplici da ammirare, a noi sembrano tutte bellissime. Anche, e anzi soprattutto, quelle che, forse esposte al vento freddo del nord, hanno conosciuto la malattia mentale, l'elettroshock, il suicidio... anche la malerba, che cresce in ogni campo e che, infestante, eccentrica, magari geniale, riserva sorprese a chi non si limiti a estirpare.

Su che cos'altro sia questo lavoro, saranno i lettori a illuminarci, magari. Lettori che speriamo essere anche uomini, curiosi di scoprire quanto varia e ricca e sorprendente sia la narrazione dell'altra metà del cielo. E quanto profumata la nostra antologia, che è stata propriamente, per rispolverare il greco, una «raccolta di fiori» (da *ánthos*, «fiore», e *légō*, «io raccolgo»).

Non abbiamo rivendicazioni da fare, se non la volontà di far conoscere un'altra versione della Storia, delle storie. Ma per un momento delle nostre vite il teatro e l'editoria sono stati, insieme e in diversa misura, le nostre case. E allora abbiamo, sì, delle intenzioni: fare da ponte (#parolabellissima) per far vibrare «la versione di lei» dalle tavole dei palcoscenici, appena si potrà, domani.

Mancano all'appello così tante muse tra quelle nel tempo pensate che, in noi che amiamo sognare, germoglia anche il sogno di un secondo volume. In cui dare infine voce anche a Lizzie Siddal, incredibilmente rimasta fuori dal coro, con quel suo corpo magrissimo, gli occhi grandi ambrati, i lunghi capelli color rame; rimasta nella vasca per John Everett Millais che con *Ophelia* l'ha immortalata; immersa nell'acqua diaccia quando le lampade rudimentali per riscaldarla avevano smesso di funzionare... Oppure no, mentre tutto scorre, tutto si ferma a questi sedici corpi e volti e voci, a questi racconti, monologhi, dialoghi immaginari, confessioni, pagine. E Anna Karina, Simone de

Beauvoir, Liv Ullmann troveranno altre penne, libri, mostre, strade. E Lizzie e il suo segreto d'acqua non saranno passati sotto il nostro ponte invano.

La pittrice senza le mostre, la modella con le copertine, la ricercatrice senza i premi, la *groupie* con le band... Arrivano le muse! Si saranno sentite dire «Non ti muovere» più spesso di quanto non si siano sentite dire «Ti amo». Hanno incontrato una casa editrice e un gruppo di scrittrici che hanno preteso una luce tutta per loro. Incontreranno dei teatri e delle attrici che diranno loro: «Muovetevi! Fate rumore! Vi amiamo».

ARIANNA NINCHI e SILVIA SIRAVO

Ritanna Armeni

① *Il testamento*

Nadia Krupskaja

Non ho paura, dovrei averla, lui è capace di tutto e mi odia, ma non ce l'ho. Ho un compito e lo porterò a termine. Lenin me l'ha affidato e Stalin non riuscirà a fermarmi. Non vedo come possa farlo. Dovrebbe eliminarmi – non avrebbe certo scrupoli – ma non è possibile. Uccidere la donna che è stata per oltre vent'anni a fianco del capo della rivoluzione? Mandare al confino la vedova di Lenin? Non può permetterselo. Stasera deve darmi una risposta, e chiara. Può ingannare il Congresso del partito, può obbligare il Comitato centrale a eseguire i suoi ordini ma su di me le sue armi sono spuntate. Sono venuta al Cremlino per avere una risposta e me la deve dare. Voglio che renda pubblico il testamento di Lenin. Vladimir Il'ič l'ha scritto due anni fa, quando la sua grande mente funzionava ancora, i suoi pensieri erano limpidi e le sue valutazioni precise. L'ha dettato parola per parola, in quei pochi minuti che i medici gli avevano lasciato per lavorare. Prima di morire mi ha chiamato e mi ha detto: voglio che tutti lo conoscano... Ed io intendo far rispettare le sue volontà. Anche da Stalin.

I medici... secondo loro Lenin doveva lavorare solo dieci minuti, un quarto d'ora al giorno. Non di più, altrimenti la fatica lo avrebbe ucciso. Non era vero. Erano l'inattività, la costrizione che potevano farlo morire, non il lavoro. Io lo conoscevo bene, sapevo tutto di lui, aveva ancora delle cose da dire. Cose importanti. Ma l'ordine era venuto da Iosif Vissarionovič, dal capo del partito, e i medici dovevano eseguire. Vigliacchi. Non hanno osato contraddirlo. Solo io mi sono opposta. Quando lui voleva scrivere glielo facevo fare. Stavo attenta, dopo la prima mezz'ora gli portavo una tazza di tè, appena sentivo che la voce s'incrinava intervenivo. «Vladimir Il'ič continuerete domani. C'è tempo». E lui acconsentiva. Allora Stalin è intervenuto direttamente. Una telefonata furiosa, accuse violente. Avevo osato disobbedirgli. E non gli è bastato, mi ha deferito alla Commissione di controllo del partito come fossi una traditrice, una moglie che non si cura del marito, una donna fredda e calcolatrice. Pericolosa per Lenin e per il partito. Ho dovuto rispondere. Quanto mi è costata la lettera alla Commissione di controllo! La moglie di Vladimir Il'ič costretta a difendersi. L'ho scritta e riscritta. Non volevo mostrarmi debole e sottomessa, ma non volevo neppure aggravare lo scontro, non volevo che ne arrivasse notizia a Lenin. Si sarebbe arrabbiato e il suo cuore non avrebbe sopportato l'affronto a sua moglie. Lo avrebbe considerato fatto a lui. Ho soppesato i rischi e alla fine ho scritto parole chiare: «Non sono certo nuova del partito. In trent'anni non ho mai sentito nessuna parola rude da nessun compagno. Gli interessi di Vladimir Il'ič e del partito non sono meno cari a me di quanto lo siano a Stalin. Al momento presente ho bisogno del massimo autocontrollo. So meglio di qualsiasi dottore, e certamente meglio di Stalin, ciò di cui si può e non si può discutere con Lenin, giacché so che cosa lo agita».

Ho fatto bene, Lenin ha potuto scrivere in pace... e ha scritto... ma dove mi sta portando questo giovane soldato incaricato di accompagnarmi nell'ufficio di Stalin? Queste sono le stanze nelle quali abbiamo vissuto io e Lenin con sua sorella Maria quando ci siamo trasferiti a Mosca dopo la rivoluzione... già, il terzo piano del palazzo del Senato... qui c'erano le stanze da letto, qui lo studio di Vladimir Il'ič... più in là la cucina... mi dice di accomodarmi e di aspettare. Sì, mi siedo ad aspettare, compagno, ma non vi disturbate per me, li conosco bene questi posti. È gentile, ha gli occhi lucidi, è commosso, mi ha riconosciuto... gli sorrido. Ora attendo. Sì, ho fatto bene a permettere a Vladimir Il'ič di lavorare. La sua lettera al partito è importante. Sono le sue ultime volontà. L'ha scritta qualche giorno dopo il mio litigio con Stalin e con i medici. Non avrebbe potuto farlo senza il mio intervento. Poi me l'ha consegnata. Cinque copie, «tienile tu» mi ha detto. L'ho letta e riletta, poi quando è morto l'ho inviata, come mi aveva chiesto, a Stalin e al Congresso. Le conosco a memoria quelle righe. Lo so che sono dure da digerire per tutti i dirigenti del partito, ma soprattutto per lui, per Iosif Vissarionovič: «Il compagno Stalin, divenuto segretario del partito, ha concentrato nelle sue mani un immenso potere ed io non sono sicuro che egli sappia servirsene sempre con sufficiente prudenza». Non doveva essere stato contento, Iosif Vissarionovič, di leggere quelle righe. E il giorno dopo – la lettera era stata già scritta – Lenin mi ha chiamato di nuovo, mi ha consegnato un altro foglio e mi ha detto di aggiungerlo ai precedenti. Era ancora su di lui: «Stalin è troppo grossolano, e questo difetto, del tutto tollerabile nell'ambiente e nei rapporti tra noi comunisti, diventa intollerabile nella funzione di segretario generale. Perciò propongo ai compagni di pensare di togliere Stalin da questo incarico e di designare a questo posto un altro uomo che, a parte tutti gli altri aspetti, si distingua dal compagno Stalin solo per una migliore qualità, quella cioè di essere più tollerante, più leale, più cortese e più riguardoso verso i compagni, meno capriccioso».

Sapevo che non aveva alcuna stima di lui ma neppure io supponevo che ne avesse un giudizio talmente negativo. Né che lo volesse rendere pubblico. «Nadežda, mi ha detto, queste pagine devono essere note a tutti. La 'Pravda' deve pubblicarle». Ed io sono qui perché il suo volere sia rispettato. Ho aspettato il Congresso del partito, c'è stato, ora è arrivato il momento. Stalin deve sapere che la vedova di Lenin non accetterà che i voleri di suo marito siano disattesi. In questi mesi non ho mai mollato, ora non lo minaccerò, non ce n'è bisogno, lui sa che anch'io ho copia del testamento e che, se voglio, posso renderlo pubblico.

Sono stanca... sì sono stanca, vorrei che tutto si risolvesse senza problemi, ma se è necessario ricorrerò anch'io, sarò dura... non sarebbe la prima volta che dico a Stalin il fatto suo.

Questo povero soldato. È dispiaciuto che io debba aspettare. Devo apparirgli vecchia e stanca. Con quest'abituccio marrone, ha pure delle toppe e lo scialle nero. Vorrei rassicurarlo... non deve preoccuparsi, sono abituata alle lunghe attese. Sento dei passi. Arriva... no, non è lui. Il soldato è mortificato. A me non importa di aspettare, da quando Lenin è morto rimanere sola a pensare mi dà serenità. Mi lascio andare, ho tante cose da ricordare. Belle o brutte, fanno parte della nostra storia, della storia che grazie a noi è cambiata. Sì, abbiamo abitato proprio in queste stanze, c'era anche Maria, la sorella di Vladimir Il'ič, quella che diceva che somigliavo a un'aringa. Non me la sono mai presa. Una bellezza non sono mai stata.

Nel Cremlino eravamo sempre circondati, tanta gente, gran parte dei dirigenti del partito abitava qui. Poi le abitudini sono cambiate. Adesso hanno tutti una dacia e qui ci sono solo uffici, ma allora... allora era diverso. Mi toccava difendere qualche spazio privato di Vladimir Il'ič. Rimandare indietro i compagni che insistevano per vederlo, imporgli qualche momento di riposo. Avevamo fatto la rivoluzione e noi che eravamo stati per tanto tempo esuli continuavamo a frequentarci come quando eravamo in giro per l'Europa. Vladimir Il'ič ed io non eravamo mai soli. Il Cremlino non mi è mai piaciuto. Noi due siamo stati meglio quando ci hanno deportati, al confino in Siberia. Se lo dicessi a qualcuno mi guarderebbe come una pazza ma è stato proprio così. In Siberia stavamo bene. Anche Vladimir Il'ič, che era sempre inquieto, ogni tanto riusciva a distendersi: andava a caccia, giocava a scacchi, dava consigli legali ai contadini, traduceva, e leggeva, leggeva, leggeva. Non lo lasciavo mai, badavo alla casa, alla stufa che non si spegnesse, ai nostri pasti, frugali, i contadini ci portavano quel che potevano. Avevo finalmente raggiunto il mio scopo: ero con lui. Avevo fatto 8000 chilometri per raggiungerlo. Era stato deportato prima di me e quando è stato il mio turno – l'Ochrana non perdonava – ho chiesto di essere inviata dove c'era il mio fidanzato. A dire il vero non lo era ancora ma ero sicura che lo sarebbe diventato. L'avevo capito nei mesi precedenti a San Pietroburgo quando avevamo cominciato a lavorare insieme. Ero insegnante, da me venivano gli operai per imparare a leggere e scrivere, poi da lui apprendevano la lotta di classe e il marxismo. Insegnare mi è sempre piaciuto, era un modo per conoscere le persone fino in fondo, per capire la loro vita. Vladimir Il'ič apprezzava molto il mio lavoro ed era un maestro in fatto di clandestinità. Anch'io però... Sapevo bene come comportarmi. Quando voleva organizzare qualcosa d'importante si rivolgeva sempre a me. E quando sono stata messa la prima volta in galera è riuscito a mantenersi in contatto. Scriveva delle lettere col latte, io in carcere le immergevo nell'acqua del tè e riuscivo a leggerle. Poi mi ha raccontato che metteva il latte con cui scriveva in calamai fatti con la mollica di pane e, dopo aver scritto, quei calamai li mangiava. Mi viene ancor da ridere se ci ripenso...

Quando sono arrivata in Siberia, l'ho sorpreso: una donna che percorre tutti quei chilometri nella taiga per lui. Così è cominciata la nostra vita modesta e ordinata. Ho cominciato a prendermi cura dei suoi vestiti, teneva molto ai gilet, beveva innumerevoli tazze di tè, poi non pretendeva molto altro. Ma io sapevo che aveva bisogno di aiuto. Doveva scrivere decine di lettere per mantenere i collegamenti, traduceva testi stranieri, così la sera stavamo in piedi a scrivere fino a tardi. Insieme. Sì, è stato il periodo più bello della mia vita. Il gelo dell'inverno e poi quando la taiga si risvegliava, i rumori e gli odori e i colori diversi della primavera. E Vladimir Il'ič che si concedeva qualche svago, le passeggiate, le chiacchiere con i contadini.

È finita, non poteva che finire, lui, aspettando la liberazione, diventava sempre più impaziente. È partito prima di me, ho temuto di perderlo, ma l'ho raggiunto e per anni siamo stati in giro per l'Europa. Lui con i suoi libri, i suoi vestiti malmessi, io con il mio samovar, la mia borsa con l'occorrente per il cucito. Praga, Ginevra, Londra, Parigi, Cracovia, Zurigo. Stanze in affitto, appartamenti decorosi qualche volta, stanze fetide, da ripulire, rimettere a posto nella maggior parte dei casi. Soldi, pochi. Eravamo costretti a ricorrere ai prestiti dei compagni. Ma non era questo che mi preoccupava. A farmi dannare erano i suoi nervi, sempre all'erta, i mal di testa, l'insonnia, e poi gli incubi, gli urli nella notte. Lo svegliavo, gli stavo vicino. Il tè caldo. Quante tazze ne ho preparate! E poi le notizie dalla Russia. Sempre cattive. E la paura di non poter far nulla. Vladimir Il'ič aspettava, aspettava e diventava sempre più teso, irritabile. Poi è successo. Eravamo a Zurigo, avevamo appena pranzato, stavo lavando i piatti, quando è arrivato quel compagno, oddio sono vecchia, non ricordo il nome. «Vladimir Il'ič non lo sapete ancora?» ci ha detto quando abbiamo aperto la porta. «In Russia è scoppiata la rivoluzione». Lui ha fatto un balzo. Mi sono tolta il grembiule, abbiamo preso i nostri cappotti e siamo scesi di corsa per la strada fino alla piazza, all'edicola per vedere il giornale. Era vero. Il sogno si era avverato...

Di nuovo rumore di passi. È arrivato, mi guarda, cerca di dire qualche frase cordiale, ma è tutto falso, lo so che è tutto falso. Lui mi odia. «Accomodatevi compagna Nadia Konstantinovna». Entro nel suo ufficio, non mi chiede niente, è ovvio, sa benissimo perché sono venuta, è lui che deve parlare e so bene che non ci saranno preamboli o parole di cortesia. «Il Congresso ha letto con attenzione la lettera del compagno Lenin, le sue volontà saranno rispettate». Mi sembra impossibile che davvero tutto sia andato liscio, cerco di capire, il suo viso è immobile, imperscrutabile. Si attende che lo ringrazi e vada via. Anche se è giugno, ho freddo, lo scialletto non basta. Lo guardo anch'io. I suoi occhi sono diventati una fessura. Non si siede. Non ha intenzione di dire molto altro. Mi sento sovrastata, ma rimango ferma. Continua. «Vladimir Il'ič aveva chiesto che il Comitato centrale fosse allargato, che ci fossero più operai e contadini, una preoccupazione giusta, aveva ragione, sarà fatto. Il partito è d'accordo. Aveva anche chiesto che i contenuti della sua ultima lettera fossero resi noti, anche questo è stato fatto. Sono stati esaminati nelle commissioni del Congresso. Abbiamo omesso alcuni giudizi personali... non erano importanti... i nostri difetti, quelli di tutti noi, saranno corretti».

Ma chi crede di ingannare? Non sono una novellina. Conosco il partito quanto lui. Ho capito che tutto sarà messo a tacere. Che tutti sono stati d'accordo. Anche Trockij, anche Kamenev, anche Bucharin. Neanche a loro saranno piaciute le critiche di Lenin. Forse hanno paura. Ancora una volta vigliacchi. Finora hanno concesso a Stalin quasi tutto. Lo guardo anch'io. Vedo bene il suo odio. Pensa che se io avessi obbedito ai suoi ordini, se non avessi consentito a Lenin di lavorare, lui non avrebbe scritto la lettera. Pensa che sia io la responsabile, magari ritiene che lo abbia istigato.

Non posso tacere, devo parlare, rispondergli subito. Mi alzo, non mi piace rimanere seduta mentre lui mi guarda dall'alto, non mi piacciono i suoi occhi, sono certa che sta pensando al nostro ultimo diverbio e vuole umiliarmi. Crede che io starò zitta, il colloquio per lui è chiuso. Non è così, non sono venuta per accettare la sua volontà ma per far rispettare quella di Lenin. «Non è questo che Vladimir Il'ič intendeva quando ha espresso le sue ultime volontà.

Voleva che la lettera fosse resa nota ai sovietici. A tutto il partito non solo al Congresso. Considerava quei fogli il suo testamento. È giusto che arrivi a tutti».

«Il partito saprà renderlo noto, compagna Nadia Konstantinovna, nei tempi e nei modi dovuti».

«Conosco bene quali sono i tempi e i modi che Vladimir Il'ič avrebbe voluto, sono sua moglie, sono stata accanto a lui in questi anni, fino all'ultimo, quelle pagine le ho lette più volte, ne ho con me una copia, comunque potrei ripeterle a memoria». L'ho guardato diritto negli occhi. Lo stavo minacciando, sì lo stavo minacciando, gli stavo dicendo che potevo fare quello che lui non voleva. Potevo disobbedire ancora.

«La moglie!»

«Sì, la moglie, la donna che è stata al suo fianco per vent'anni».

Ha sorriso, gli occhi ancora più stretti, mi ha guardata fisso e ha colpito.

«Lo sappiamo bene che siete stata la moglie del capo della rivoluzione. La vedova. È per questo che vi ascoltiamo e vi portiamo rispetto. Anche noi conoscevamo il compagno Lenin e sappiamo bene a chi andasse il suo affetto più profondo...»

Ora non sorride più. Sostengo il suo sguardo ma ho paura. Sì, ora ho paura. Spero che taccia, che non dica ciò che non si deve dire. Che non pronunci alcun nome.

Mi saluta. «Compagno» dice al soldato, «accompagnate Nadia Konstantinovna». Scendo le scale. Ho gli occhi pieni di lacrime.

Non l'ha detto il nome ma è come se l'avesse urlato. Adesso mi rimbomba nella testa: Inessa. «Sappiamo bene a chi andasse il suo affetto più profondo» ha detto proprio così. Alla mia minaccia ha risposto con una minaccia. Se io renderò note le volontà e i giudizi di Lenin, Stalin renderà noto chi lui ha veramente amato. Ha colpito al cuore, ancora una volta è riuscito a farmi male. Ma non deve fermarmi. Non mi fermerà. Sono io la vedova di Vladimir Il'ič.

Inessa. È morta oramai da quattro anni. Da allora Vladimir Il'ič non è stato più lo stesso. Da quel giorno la sua malattia ha progredito e le mie cure non sono servite più a nulla. Piangeva senza ritegno al suo funerale, quando la bara è rientrata da Kazan. Aveva gli occhi rossi, era piccolo e curvo, il capo scoperto. Non l'avevo mai visto così. Anch'io piangevo. Per Inessa, certo, ma non solo per lei. Per Lenin, per me, per noi, per quello cui avevamo tutti rinunciato, per il dolore silenzioso vissuto in anni che hanno cambiato tutto.

Una sera a Parigi, quindici anni fa. Lenin era andato al Café di Porte d'Orléans a parlare con i profughi russi che si riunivano lì. Non l'ho accompagnato. Avevo delle lettere cui rispondere a suo nome, un documento da copiare, la cena da preparare. Da quegli incontri tornava, stremato, con un gran mal di testa. Aveva parlato, spiegato, previsto, esortato per ore. Sapevo che non dovevo servirgli subito la cena, che lui mangiava mal volentieri, dovevo farlo stendere, preparargli un tè, fornirgli se era possibile qualche buona notizia: un libro ordinato alla biblioteca era arrivato, aveva scritto un compagno dalla Russia, la traduzione che mi aveva chiesto era pronta. Quel giorno non ce ne fu bisogno. Era tranquillo, quasi allegro. Mi raccontò che alla riunione c'era una donna russa, anche lei in esilio. «Nadia» mi disse, «la devi conoscere anche tu, ci può essere utile».

Vladimir Il'ič giudicava chiunque secondo un criterio ben preciso: l'apporto alla causa della rivoluzione. Quella sera nei suoi occhi vidi la luce della soddisfazione. Avveniva raramente. Mangiò di buon appetito, non lamentò alcun mal di testa.

Quando conobbi Inessa capii che era speciale. Bella, magnetica, colta. Una compagna, aveva detto Vladimir Il'ič, ma lei era di più di una compagna. Non assomigliava a nessuna delle mogli degli esuli russi. Dedita alla causa, aveva detto. Ed era vero. Quattro figli. Era stata in carcere e al confino. Era colta, conosceva quattro lingue, aveva rapporti con i dirigenti europei. Una donna libera e si vedeva. Dal suo sorriso, dai suoi vestiti, dal modo in cui acconciava i capelli.

Per undici anni ho convissuto con l'amore di Vladimir Il'ič per Inessa Armand. Perché di amore si trattava. E l'ho capito subito. Anche agli altri è stato subito chiaro. Anche se nessuno ne ha mai fatto cenno. Ho vissuto undici anni tacendo, soffocando il dolore e la paura. Ho accettato tutto. Volevo il bene di Vladimir Il'ič e Inessa portava nella sua vita qualcosa che io non possedevo: la bellezza, l'allegria, un buonumore contagioso. Da quando l'aveva conosciuta, Lenin sorrideva più spesso.

È diventata la sua collaboratrice più fidata. Era lei che andava alle riunioni europee quando lui non poteva o non voleva andare, con lei ha organizzato la prima scuola marxista, a lei confidava i suoi timori, con lei discuteva e cercava le soluzioni ai problemi più difficili.

Io sono rimasta al suo fianco. Ho continuato a preparare le pezze con acqua calda e fredda per i suoi mal di testa, la cena ogni sera, il tè caldo. A svegliarlo quando i suoi incubi lo facevano urlare la notte. Ho continuato ad accogliere i compagni che voleva incontrare e mandare via con qualche pretesto chi lui giudicava inopportuno. A preparare il suo piccolo bagaglio quando partiva. Ho continuato a scrivere le lettere per lui ma solo quelle in russo, le altre le scriveva Inessa. A consolarlo nei suoi momenti di depressione, che ancora c'erano, a calmare la sua rabbia che aumentava.

A Parigi, Inessa ha affittato un appartamento vicino al nostro. Mi sono accorta che niente poteva curare meglio i mal di testa di Vladimir Il'ič della musica. Le mie tazze di tè, i miei panni caldi erano ben poca cosa a confronto delle note della *Patetica* che Inessa suonava magistralmente. Allora i suoi muscoli finalmente si distendevano e, con gli occhi socchiusi, si lasciava andare alla musica.

Non la odiavo, non l'ho mai odiata. Come si fa a detestare una donna che Lenin ammirava e amava tanto? Aveva bisogno di lei. Con lei a fianco combatteva meglio. Lo so, i compagni pensavano fossi cieca. Non lo ero. A Longjumeau, quando Inessa ha organizzato una scuola marxista e sono venuti da tutta Europa, il loro affiatamento è stato chiaro a tutti. Ecco, allora ho pensato di non farcela. Ho parlato con Vladimir Il'ič, «mi tolgo di mezzo» gli ho detto, ma lui mi ha rassicurato; nessuno avrebbe turbato la nostra vita. Ci ho creduto. Non ho pensato che mi amasse, non era vero, forse non era stato vero neppure in passato, ma ho creduto che lui avesse bisogno di me. Di me e di lei. Di entrambe, ciascuna per la sua parte. Per questo dovevo rimanere al suo fianco. Per il suo bene e per quello della rivoluzione. Era mio dovere fare per lui quello che Inessa non avrebbe saputo fare. Difenderlo, proteggerlo, prendermene cura.

E poi Inessa... lei faceva di tutto per mostrarmi la sua amicizia, per rassicurarmi. Me lo ha fatto capire: non avrebbe mai usurpato il mio posto di moglie, di compagna del capo. Non era questo che voleva. Che stupidaggine pensare di lasciare Lenin, di entrare in un contenzioso piccolo borghese, in un duello fra donne per un uomo. Mi sono fatta forza e sono andata avanti. Non ho più parlato. Neanche Vladimir Il'ič ha più detto una parola sull'argomento. Quanto a Inessa voleva solo rimanere al suo fianco. Davvero non era interessata a diventare sua moglie. Dovevo sentirmi rassicurata. Lei – lo devo ammettere – è stata buona. Mi ha lanciato una corda perché non morissi affogata nel dolore. L'ho afferrata.

E l'ho tenuta stretta, attenta a che non mi scivolasse dalle mani. Quando la vedevo tornare dai suoi viaggi sempre elegante, sempre ricca d'informazioni che Lenin ascoltava avidamente, quando passeggiavamo sulle montagne e lei si stendeva sui prati a prendere il sole, quando trovava miracolosamente un pianoforte e suonava per lui, quando confrontavo i suoi vestiti con i miei, la sua cura con la mia sciatteria. «Sono io la moglie di Lenin» mi ripetevo, «lui mi è devoto e non può fare a meno di me. Inessa lo rallegra, lo rende felice, ma io sono il suo respiro, senza di me non potrebbe vivere». Era così. Eppure quando è arrivata la notizia che un treno ci avrebbe portato di nuovo in Russia ho sperato che lei non ci fosse. Ho messo in una cesta le nostre cose, in una cassa i libri di Lenin, ho afferrato il samovar – come avrebbe fatto Vladimir Il'ič senza il tè? – ho riattaccato in fretta i bottoni al suo gilet migliore, ero agitata ma contenta. La rivoluzione. Anche la nostra vita sarebbe cambiata, Inessa ne sarebbe uscita. Il capo del partito nella sua terra avrebbe avuto uno stuolo di collaboratori, di uomini pronti ai suoi ordini. Inessa non sarebbe più stata utile, non sarebbe tornata neppure con noi, avrebbe raggiunto la Russia più tardi. Dal momento in cui avremmo messo piede sul treno tedesco che doveva riportarci in patria sarei stata la sola donna al suo fianco.

Non è stato così. Ho sentito la telefonata di Vladimir Il'ič a Inessa. È stata la prima persona con cui ha voluto mettersi in contatto dopo aver saputo della rivoluzione. Era agitato, la supplicava di venire anche lei in Russia, di salire sul treno con noi, non poteva lasciarlo, c'era tanto da fare. Urlava: «È scoppiata la rivoluzione, abbiamo aspettato tanto e il momento arrivato. Mi sentite? Venite subito. Dovete fare presto».

Ho capito allora che non era finita. Che lei ci sarebbe stata ancora. Ero colpita ma ancor lucida; io in Russia avrei avuto un vantaggio: nessuno sapeva, nessuno avrebbe pensato che potevo essere messa da parte, ero la moglie di Lenin, bastava rimanere al suo fianco e tutti avrebbero dimenticato.

Ci sono riuscita. Avevo ragione. Prima a San Pietroburgo poi a Mosca Lenin ha avuto al suo fianco dirigenti, collaboratori, il partito, tutto era ai suoi ordini. Inessa ha cercato la sua strada, noi a San Pietroburgo, lei con la sua famiglia a Mosca. Mi sono sentita più sicura. Non solo ero la moglie di Lenin ma ero la moglie giusta, la compagna che non si vedeva ma c'era.

I giardini, che devo attraversare per uscire dal Cremlino, a giugno sono bellissimi. Me ne accorgo solo ora, quando ci abitavo avevo troppo da fare anche per farci una passeggiata. Ecco da qui arrivo in via Mochovaja, qui abitava Inessa ed era facile per lei attraversare questi giardini e arrivare allo studio di Lenin. Anche questo sapevo, ma non me ne importava molto. Il capo dello Stato dei Soviet aveva poco tempo, ed io ero tornata alla mia antica passione, la scuola, l'insegnamento, ora dovevo occuparmi dell'educazione dei figli della rivoluzione. Sapevo tutto: dei biglietti che continuavano a scambiarsi, della linea telefonica fra la casa di lei e lo studio del Cremlino, delle preoccupazioni di Lenin per la sua salute, delle loro discussioni e persino dei loro litigi. Non m'importava. Non m'interessava più neppure che i compagni sapessero. Non eravamo più profughi nelle città europee, tutti avevano cose ben più importanti cui pensare. Nelle tre stanze che abitavamo al Cremlino, Vladimir Il'ič era con me. Da me, ancora una volta, dipendevano il suo benessere, i suoi pasti frugali, io vigilavo sul suo riposo sempre scarso.

Ho capito che nulla era cambiato nel cuore di Vladimir Il'ič solo ai funerali di Inessa. E dopo, quando il suo corpo ha ceduto e la sua mente ha cominciato a vacillare... Allora mi è stato chiaro che il dolore per la morte della donna che amava era stato grande, tanto grande che neppure il capo della Repubblica dei Soviet poteva reggerlo. Il dolore non potevo dividerlo, non potevo prendermene una parte; ma potevo curare il suo corpo malato, consentire alla sua intelligenza di esprimersi. Si è ammalato subito ma per molti mesi ancora i suoi giudizi sono rimasti lucidi, le sue idee nette e precise. Per quattro anni non l'ho lasciato un attimo. Ho seguito ogni respiro, ho ascoltato le sue rare parole, ho lavato il suo corpo, ho guidato il cucchiaio con la minestra fino alla bocca, ho controllato i medicinali. Ho combattuto contro i medici, servi sciocchi, contro il partito e contro Stalin che – l'ho capito subito – lo avrebbero preferito morto. E poi imbalsamato. Un simbolo e nulla di più. Una statua di marmo bianco. L'ho fatto e mentre lo facevo, ho capito che avevo vinto. Per Lenin c'ero solo io. Tutto era tornato nell'ordine. Nessuno poteva mettermi da parte. Ero l'unica donna del capo della rivoluzione.

Stasera Iosif Vissarionovič ha colpito nel segno. Vuole distruggere la mia vita, annientare il mio orgoglio. Mi ha minacciata: se io renderò noto il testamento di Lenin lui dirà a tutti chi era la donna che il capo della rivoluzione amava. In molti ancora la ricordano. Non ne dubiteranno. Guarderanno la mia faccia vecchia e stanca, il mio corpo appesantito, i miei abiti, lo so sembro una contadina, e non avranno dubbi. I romantici – e ce ne sono tanti in questo paese – godranno di questa storia, i nostri amici dell'esilio potranno confermarla. Gli stessi figli di Inessa la conoscono. Molti ricorderanno che lei è sepolta nel Cremlino per volere di Lenin. E sarà un'altra conferma.

Ho promesso a Vladimir Il'ič: mi sarei occupata io del suo testamento e avrei fatto di tutto, proprio tutto perché le sue ultime volontà fossero rispettate. Sapevo che ci sarebbe stata resistenza, ma contavo di farcela. Stalin non è amato, molti ormai temono il suo potere eccessivo... insomma mi sono illusa. E tuttavia non posso abbassare la testa, non posso accettare la sua minaccia. Non ci ho ancora pensato, ma ci sono molti modi di rendere pubbliche le pagine che Vladimir Il'ič ha scritto, di far sapere al popolo russo che Lenin a capo del partito avrebbe preferito «un altro uomo che, a parte tutti gli altri aspetti, si distingua dal compagno Stalin solo per una migliore qualità, quella cioè di essere più tollerante, più leale, più cortese e più riguardoso verso i compagni, meno capriccioso».

Ha scritto proprio così. Ora ci penso. Parlerò con i compagni di cui mi fido. Ho ancora del tempo per venire a capo di questa faccenda.

E poi? Che succederà poi? Se anche vinco la mia battaglia Stalin non rimarrà fermo. Metterà in atto la sua minaccia... I suoi occhi. Erano stretti, duri, mandavano una luce livida direttamente sul mio viso. Volevano penetrarmi, misurare la mia forza, farmi capire che la sua l'avrebbe usata tutta per distruggermi. Il popolo sovietico avrebbe saputo, il mondo avrebbe saputo, la Storia avrebbe registrato che non ero io... Non posso sopportarlo. Avrei sostenuto con lo sguardo fermo qualunque altra minaccia ma questa... E lui lo sa bene.

Devo fermarmi, devo sedermi, devo decidere. Tutto attorno a me è calmo. Ora ho caldo, la testa mi scoppia. Ho sopportato tutto negli anni passati, ho indurito il mio cuore con un unico scopo: rimanere la moglie del capo dei bolscevichi, dell'uomo della rivoluzione. Posso dire a questo punto la verità a me stessa. Non ho resistito tanti anni solo per il bene di Lenin. L'ho fatto anche perché volevo che il mio ruolo, il mio contributo alla rivoluzione fosse riconosciuto. Volevo che la Storia mi ricompensasse. Non dovevo essere messa da parte, buttata via. Figura di secondo piano, ombra discreta, moglie a metà. Ho lottato perché questo non avvenisse, perché ciò che non è stato nella vita fosse nella Storia e ora... ora... ora devo rinunciare a ciò per cui mi sono battuta o tacere ancora. Sì, in fondo questo mi si chiede, di tacere ancora. E di disobbedire per una volta all'uomo a cui ho sempre obbedito. Per una volta. Non è mai avvenuto. Lo farò. Tacerò. Iosif Vissarionovič, avete vinto. Il testamento di Lenin rimarrà segreto, la Russia non saprà che siete un uomo rude e pericoloso, che usate e userete il potere con ferocia. Non saprà che Lenin non vi voleva a capo del partito. Ma la vostra ferocia non mi colpirà: non renderete noto chi è stata davvero la donna amata da Lenin. È un prezzo duro da pagare ma non posso accettare che la mia vita venga cancellata. Non mi farò buttare via anche dalla Storia.

Angela Bubba

(2) *L'anello magico*

Maria Callas

Pier Paolo vide Maria tra le rocce. Stava ammirando il panorama quando notò il profilo scivolare tra le pietre. Ebbe l'impulso di chiamarla, ma tacque.

La seguì avanzare con lentezza. La contemplò nel suo ammaliante costume scuro, una doppia tunica plissettata che culminava in un velo. Lunghissimo, lo teneva adagiato sull'acconciatura imponente. Di tanto in tanto ne scostava un lembo, più per vezzo che per necessità, lo stringeva e se lo pizzicava tra le unghie. L'uomo trovò quell'accanimento particolarmente simpatico, anche bambinesco, gli piaceva la ripetitività del gesto e l'ossessione con cui veniva trattenuto.

«Eccoti!» gridò a un certo punto Maria, dopo averlo avvistato.

Pier Paolo le andò incontro, sorridente ma nervoso. Indossava dei jeans e una camicia rossa sbottonata. Indossava anche un foulard e un paio di occhiali scuri. Fra le dita stringeva un taccuino.

«Che te ne pare allora?» chiese Maria, le labbra slacciate in un sorriso larghissimo.

«Sei incantevole».

«E queste collane? Che ne dici?»

La donna indicò l'insieme dei gioielli che portava al collo. Somigliavano a tante funi preziose, corde fatte di lacci e perle lavorate. Le pendevano dal seno, alcune raggiungendo le ginocchia. Erano deliranti, erano strane, grandi, incredibilmente adatte alla figura di Maria.

«Tu credi» riprese quella, esitando con gentilezza. Si avvicinò a Pier Paolo e gli strinse le mani. «Credi davvero che Medea se ne andasse in giro vestita così?»

«Io credo nei simboli» replicò lui. Tirò su col naso, con l'indice destro spinse indietro gli occhiali.

«Anch'io, sai?»

«Non potevo immaginare un'attrice migliore».

«Ne sei convinto?»

«Mai stato più sicuro».

«Io però sono una cantante prima di tutto, non lo dimenticare».

«Tu sei tante cose».

Erano in Turchia, in Cappadocia, in un villaggio che sembrava uscito da un libro per le fiabe. Erano le nove del mattino e Pier Paolo annunciò che quel giorno era davvero importante, sia perché iniziavano le riprese sia perché sul set ci sarebbe stata Maria. «Che non è solo la protagonista di questo mio film» aggiunse compiaciuto, «non è solo la grande artista che conoscono tutti, da un lato all'altro del pianeta. È molto di più».

Lei arrossì nell'udire quelle parole, nonostante la cipria non poté nascondere la pelle imporporata, la stessa che si contraeva in corrispondenza degli zigomi.

«Oggi gireremo la prima sequenza» spiegò Pier Paolo, le mani alzate per richiamare l'attenzione della troupe. «È ambientata nell'accampamento degli Argonauti, siamo nel momento in cui arrivano Medea e Giasone sul carro».

Era il 1° giugno 1969. Si andò avanti fino alle sei del pomeriggio. Guardando l'orologio Pier Paolo disse «Per oggi basta, abbiamo finito», iniziando poi a battere le mani, e facendo i complimenti a destra e a manca, agli attori così come ai tecnici. Era visibilmente emozionato.

«Domani ci sposteremo a Göreme» proseguì, lanciando quelle istruzioni come fossero doni. «Göreme è un piccolo villaggio a cinque chilometri da dove siamo adesso. Vi incanterà, ne sono sicuro. Successivamente andremo a Çavuşin, non molto distante. E se tutto va bene il 7 giugno saremo di nuovo qui, a Uçhisar, per girare le sequenze del tempio della Colchide».

Dopo quell'annuncio seguì un applauso, che voleva essere un'esortazione, uno stimolo legato allo sforzo come alla fortuna di essere in quel posto, in quel momento.

A Göreme non andò diversamente. La giornata fu intensa, non si perse tempo durante le scene e alla fine tutti si ritennero soddisfatti. Pier Paolo mollò la scranna da regista col sorriso stampato in faccia. Si mosse istintivamente in direzione di Maria.

La trovò nel camerino delle truccatrici. Aveva un'espressione magnetica, come sempre, stralunata eppure raggiante, eccessiva anche nella delicatezza.

Lei avvertì subito quella presenza, come una terra arida che reagisca a un goccio d'acqua. «Pier Paolo...» mormorò languida, sventagliando uno sguardo di complicità.

Lui si avvicinò per baciarle le guance, la guardava con occhi sognanti, le cinse la vita con un che d'impacciato.

Non si era mai comportato in quel modo. Con nessuna donna.

«Vieni» le disse Pier Paolo.

Si allontanarono senza avvisare nessuno, quasi per nascondersi, come due autentici criminali. Presero a passeggiare lentamente, in breve raggiunsero uno dei punti più alti del villaggio.

«Mi piace molto qui» confessò Maria.

«Anche a me» annuì Pier Paolo. «È un posto magnifico».

Stavano in mezzo a massicci di forma appuntita, altissimi e con l'interno scavato. Somigliavano a tanti denti aguzzi, centinaia di bocche gigantesche e in procinto di urlare.

«Sono conformazioni particolari» spiegò Pier Paolo. «Li chiamano 'i camini delle fate'».

«Fate?» replicò Maria.

«Un nome curioso, non trovi?»

«Infantile più che curioso».

«È una terra di origine vulcanica. E quello che vedi intorno è tufo, tonnellate di tufo calcareo e modellato dal tempo. L'uomo vive in questi luoghi da millenni, e incredibilmente non li ha ancora offesi».

«Sembra...» sussurrò Maria, le parole rallentate dalla meraviglia. «Sembra di essere sulla luna».

Pier Paolo la seguì in quella felicità. Fece tremolare le labbra con spensieratezza. Si lasciò prendere dallo stesso senso di grazia.

Entrambi ammiravano il panorama. Maria indossava ancora il costume nero, mentre Pier Paolo un completo giallo chiaro.

Osservavano l'orizzonte invaso dalle montagne. Il tufo bianco brillava nell'aria, un'aria azzurra e scura, compatta come un mare dipinto.

Il sole era ormai al tramonto. Le rocce proiettavano lunghe ombre deformate, dividendo la terra in reticolati scintillanti. Era tutto appeso e illimitato, immoto.

Pier Paolo ne era sopraffatto, intrecciava le dita tentando di parlare, di mettere al corrente Maria del suo entusiasmo, per averla al suo fianco e per esserle amico. Avrebbe anche voluto dirle che si trattava di un'amicizia complicata, un'amicizia dai contorni sempre più labili, che si stavano confondendo, e confondevano lui stesso.

«Vogliamo andare?» gli riuscì di articolare, le labbra impastate nell'imbarazzo.

«Va bene» acconsentì Maria.

Si mossero quando il cielo iniziava a scurirsi. Solo la luna rischiarava i loro passi, e le rocce alabastrine.

«Sono brava a recitare?» domandò la donna.

«Tu non reciti» sentenziò Pier Paolo. «Sei un teatro, un canto, un rito vivente».

«Così mi lusinghi troppo».

«Ma è la verità» concluse Pier Paolo.

Rimasero in Cappadocia per quasi un mese. Alcuni giorni li passarono a Çavuşin. Tornarono poi a Uchişar e di nuovo a Çavuşin, dove si inoltrarono nelle campagne, per girare le sequenze della processione e del rito sacrificale.

Quando ripartirono per l'Italia, alla fine di giugno, Maria sembrava triste. Pier Paolo la osservava in silenzio. Aveva un'acconciatura simile a quella che portava sul set, sebbene la parte bassa dei capelli fosse sciolta, con boccoli che le scendevano sulle spalle, e forcine argentate che tenevano a bada dei ciuffi.

«Che succede?» le chiese. Erano in aeroporto, attendevano l'imbarco insieme alla troupe.

«Sono un po' dispiaciuta» si lamentò Maria, una Marlboro attaccata alla bocca.

«Dispiaciuta?» le fece eco Pier Paolo.

«Avrei voluto che quest'avventura durasse un po' di più, e invece è già finita».

«Ma ci sono ancora le riprese di Roma, e molte altre».

«Tutte cose che finiranno, in ogni caso... Non sarà per niente facile dovermi separare da te».

«Non ci separeremo».

«Che vuoi dire?»

Maria continuava a fumare, con ritmo e veemenza. Il piccolo disco di tabacco lampeggiava nell'aria, diventando rapidamente cenere.

Pier Paolo fissava imbambolato quel cerchio, lo vedeva arricciarsi e ardere, disperatamente.

Esitò prima di riprendere a parlare. Voleva scegliere con cura le cose dire, voleva scovare le parole migliori, quasi fosse implicato in una caccia al tesoro, una sfida curiosa per cui ciò che gli era sempre stato naturale improvvisamente mancava.

«Allora?» lo richiamò Maria.

«Be'...» biascicò Pier Paolo. Era trafitto da una nube di fantasmi, schiere di sensi fantastici e lattiginosi che gl'impedivano di parlare, perfino di pensare. Amava Maria, questo era indubbio, ma non sapeva fino a che punto quell'amore stesse crescendo.

Prima che aggiungesse qualcosa fu distratto dall'altoparlante. Una voce di donna invitava i passeggeri ad avanzare. Pier Paolo si mosse, insieme a Maria e agli altri. Dovevano procedere verso l'imbarco, l'areo per Roma Fiumicino sarebbe decollato a breve.

Una volta atterrati si salutarono. Pier Paolo aiutò Maria con le valigie, la scortò fino al taxi e l'abbracciò ripetutamente. Le disse di riposare e di non fare brutti pensieri.

«Ci rivedremo fra poco» la rincuorò.

«Il 26, giusto?»

«Il 27».

«Oh certo, scusa».

«Manderò qualcuno della produzione a prenderti. Gireremo sul fiume Chia, non lontano da Viterbo».

«Non lo conosco».

«È affascinante. Ci muoveremo intorno a una torre medievale».

«Come?» lo interruppe Maria. La donna scoppiò in un riso divertito, che la fece arrossire fin sotto al collo.

«L'ho scoperta casualmente... anni fa, durante le riprese di un altro film».

«Ed è bella?»

«Certo che è bella. Non l'avrei notata altrimenti, e soprattutto non l'avrei acquistata».

«Dici davvero?»

«Sì» ammise Pier Paolo, l'espressione orgogliosa e lievemente euforica. Era elettrico, esaltato dallo stupore di Maria. Era poi indeciso se farle o no una confessione. Anche a lei aveva comprato qualcosa e lo aveva fatto di recente, poco prima che partissero per la Turchia. Aveva chiesto aiuto ad un orafo. Stava cercando un regalo unico, da consegnare a un essere eccezionale.

«Vorrei un gioiello irripetibile» aveva implorato Pier Paolo.

«Farò del mio meglio» lo aveva tranquillizzato l'orafo.

Era andato a ritirarlo qualche settimana più tardi. Aperto il cofanetto, aveva visto una circonferenza d'oro sormontata da una gemma rossiccia.

Gli era parsa subito splendida, con un che di ridondante eppure distinta, perfetta per l'estrosità raffinata di Maria.

Aveva portato con sé l'anello in Cappadocia, non sapendo bene che farne, come e quando consegnarlo a Maria. Lo teneva in tasca, lo aveva stretto più volte durante il colloquio nel tramonto di Göreme.

«Allora a fra qualche giorno» fece Maria.

Pier Paolo sembrò risvegliarsi. Fissò Maria e rimase colpito dalla perfezione di quel sorriso, da quei denti sodi e compatti, in fila come tante colombe. Non c'era una macchia, un'imperfezione che li guastasse. Lo sguardo gli scivolò poi alla base del collo. Una collana di perle era adagiata sulle clavicole, dondolando anche alla più impercettibile delle mosse.

«A fra qualche giorno» rispose Pier Paolo.

La salutò con un ennesimo abbraccio, ampio e cavalleresco. La vide sparire a bordo del taxi, come la scia di una nave svanita troppo in fretta. Si rabbuiò all'istante.

Poco dopo anche lui si trovò a chiamare un'auto. Arrivò a casa che erano le otto di sera. Non riuscì a toccare cibo. Telefonò a un paio di amici e rilesse delle cose su un foglio, scritte tutte per Maria.

Quella notte dormì male. Si rivoltò nel letto come un forsennato, non fece che sbruffare e passarsi una mano sugli occhi. Alla fine lanciò il cuscino per aria.

Andò in bagno e si sciacquò la faccia, quasi schiaffeggiandosi. Si esaminava intanto nello specchio, si avvicinava e discostava dal suo stesso riflesso, trattandolo alla stregua di un pericolo, qualcosa da cui era bene stare lontani.

Raggiunse poi il balcone dell'abitazione. Ispirò la notte scura e salata. Posò tutte e dieci le dita sulla ringhiera, un lungo filo dalla pelle fresca e scorciata.

Ripensò a quella donna, alla sua bocca magnetica e al suo corpo affusolato, ripensò perfino al suo nome. Quel nome lo faceva commuovere.

«Maria» mormorò.

Socchiuse le palpebre per approfondire delle sensazioni. Fu come se qualcuno gli stesse aprendo il cranio, gli tirasse le cervella dalla testa e lo obbligasse a vedere un pensiero.

Amava una donna, e l'amava davvero, lo capì allora. Solo gli sfuggiva come quel sentimento si sarebbe conciliato col resto, quanto avrebbe ucciso della sua natura, e quanto avrebbe salvato.

«Sono un omosessuale» aveva detto una volta a Maria. «Se non lo fossi ti avrei già sposata».

Lei aveva scoccato uno dei suoi sguardi e aveva fatto sfarfallare le ciglia, componendo una meravigliosa ragnatela d'ombre. Se ne stava lì, in mezzo a quei minuscoli peli bistrati, ogni emozione che Pier Paolo potesse provare.

Maria era un'ammaliatrice, concluse l'uomo, le braccia ancora fisse sulla ringhiera. Era un angelo. Era una sirena, e le sirene non fanno che cantare.

Quando la rivide le andò incontro nel modo consueto, eccessivamente gentile e servizievole.

Era il 27 giugno. Maria aveva i capelli acconciati come in Turchia, era agghindata magnificamente, col solito trucco nero e marcato. Somigliava a una bambola del teatro dei pupi, dai tratti grossi e ricalcati.

Lei e Pier Paolo erano vicinissimi, camminavano accanto al fiume Chia e si tenevano per mano.

Quel giorno si baciarono. Un bacio sulla bocca, ma casto, da bambini, compiuto da gente che non sapeva davvero quel che stava facendo. Maria ebbe un'impressione di dolcezza eccessiva, Pier Paolo invece di smarrimento, persino di dolore.

Si allontanò da lei quasi subito, sussurrando che più tardi avrebbero parlato. Maria assentì.

L'uomo, disorientato, diede così il via alle riprese, che tuttavia non durarono molto. Pier Paolo infatti si fece male, venne ferito da un'ascia che una comparsa stava trasportando.

Maria scappò disperata verso di lui.

Lo vide accasciarsi al suolo, seguì il suo corpo flettersi e sanguinare. Dopo che l'ebbe raggiunto prese a gridare contro chiunque, pregando che qualcuno chiamasse i soccorsi.

Quando Pier Paolo entrò nell'ospedale di Viterbo, lei era lì con lui. Gli teneva maternamente una mano. Gli sorreggeva la testa sulla barella, dicendogli di non preoccuparsi.

La donna attese in quel posto per circa due giorni. Quando Pier Paolo fu dimesso, sentì una felicità incontenibile, aveva le orbite spalancate e un sorriso che le bucava la faccia.

«Non sforzarti» gli disse, il tono energico di chi impartisce degli ordini. «Appoggiati a me».

«Sto bene» la rassicurò Pier Paolo.

«Non dovresti prendere una stampella?»

«Ma sto bene».

«A me non sembra».

«Sono rimasto in ospedale solo per precauzione, più per far piacere ai medici che a me stesso».

«Avresti dovuto riposare un po' di più».

«Ci sono le riprese» fece Pier Paolo, una vena di tristezza mescolata all'ira. «Ci sono un sacco di cose da fare».

«Non pensarci adesso».

«Davvero non ti sei mai mossa dall'ospedale, come mi hanno riferito?»

«Be'» confessò Maria, stizzita da quella domanda. «Cosa volevi che facessi?»

Pier Paolo colse in quella domanda una sorta di ammissione, la dichiarazione di un reato che stava già consumandosi, e che nessuno avrebbe fermato.

«Sei tanto cara» gli riuscì solo di dire.

«Se non altro ho avuto tanto tempo libero...»

«Ah sì?»

«Ho ripassato una parte che non mi convinceva tanto».

«E ora va meglio?»

«Molto meglio».

Alle dieci del mattino giunsero sul set, dove vennero accolti trionfalmente. Tutti gli occhi erano puntati su Pier Paolo, che avanzava con passo claudicante. Maria si offrì di aiutarlo ma lui rifiutò, volle raggiungere da solo la sua postazione.

Una volta seduto afferrò il megafono. Iniziò a parlare, a dire che fare e dove andare, come se niente fosse successo.

Maria si fece dirigere senza fare obiezioni. Solo di tanto in tanto si voltava, lanciava uno sguardo preoccupato e prendeva a mordersi i labbri. Con durezza, con dannazione. Non era abituata a vedere Pier Paolo in quel modo. Era la prima volta che lo trovava sofferente, abbattuto, provato nonostante la sua ostinazione a non sembrarlo.

Anche Pier Paolo la teneva d'occhio, e lo faceva con una certa contentezza. Quello avrebbe potuto essere un buon momento, valutò, per parlare con Maria, per consegnarle l'anello e confessarle quale grande confusione stesse viaggiando ultimamente nella sua testa.

Ma fu un pensiero momentaneo. Pier Paolo si ritrasse di fronte a quella possibilità, come una gazzella che schivi il proprio predatore. Era confuso, annebbiato. Decise di rimandare alla prossima scena, meglio ancora all'allestimento del prossimo set.

E il set venne alla fine. A Roma. Nel teatro numero 8 di Cinecittà, completamente trasformato nella casa di Medea.

Quell'ambiente piacque moltissimo, a Pier Paolo tanto quanto a Maria, al resto degli attori e ugualmente ai tecnici. Aveva qualcosa di naturalmente selvaggio, d'incauto, di folle.

Il primo giorno di riprese Maria indossò un abito più sobrio rispetto ai precedenti. Anche i capelli erano diversi, acconciati in maniera ottocentesca, raccolti a metà della nuca e aperti tutt'intorno alle tempie. Aveva anche pochi gioielli, per l'esattezza solo gli orecchini, pendenti e dalla forma astratta, e una coroncina collocata in testa.

«Come ti senti oggi?» chiese Maria a Pier Paolo.

«Sono guarito» fece lui, trattenendo un sorriso. Sentiva come un dovere al dissenso, non voleva darle la soddisfazione di rallegrarsi per quella domanda.

«Ma io dicevo in generale» continuò Maria.

«Il generale non esiste».

«Mi sei mancato molto, lo sai?»

«Anche tu» le fece eco Pier Paolo, incapace di proseguire nel suo proposito.

«Quanto siamo stati distanti? Tre giorni?»

«Due. Anzi uno e mezzo».

Maria era in piedi, la mano sinistra adagiata sul fianco, l'altra lasciata andare sul vestito, con mollezza ma anche con signorilità. Pier Paolo invece se ne stava seduto, il collo infilato in una camicia a righe bianche e beige, le nocche fissate sulle guance.

«A che pensi?» chiese ancora Maria.

«Alle scene che dovremo girare» mentì Pier Paolo. In realtà avrebbe voluto mettere a tacere quel morbo, il grido osceno che portava con sé ormai da tempo. Avrebbe voluto dire a Maria che l'amava, ma non sapeva che genere di amore fosse. L'amava come si ama un paesaggio forse, o un ricordo dell'infanzia, un gioco.

Ultimamente aveva baciato un ragazzo, un tizio muscoloso che si faceva chiamare Apollo, veniva dalle borgate e voleva che qualcuno gli pagasse di bere. Si offrì quindi Pier Paolo, più e più volte.

Quando si baciarono, vicino via Tiburtina, era notte fonda. Avvertendo quella labbra Pier Paolo pensò alla bocca di Maria, alla sua forma tonda eppure appuntita, fresca e dal gusto fruttato. Anche con lei aveva scambiato un bacio, e di quel bacio avrebbero dovuto parlarne, lo ricordò allora, quel discorso avrebbe dovuto essere ripreso ed esaminato, come un cadavere sul letto dell'autopsia. Non aspettava altro che essere inchiodato, studiato, sezionato.

Ma né l'uno né l'altra erano intenzionati a farlo. Era una prova d'amore che se ne stava appesa, nell'aria, dondolante fra i loro sguardi e le loro paure.

Passarono pochi giorni e il teatro numero 8 fu rivoluzionato, e da dimora di Medea fu trasformato nella reggia di Pelia. Nel teatro numero 3 girarono le scene della reggia di Corinto.

Mancava davvero poco alla fine delle riprese. Sia Maria che Pier Paolo sapevano di stare arrivando al traguardo, sentivano il senso dell'esaurimento, che a volte li raggiungeva come un fischio, li scuoteva e faceva sì che incrociassero gli occhi; altre volte era una specie di odore, un sentimento ficcato in terra e che sbocciava di continuo. Pier Paolo lo definì «un fiore di una purezza oscena», dal profumo memorabile e che nessuno dei due osava cogliere.

Quando l'uomo posava gli occhi su Maria, e ciò accadeva spessissimo, in qualsiasi momento delle riprese, e negli attimi precedenti come nei successivi, quando ciò accadeva l'uomo era perennemente scisso tra due immagini.

Vedeva prima quelle sei lettere, CALLAS, grandi e forti, simili a pugni da dover schivare. Si materializzavano e prendevano vita, si muovevano come tentacoli finché non raggiungevano un palco, immenso e fiammeggiante. Quella era la leggenda, pensava Pier Paolo, l'immagine pubblica, la più falsa, la più lontana dalla creatura che conosceva.

Poi rifletteva sull'altro nome, Maria, e ne era ristorato. Gli restituiva sensazioni di piccolezza. Se lo pronunciava vedeva dei bambini, vedeva adolescenze verdi e luccicanti.

Pensava a cose semplici, umili, che lo portavano subito alla commozione. La bellezza stava in quello, diceva allora, stava nel limite e nella sua tenerezza, stava nella sciocchezza.

Una volta, erano ancora a Cinecittà, aveva osato chiedere a Maria dei suoi amori passati. Nel ricordare il suo primo marito, la donna aveva sospirato, dichiarando che neppure la cronaca rosa vi aveva fatto molto caso. Poi avevano parlato di Onassis e Maria era scoppiata a piangere.

«Vuoi sapere come ci siamo conosciuti?» aveva chiesto dopo un po'. «Fu un incontro combinato, per volere di un'amica. La contessa Anna di Castelbarco. Per caso la conosci?»

«No» aveva risposto Pier Paolo.

«Non importa. Solo per dirti che fu qualcosa di forzato, di programmato. Quindi non avvenne per volere di Dio, capisci?»

«Magari Dio aveva parlato alla tua amica, che ne puoi sapere? Magari faceva parte del tuo destino. Dovevi incontrare Onassis».

«Non credo».

«Non lo credi perché la cosa è andata male?»

«Perché dai frutti si riconosce la pianta, e il Padre Eterno non fa crescere nulla di malvagio».

«Sei molto religiosa, Maria?»

«Moltissimo. Sai dove ci siamo incontrati io e quel delinquente?»

«Dove?»

«A Venezia».

«Una città troppo triste per gli innamorati».

«Perché dici che è troppo triste?»

«Ma perché è troppo bella, è ovvio».

«E allora Parigi?» aveva obiettato Maria. «Be' lascia perdere, non è poi così importante... Che stavo dicendo? Ah, sì. Quella volta non facemmo che bere champagne e mangiare pesci fritti. Avevamo un sacco di camerieri attorno, vestiti tutti da gondolieri. Me li ricordo ancora».

«Ci torneremo insieme».

«Dove?»

«A Venezia».

Il 14 luglio si ritrovarono sulla spiaggia di Tor Caldara.

Maria era stranamente inquieta, aveva lo sguardo inquinato dei carcerati, guardava Pier Paolo con grandi occhi timorosi, sicura di ricevere un rimprovero.

Lui la tranquillizzava, le sorrideva in una maniera secca ma benigna. Anche quel giorno aveva con sé l'anello, che teneva in tasca come un amuleto. A volte allungava le dita e controllava che fosse ancora lì, poggiato sulla sua pelle, piccolo e nascosto a tutti.

Si disse che avrebbe dovuto darlo a Maria, s'interrogò anche sulle parole per accompagnare un simile gesto e su quando sarebbe stato il momento opportuno. Rimuginò a lungo, ma senza arrivare a una conclusione. Risolse il problema ritirandosi in anticipo dal set e andandosene a letto.

Pier Paolo confidava nel futuro, nel domani, che tuttavia fu uguale alla giornata precedente. Solo il 17 luglio, ad Anzio, gli parve di sentire qualcosa, qualcosa che gli ricordava uno smembramento, fra il cuore e la gola, come vetri frantumati che gli pungevano la carne.

Erano insieme alla troupe, per girare la scena finale della casa in fiamme. Maria era vestita semplicemente, una tunica color melograno l'avvolgeva dal collo fino ai piedi.

Pier Paolo ribadì che quella era l'ultima scena, avrebbe chiuso il film e per questo avrebbe dovuto contenere tutto il dolore, tutta l'estasi e la pazzia delle scene precedenti.

«Perché è così importante?» gli chiese Maria.

«Tutti i finali sono importanti, dovresti saperlo».

«Lo so infatti. Intendevo secondo te... perché gli dai un valore così grande?»

«Perché voglio che tutto ricominci» rispose Pier Paolo, la voce piana e metodica. «O meglio vogliamo che tutto ricominci. E quando dico vogliamo mi riferisco non solo a noi due ma a qualsiasi uomo del pianeta. La fine, ogni fine, si accetta con difficoltà. Si respinge e si allontana, si scongiura con ogni mezzo a disposizione. È vero o non è vero?»

Maria fece di sì col mento.

«Bene. Più quella fine sarà esemplare e più tutto ricomincerà in una certa maniera. Anzi credo che la stessa possibilità di ripetere qualcosa, di farlo rinascere e rivivere, dipenda da come lo si è conclusa un attimo prima. Il film *Medea* si chiuderà con una casa che brucia, ci saranno fiamme dalle finestre, penso a una catarsi del cielo e dello spirito, voglio che sia una visione bella e buona, e sai perché? Perché qualsiasi cosa faremo dopo, sia noi che questo film lo facciamo, sia la gente che vorrà guardarlo, la faremo in modo diverso».

Maria non disse nulla dopo quella spiegazione. Solo guardava Pier Paolo, lanciandogli sguardi colmi di gratitudine. Lo salutò sfiorandogli una mano e andò diligentemente a posizionarsi sul set, simile a una pedina che ritrovi la propria scacchiera.

Quando iniziarono a girare ricordò le istruzioni di Pier Paolo.

Doveva accendere il fuoco su un grande braciere di pietra, posto al centro della casa. Afferrò un mazzo di sterpi, ne fece ardere le estremità e collocò poi quel fascio su un treppiede di ferro, così che le fiamme si gonfiassero.

Doveva mantenere un'espressione angosciata, di chi è terrorizzato dalla propria anima prima che dalle proprie azioni.

Doveva essere tremenda e fragilissima, come una vittima, come un'assassina.

«Niente è più possibile ormai!» urlò Maria, nell'ultima inquadratura, rivolta all'attore che interpretava Giasone.

Pier Paolo si commosse di fronte a quell'urlo, che giudicò estremo e per questo infantile, naturale per tutte le creature in cerca di vendetta. Che c'era di più brutale, di più vero? Il perdono ha bisogno di tempo, disse fra sé e sé, due dita nuovamente nella tasca. E se il perdono ha bisogno di tempo, l'amore ha bisogno di un'infinità di tempo.

Poi fu la volta di Grado, un piccolo comune del Friuli-Venezia Giulia. Arrivarono il 18 luglio e iniziarono i sopralluoghi.

Pier Paolo trascinò tutti in campagna. Cercava un punto preciso, dal verde rado e non troppo lussureggiante, perfetto per la scena della dea terra e delle ninfe.

Lavorò moltissimo, nelle ore della mattina e durante quelle del pomeriggio. Si mostrava sicuro, come sempre, ma in cuor suo sapeva che qualcosa stava andando storto. Fu una delle rare volte in cui sentì di sprecare completamente il proprio tempo. Si disse che non sarebbe mai più dovuto succedere, si disse anche che in fase di montaggio avrebbe soppresso quelle scene.

«Che è stato?» chiese Pier Paolo, rivolgendosi a una delle costumiste. Aveva sentito un frastuono, proveniva dall'angolo dei camerini.

«La signora Callas» rispose la donna.

«Che succede?»

«Ha avuto un malore».

«Perché non mi avete avvisato subito?» quasi sbraitò Pier Paolo.

«Lei si era allontanato, mi dispiace».

L'uomo mollò degli attrezzi che aveva fra le mani. Dimenticò all'istante quel che stava facendo e si precipitò in direzione di Maria.

La immaginava stesa a terra, con la pelle diafana, immemore, completamente senza forze. Mentre procedeva si aggrappava a quella visione, quel quadro della mente che inspiegabilmente gl'infondeva coraggio. Iniziò a essere scosso dai brividi, allungava il passo mentre con un indice tormentava la bocca.

«Allora?» disse stravolto, entrando all'interno del camerino, una tenda di tela scura issata non molto lontano dal set.

«Pier Paolo...» farfugliò la donna, distesa su una brandina ricavata sul momento, fatta con cuscini e altri tessuti di scena. Maria era distesa là sopra e teneva la testa sollevata. Una comparsa le stava porgendo dell'acqua, l'aiutava a bere reggendola dalle spalle.

«Sono preoccupatissimo» fece Pier Paolo, preso dai tremori, gli occhi spalancati come quelli di un gufo.

«Non esserlo» lo rincuorò Maria.

«Si può sapere che è successo?»

«Forse la stanchezza».

«Forse?»

«O i troppi pensieri, la malinconia».

«Sei sicura che non ci sia dell'altro?»

«Non lo so, Pier Paolo».

«Mi hai fatto prendere un colpo».

«Che vuoi che ti dica? Mi è già successo altre volte, prima o dopo aver cantato. Sono svenuta così anche in tanti altri luoghi».

«Ma ora non sei in un luogo qualsiasi. Sei con me».

La donna che era accanto a Maria incrociò lo sguardo di Pier Paolo. Aspettò che lei terminasse di bere, l'aiutò a riposizionarsi su un grande cuscino trapunto, dopodiché si allontanò tenendo gli occhi bassi.

Non c'era nessun altro nella tenda. Erano rimasti loro, Piero Paolo e Maria, lui che la guardava sconvolto e lei che fissava un curioso soffitto di stoffa.

«Ti senti meglio?» domandò l'uomo.

«Ora che ci sei tu sì».

«Domani non lavoreremo».

«Perché?» si stranì Maria. Si voltò dispiaciuta verso Pier Paolo, la fronte sbriciolata in una ruga.

«Devi riposare».

«Ma sto già meglio».

«Non mentire, Maria».

La donna lo puntava con intensità, in silenzio, risoluta a non deviare lo sguardo.

Rimase a quel modo per molto tempo. Sembrava che non sbattesse neppure le palpebre. Sembrava che esistessero solo quegli occhi, appuntiti e crepitanti.

«Tu dici sempre la verità?»

Maria parlò con un filo di voce. Era debole quanto un passerotto, indifesa come un bambino.

«No» confessò Pier Paolo.

«Ti dico che per domani posso farcela, anche se al momento non è che una menzogna».

«Lo vedi che ho ragione?»

«La mia mente aggiusterà tutto» proseguì Maria.

«Come dici?»

«Farò uno sforzo, intendo questo. Tutto ciò che vive dentro di me mi darà la spinta per risollevarmi, come ha già fatto in altre occasioni, anzi come sempre».

«Puoi dire quello che vuoi, tanto ho già deciso».

«Ma così ritarderemo le riprese».

«Nessun ritardo» stabilì Pier Paolo.

Si avvicinò a Maria e le toccò i palmi. Quei teneri, dolcissimi palmi che aveva stretto molte volte.

Li trovò freddi ma sudati. Gli parvero anche rimpiccioliti, improvvisamente, intrappolati in delle grinze che non aveva mai visto. Magari erano sempre state lì, pensò, e lui era stato così distratto da non averle notate.

«Che c'è?» disse Maria. Lo teneva ancora d'occhio, lo seguiva in ogni minimo movimento.

Pier Paolo si era come estraniato, immerso in una meditazione a cui nessuno poteva accedere. Si asciugò le tempie con un fazzoletto, tossì un paio di volte e sospirò alla maniera dei vecchi. Solo allora Maria si avvide che era quasi in ginocchio, appollaiato su una sedia minuscola e alla quale mancavano i bulloni. La troupe la usava come appendiabiti, o come luogo d'appoggio per le attrezzature. Avrebbe potuto rompersi da un momento all'altro.

«Tirati su» gli fece Maria, quasi sgridandolo, e indicando uno sgabello nel fondo del camerino. Pier Paolo lo guardò e scosse subito il capo, per sottolineare l'inutilità del consiglio.

«Faremo una pausa» sentenziò lui. Teneva i talloni fermi contro le gambe della sedia, si sentiva ondeggiare, aveva paura che quell'instabilità l'avrebbe fatto rotolare addosso a Maria.

«Non sei obbligato» sussurrò quella.

«Farà bene a tutti, vedrai».

«Sono così abbattuta».

«Non esserlo».

«È che non sono più tanto giovane, non ho più quell'energia...»

«L'energia non è negli anni che abbiamo ma nel talento che conserviamo con noi. Da questo punto vista sei una delle persone più energiche che io conosca».

«Anche tu allora».

«Non parliamo di me adesso».

«Va bene» convenne Maria.

«Ora devi pensare a riprenderti».
«Dove andremo dopo queste riprese di Grado?»
«A Pisa».
«Pisa?»
«Voglio divertirmi. Voglio trasformare piazza dei Miracoli nella reggia di Corinto».
«Sei veramente pazzo» ridacchiò Maria.
«Ho ingaggiato un'acrobata, sai? Ne vado molto fiero. Mi serve per la morte della tua antagonista».
«Medea non ha antagoniste».
«Come non ne ha?»
«È semplicemente una donna sola, una straniera».
«Essere stranieri è tutto tranne che semplice».
«Non è questo il punto».
«La vedi in questo modo allora?»
«Né più né meno» disse Maria.
«Ma i solitari non aspirano alle vendette. Semmai aspirano ad essere sempre più solitari, evitando ogni contatto».
«Ti sbagli, Pier Paolo».
«Non credo».
«Se ci pensi bene anch'io sono una donna sola, anch'io sono una straniera».
«Sai dove andremo dopo Pisa?»
L'uomo cambiò bruscamente argomento. Strizzò la faccia in una smorfia divertita e sfilò le mani da quelle di Maria.
Pier Paolo doveva essersi agitato per qualcosa. Ispirò in profondità coi gomiti infilzati dentro le cosce. Dopo un po' si alzò e lo fece sobbalzando, lasciando che la sedia ondeggiasse avanti e indietro. La donna ebbe un lieve sussulto.
«Dove andremo?» ripeté lei a quel punto.
«Non lo ricordi?»

«Ho dimenticato, scusami».

«Partiremo per Aleppo» disse Pier Paolo, il tono lento e strascinato, come preso dalla sonnolenza.

«È vero» s'illuminò Maria. In quel momento si decise a cambiare posizione. Si mise di lato, stesa su un fianco, rivolta docilmente verso l'amico.

«Ci sei mai stata?» chiese lui.

«Purtroppo no».

«Per quest'ultime riprese la tua presenza non è essenziale, dovrei avertelo già detto».

«Lo so».

«Potresti anche non venire».

«Verrò invece».

«Sei sicura?»

«Certo che sono sicura».

«Non voglio che ti affatichi inutilmente».

«Non sarà inutile» ribatté Maria. «E poi vedrò un posto nuovo, non c'è nessuno spreco in questo».

«Anche tu hai ragione».

Maria sorrise a Pier Paolo, che sembrava aver ritrovato la calma. Lui si riavvicinò alla sedia che aveva smesso di oscillare, la prese per la spalliera e la sistemò di lato.

Si piegò di nuovo sulle ginocchia, col solito fare nevrotico ma amorevole, le nocche fissate sotto le orbite. Era a qualche centimetro di distanza dal viso di Maria.

«Aleppo ti piacerà» le disse.

«Se mi piacerà è anche perché ci sarai tu».

«Potrei dire la stessa cosa. Potrei far finta di non conoscere quel luogo per rivivere tutto daccapo, come fosse la prima volta».

«Sarà l'ultima tappa, è così?»

«È così, Maria».

«Sarò tristissima».
«Non sarà un addio».
«Lo spero».
«Ad Aleppo ti darò una cosa».
«Cosa?»

Arrivarono in Siria, ad Aleppo, nel pomeriggio del 4 agosto. Girarono prima una sequenza di Creonte e poi quella di Giasone sotto le mura, davanti alla casa di Medea.

Il 6 e il 7 agosto invece, gli ultimi giorni prima di chiudere i lavori, filmarono l'assalto degli Argonauti. Si trovavano a Geboul, vicino ad Aleppo. Lavorarono fino al tramonto e solo alla fine, quando Pier Paolo annunciò che le riprese erano terminate, erano terminate davvero, si concessero una piccola festa, proprio lì, fra macchinari e scenografie, nel bel mezzo di una pianura desolata.

Era una specie di brindisi, qualcosa da cui nessuno doveva uscire sobrio. C'erano del vino e del liquore locale, che non a tutti piacque. C'erano anche delle bottiglie di Vermouth, che Pier Paolo aveva portato dall'Italia.

Anche Maria partecipò ai festeggiamenti, ma era una Maria diversa.

Non era truccata. Era vestita con pantaloni di lino e una camicetta annodata sulla pancia. Teneva i capelli sciolti sulle spalle, indossava delle espadrillas bianche e rosse.

Lei non aveva recitato in quelle ultime scene, solo aveva raggiunto il set e si era sistemata accanto a Pier Paolo, sorridendogli oppure dandogli consigli.

La sera di quell'ultima giornata, tornati in albergo, Pier Paolo la chiamò da parte. La prese da un braccio e le ricordò quanto le aveva detto a Grado.

«Devi darmi una cosa» disse lei.

«Proprio così».

«Di che si tratta?» domandò la donna, gli occhi scintillanti nella penombra. Erano fermi in un corridoio dell'albergo, che collegava il ristorante a una rampa di scale. Le luci erano color arancio, tenute basse, i tendaggi chiusi rendevano l'aria asfissiante.

«Ecco...» attaccò Pier Paolo, mentre infilava una mano nella tasca dei pantaloni. Ne estrasse fuori una scatoletta, la tastò coi polpastrelli come per valutarne il valore, o il peso. La scrutò un'ultima volta e la consegnò a Maria.

«In un romanzo di una mia amica si parla di un anello...»

Pier Paolo parlò senza rendersene conto.

«C'è quest'anello, questo rubino... entra ed esce dalla storia dalla prima all'ultima pagina... è un po' quello che è capitato a me».

«Stai dicendo che mi hai regalato un rubino?»

«Non proprio. Volevo confessarti che ho portato quest'oggetto con me per molto tempo. Quest'oggetto, che è tuo adesso, che anzi lo è sempre stato, mi ha fatto compagnia tanti giorni e tante notti. Entrava e usciva dai miei pensieri, proprio come quel rubino, e cercavo sempre il momento migliore per regalartelo ma...»

«Ma?»

«Ma non lo so, Maria. Aprilo e vedi se ti piace».

La donna rigirò la scatolina fra le mani. Pensò che fosse curiosa, era decorata con piccole foglie stilizzate, aveva bordi in rilievo rispetto alla parte centrale.

Maria fece scattare la chiusura, sollevò il coperchio e vide l'anello. Lo indossò subito, senza dire nulla. Poi abbracciò Pier Paolo stringendolo dalle spalle.

«Ti piace?» le chiese lui.
«Moltissimo».
«La gemma è una corniola».
«È meravigliosa».
«È per... è per il nostro amore che l'ho comprato».
«Com'hai detto?» chiese Maria. Aveva gli occhi lucidi, la voce sfatta per la commozione.
«Perché ti amo».
«Anch'io ti amo, Pier Paolo».
«Anche se il nostro è un amore speciale».

Maria trattenne un sorriso, riducendo gli occhi a due fessure malinconiche. Per un attimo aveva fantasticato, aveva creduto a un sentimento canonico, normale avrebbe detto qualcuno, che l'avrebbe condotta in una chiesa vestita di bianco. Aveva immaginato il percorso verso l'altare, e l'aveva fatto nella frazione di qualche secondo.

Dopo le parole di Pier Paolo si riscosse, capì che quello davanti a lei non era un uomo ordinario, non era una persona come le altre.

«Siamo speciali allora...» disse Maria, gli occhi che indagavano i bagliori dell'anello.
«Sì» rispose Pier Paolo.
«Quanto durano gli amori speciali?»
«Molto più di tutti gli altri».
«E quando finiscono che succede?»
«Succede che ricominciano daccapo».
«Perché mi hai regalato quest'anello?»

Pier Paolo accarezzò Maria, prima passandole una mano sulle guance e poi tra i capelli.
«È un anello magico» le disse.
«Perché c'è di mezzo Medea? Vedi anche me come una maga adesso?»

«Medea non c'entra un bel nulla».
«Ah no?»
«L'unica cosa che conta è che è preziosissimo, ma in una maniera strana, proprio come me e te. Non devi azzardarti a perderlo».
«Non lo perderò».
«E serve per ricordarti che se qualcosa finirà sarà solo temporaneamente. Inizierà tutto di nuovo, sempre».
«Per questo è magico?»
«È magico perché è tuo, è nostro. Ora andiamo».

Maria Grazia Calandrone

3

Il cielo nello specchio della toeletta

Amanda Lear

È mattina. Amanda è sola, in piedi, in una veranda molto luminosa, arredata con divani, poltrone e un grande cavalletto col dipinto di un nudo femminile azzurro con estintori, probabilmente una Giovanna d'Arco completata a metà.

Molte altre tele sono appoggiate contro le grandi vetrate, che danno sul giardino. Sul davanzale di una finestra ci sono vasi di fiori colorati, a terra un piccolo innaffiatoio di latta laccata di bianco.

A fondo scena, una toeletta con un grande specchio ovale, la superficie rivolta verso il pubblico, in modo che il pubblico possa vedere il cielo riflesso nello specchio.

Amanda chiacchiera amabilmente con gli spettatori, passeggiando avanti e indietro per la stanza e agitando spesso le mani, nel suo modo elegante e ironico.

AMANDA «Le donne non sanno dipingere!»
Una tra le storie d'amore più strampalate al mondo è iniziata così, con un genio che dice una cazzata e una ragazzina tutta ossa che raccoglie la sfida.
La ragazzina ero io. Diciannove anni, uno scheletrino allegro, alto come un maschio e con la voce da uomo. Potevo non piacergli? A lui, il gran Maestro della libertà e dei sogni? Il grande capo onirico, petit Dalí... Il Salvatore... Con quel nome, poco ci mancava che si credesse il redentore dell'umanità!
Io incarnavo... (*ride*) ... be', si fa per dire «incarnavo»... diciamo meglio «indossavo» la confusione, il principio di indeterminazione che gli piaceva tanto! Il mio corpo era in bilico, senza confini.
Ma poi... Uomo, donna... Che sarà mai, quest'idiozia? Solo etichette! Che senso ha infilare un corpo dentro uno schedario, col cartellino sopra? Mica stiamo all'obitorio! (*ride*)
Il corpo vivo cambia ogni giorno! Solo i morti non cambiano. Ma i morti sono freddini, proprio nessuna empatia, eh? Infatti, io non morirò mai! (*ride*)
Per me uomo, donna, caimano o gabbiano, che importa? Conta solo quanto una persona sta bene dentro il suo corpo.
Le persone che stanno bene non sono aggressive, magari nelle giornate migliori arrivano pure a preoccuparsi per gli altri! (*ride*)
Che noia stare lì a guardarsi allo specchio e chiedersi chi sono! Come faranno a essere felici guardando solo la loro faccia che li guarda? (*sbuffa*)
Mica voglio dare ricette eh? A proposito di faccia: ognuno faccia come crede! (*ride*) Però a me piace giocare con la

vita, da quando sono nata. E la mia vita si è fatta acchiappare, rilanciare, cambiare posto all'improvviso, come una pallina colorata. Ve le ricordate, quelle palline magiche che andavano di moda negli anni Settanta? Quando io ero appena nata, no? (*ride*) Le SuperBall. Le palline di gomma che rimbalzavano impazzite per tutta la stanza. Quelle!
Le ha inventate un chimico. Norman Stingley. Una mattina si sveglia e gli viene in mente di vulcanizzare lo Zectron con lo zolfo. La gente è strana, eh? (*ride*)
Però, senza volerlo, ha costruito l'immagine in 3D della mia vita! O magari voleva farmi un omaggio, chissà! Pure io, sembravo uscita dal laboratorio di uno scienziato pazzo!
Non ho mai programmato niente, ho seguito il corso degli eventi e mi sono trovata sempre bene: ho scivolato, liscia come l'olio, dietro la vita. E la mia vita mi ha seguita, ovunque. Affezionata. Un cagnolino, eh? Siamo andate d'amore e d'accordo!
Adesso la smetto, altrimenti pensate che sono un monaco zen, altro che icona! Icona, poi... Le icone stanno sopra le lapidi dei cimiteri. O nelle chiese russe... che non sono tanto più allegre...

SALVADOR (*entrando lentamente in scena sotto forma di ombra col mento all'insù. Senza enfasi*) Naturalmente, sono immortale.

AMANDA (*ha un leggero soprassalto; poi, sottovoce verso il pubblico*) Parli di cimiteri e spuntano i baffetti! (*all'ombra*) Petit Dalí, buongiorno! La prossima volta magari bussa...

SALVADOR Bussare, bussare alle porte dell'Universo delle tue spalle... Buongiorno a te, mi ángel... Sono immortale, dicevo...

AMANDA (*sottovoce verso il pubblico*) Fa così, ogni tanto si ripete...

SALVADOR Ma ho deciso di andarmene perché ero stanco di essere deluso!
Il cambiamento della società...
Il cambiamento continuo. Mi sfiniva! Cambiamento in peggio, è ovvio!
Uno inventa, si spacca le ossa del cranio per rivoluzionare tutto e ogni dieci anni tutto cambia ed ecco, bisogna rivoluzionare tutto daccapo.
Ah, il corpo a un certo punto si stanca! Una rivoluzione ogni dieci anni significa che a settanta ne hai fatte sei. A parte la prima, quella di essere nato.
Ma basta! Ho deciso di aver fatto abbastanza. Ho dato agli uomini più di quello che gli uomini riuscivano a sognare...

AMANDA (*sottovoce verso il pubblico*) Ve l'avevo detto, crede di essere il Redentore!

SALVADOR Ho cercato di redimere gli uomini dalla banalità, dalla triste convenzione della realtà. Ecco perché ti ho scelta, Amanda: perché eri irreale e inafferrabile...

AMANDA (*sottovoce verso il pubblico*) Visto? Ho pure i testimoni! La SuperBall!

SALVADOR Ma a un certo punto mi sono preso il diritto di fermarmi. Non volevo più essere elastico.

AMANDA (*sottovoce verso il pubblico*) Infatti! Essere elastici conviene!

SALVADOR E ho preso la decisione di andarmene, perché ero stufo di dover cambiare continuamente.

Aggiornarmi, «resettare», come si dice. Ma credete davvero che potessi tollerare una parola come «resettare»? «Reiniciar»... Lo dice la parola, no?
A un certo punto mi è sembrato che il tempo avesse l'arroganza di andare più veloce del mio pensiero!
Prima il tempo era lineare. Niente si poteva ripetere, le cose erano uniche. Monoliti. Belli, lucidi, chiari. Una volta e basta. Chi c'era stato, aveva il dovere di tramandare. Eravamo tutti testimoni di qualcosa di unico, c'era dialogo, scambio. Ma adesso, cosa vuoi testimoniare? Tutti vedono tutto e sono ovunque...
E allora, basta! Se non abbiamo più niente di eccezionale e unico da dirci, che si tenda allo stato inerziale, che si arrivi alla quiete, para el diablo!
È così che si muore. Per sopraggiunta volontà d'inerzia, soprattutto mentale...

AMANDA Darling, ti sei svegliato malinconico?

SALVADOR Macché malinconico! Tutt'altro! Sto dicendo che non volevo morire a mia insaputa! Ci sono così tanti morti in vita, li vedi no? Corpi vuoti. Camminano, comprano, respirano. Che respirano? Aire del sepulcro! Ho preferito essere un vivo in morte. (*ridacchia*) Yo vivo en la muerte!

AMANDA E certo! Sei nato per contraddire la realtà. È sempre stata la tua fissazione. Mondo alla rovescia.
Ma ci si può adattare, no? Seguire il flusso, fare meno fatica, meno attrito. Dire di sì alle cose.

SALVADOR Ho sempre detto sì alle cose. Ma le cose si spalancano, ti trascinano dove vogliono loro!

AMANDA E io mi lascio trascinare, da qualche decennio! Quanti? Ma insomma, sono affari miei!

Quest'ossessione del tempo, delle date... Classificazioni, classificazioni! Gli esseri umani hanno questa mania di mettere ordine nel caos! Ma il caos è sempre più forte. Tu lo sapevi bene, petit Dalí!
Basta distrarsi un attimo e paf! ecco che la natura prende il sopravvento.
Guardate quel giardino (*indica fuori dalla veranda*): cesoie, diserbanti, tagliaerba e sudore! Altrimenti, qui torna la foresta primordiale! Con tanto di dinosauri... Come me! (*ride*) *Jurassic Park*!
Pure il tempo, è una foresta primordiale che noi cerchiamo di addomesticare.

SALVADOR Foresta e formaggio. Il tempo è formaggio...

AMANDA Sì, ma indigesto!
Un formaggio che cola, che sente il peso della gravità e del caos. Meglio stare dove stai tu? Dove tutto è volatile... Per ora no!
Mi sa che non invecchio perché sopporto di essere interrotta dal caos, darling.
Ogni sette anni il mio corpo cambia? Le mie cellule sono tutte nuove! Buon pro mi faccia!
Ma tu, caro piccolo Dalí, avevi una struttura tutta avversa al presente. Ma eri pure contrario al morire...

SALVADOR (*brontola*) Be', quello era proprio facile... Per quello ho preso la morte per le corna! Trovamene uno che sia felice di abbandonare il corpo...

AMANDA Dai, non ti sminuire! Eri contrario alla morte più di chiunque, particolarmente contrario! E sai perché? Perché non hai mai creduto alla materia!

Per te era inconcepibile che qualcosa così impastato al sogno, intriso nell'acqua limacciosa di quella cosa lì, come la chiamano... «inconscio», per capirci...

SALVADOR Di' pure «anima» senza rabbrividire! (*si esalta*) Alma, alma, mi alma!

AMANDA Anima, adesso non esagerare!
Insomma, non ti pareva possibile che un corpo, immateriale come lo intendevi, potesse esaurirsi! Scaricare le pile...
Il corpo è una giostra di molecole, atomi e quanti, tenuti insieme da una miracolosa volontà di vivere.
Una vera bellezza! Un fenomeno di coordinazione planetaria! Come può smettere di esistere? Come può avere fine quello che non esiste? (*sottovoce verso il pubblico*) E infatti, vedete, non si rassegna...

SALVADOR (*esultante*) Vero! Vero, vero! Es verdad!
Ho mescolato i corpi con acciaio e scudi, ho mescolato i corpi con la salina ritrosia del mare e col viola imperiale. Un gancio, una catena, rosso marmoreo...
Ho infilato nei corpi un affaccio sul mare sereno e sul silenzio arso del deserto, ho rifatto Picasso sotto forma d'ariete e rinoceronte, cabrón! Col violino nel sommo della lingua, ho aperto i cassetti di Venere.
Pesce e gabbia sul fondo marino, sabbia e risacca. E, soprattutto, fuoco!

AMANDA Certo, il fuoco non muore. Il mare non muore. Al massimo, appassisce! Lo dice il poeta. E tu, mescolavi le carte come un grande poeta...

SALVADOR El poeta del sonido y del color de las estrellas...

AMANDA Il volo degli uccelli, il volo delle particelle subatomiche, ologrammi e principesse orientali che si levano dal freddo dei sepolcri: per te era lo stesso. Scienza e natura, non hai mai concepito differenze.
Hai coperto di tende pure i muri, tanto per non salvare le apparenze!
Sai ieri che pensavo? Mi sa che hai inventato l'opera interattiva...

SALVADOR (*esibendo modestia*) Può darsi, può darsi...
Certo, mi sono preso tutte le libertà. Così, arrivavo prima. La libertà vuol dire arrivare prima, arrivare alle cose per folgorazioni. Come Einstein! Altro grande poeta!
Però... tutto questo sforzo d'immaginazione... e alla fine capisci che l'arte può consegnare solo una forma vuota. Chi guarda, vede quello che vuole. Vede quello che è pronto a vedere. Allora, ho dato spazio a chi guarda. Cioè a me stesso! (*ride*) Io sono il primo testimone delle mie opere! Non sapevo mai cosa mi stessi mettendo a fare, quando iniziavo un quadro, lo entiendes? Tutto senza progetto, sin propósito: pura fascinazione, ossessione, improvvisazione, mano guidata dal mistero!
La mia faccia, la vedi la mia faccia?

AMANDA (*strizzando gli occhi*) Sì, più o meno...

SALVADOR Ecco, la mia stessa faccia, non era che il supporto, l'appoggio di quello che vedevo: altre facce, tramonti, gabbiani, gaviotas en vuelo, bacon grigliato. Tutto mischiato a tutto. E, sopra tutto, la notte, la morbida notte, che scioglie le forme una nell'altra e il mondo nel suo portagioie...

AMANDA (*sottovoce verso il pubblico*) Ma sentitelo, cita il nemico! Il sole di Tanguy...

Mi sa che allora parla sul serio, quando dice «anima», vuoi vedere che alla fine tutti siamo uno!
(*rivolta a Salvador*) Come la vita, no? Un collage che va a posto da solo, il ventaglio delle possibilità... Tutto ruota e ritorna su sé stesso...
Però io sono nata fortunata, darling! Tu mettevi le bombe nel mondo, io ci sono venuta per ridere! Ridere della vita! Disinnescare la tragedia del vivere. Non c'è tempo da perdere con le lacrime!
Voglio spendere il tempo con profitto. Cioè, con allegria.
Tanto il tempo, pure se non esiste, è sempre troppo poco!

SALVADOR (*riflessivo*) Poco, troppo, chi può dirlo? Quello che è sicuro è che si somma.
Vita si somma a vita, esperienza a esperienza. Invecchiare non vuole mica dire rinnegare quello che si è stati. Anzi! Vuol dire sommare tutte le persone che siamo stati e siamo!

AMANDA (*sottovoce verso il pubblico*) Lo dicevo io che hanno la mania di classificare... Adesso fa la collezione di figurine della sua vita...

SALVADOR Vedi questo quadro? (*mostra* Ragazza alla finestra) Questo l'ha dipinto il ragazzo che ero a vent'anni. Quella è mia sorella Aña Maria.

AMANDA Bel culo, eh? E tu guardavi il culo a tua sorella!

SALVADOR Seguro! Io guardo tutto!
E quest'altro?
(*mostra il* Sogno causato dal volo di un'ape intorno a una melagrana un attimo prima del risveglio)
Un sogno che ho fatto a quarant'anni.

Vi sembrano dipinti dalla stessa persona?!
Ve lo dicevo io: rivoluzione! Revolución!

AMANDA (*sottovoce verso il pubblico*) Collezione!

SALVADOR Per molti anni sono stato ossessionato dalle api. Le api dentro gli orologi che si sciolgono come Camembert... Le api colorate come tigri. Nei sogni tutto esorbita, è gigantesco... E la guerra, la guerra... Un'infinita replica di teschi. Teschi nelle parole, nelle orbite... Tutti i miei sogni (e pure gli incubi, per dire la verità!) erano reali, dettagliati. Quando si sogna, bisogna essere precisi. Esatti! I sogni sono fatti di dettagli. Se ci metti i dettagli, diventano più veri della realtà. Che, ovviamente, non esiste!
(*orgoglioso*) Ho vissuto costruendomi da solo quello che sognavo e desideravo. Ho inventato la vita che volevo. Di più, ho inventato el mundo che volevo.

AMANDA Eh, sì!
(*sottovoce verso il pubblico*) L'ha fatto anche con me, eh?
Quando mi ha vista, ha deciso che voleva me, solo me, me e nessun'altra, da dipingere.
Credo si fosse messo in testa di far fiorire il mio scheletro (*ride*).
E io, per non deluderlo, diventavo sottile come un'idea!
Bella fortuna essere la Musa di un bombarolo! Un pittore che fa saltare in aria la materia con la sua immaginazione!

SALVADOR Ma poi, cosa significa inventare? Inventare significa trovare! Trovare nelle pieghe della realtà quello che già esiste.

AMANDA (*sottovoce verso il pubblico*) Infatti. Di me, ha inventato lo scheletro!

SALVADOR E ricreare el mundo significa mettere a contatto e lasciare agire le cose trovate. Per esempio, elefante e zanzara. O ape e tigre. Li metti insieme e vedi che succede. Vela e farfalla... Mariposa... Le cose, le cose, le cose... Le cose fanno tutto da sole.
Cos'è questa solidarietà asfissiante con le cose come sembrano? ¡Ayuda, nos sofocamos! Le cose sono apparenze... E si annoiano a morte pure loro, sai, a essere solo sé stesse!
Tu, poi...

AMANDA (*sottovoce verso il pubblico*) Rieccoci!
(*verso Salvador, lievemente ironica*) Sì, Maestro!

SALVADOR Tu sei l'esempio vivente della fantasia della natura, Amanda.

AMANDA (*sottovoce verso il pubblico*) Secondo voi mi sta offendendo?

SALVADOR Ma la fantasia della natura non mi bastava. Dovevo metterti i miei colori addosso.
Ti ho mescolata al nero, ho aiutato il tuo corpo a esprimere ogni sua intenzione, la potenza estrema del suo vivere, così sottile...

AMANDA (*sottovoce verso il pubblico*) Ecco, l'ha detto!

SALVADOR Lo capisci, ero troppo intelligente per essere un grande pittore, avevo troppe idee, troppi sogni, per avere pazienza di affinare la tecnica.
Velázquez, lui sì era un grande!

AMANDA (*sottovoce verso il pubblico*) Sta dando dello scemo a Velázquez!

SALVADOR Io non volevo dare qualcosa all'arte, volevo dare qualcosa agli uomini, alla vita, all'evoluzione umana... In una parola, alla libertà!
Se vogliamo dirla in una sola parola, io volevo *sprigionare*.
(*ispirato*) Sprigionare dalla materia il sogno della materia. Sprigionare infinite realtà possibili dalla realtà evidente: sprigionare dal mio occhio l'occhio di una mosca, vedere le cose come le vede l'occhio di una mosca. Sfaccettate, irradiate di luci invisibili.
Sprigionare dal corpo l'ossatura interna.
Sospendere gli oggetti che appartengono alla buffonata che chiamiamo realtà come li ha sospesi la bomba atomica. Il mito cade
nel mito contemporaneo.
Dipingere il volto di un genio col nero di seppia e gesso rosso.
Sprigionare dall'organo il sepolcro. L'organetto di strada di Figueres, intendo. Ma non il tuo cuore, non il muscolo nero de tu corazón, Amanda... Amanda...
(*stizzito*) Amanda? ¿Me estás escuchando?

AMANDA (*a metà del discorsetto lirico di Salvador, Amanda si è messa a innaffiare i fiori col piccolo innaffiatoio. Riscuotendosi*) Ma certo, Salvador! Eccomi!

SALVADOR (*un po' risentito*) Sto parlando di te, sai?
Unica come il legno levigato dall'acqua, Amanda, come la conchiglia lunare...
Eh, la luna! Forse la luna si limita a essere una qualunque femmina? Vedi com'è maschile la sua falce, come incide nell'osso della notte, come stride sull'osso della notte, col lamento di uccello?

AMANDA Vedo, darling, vedo!
(*sottovoce verso il pubblico*) Quando è di umore lirico meglio non contraddirlo, è pericoloso come svegliare un sonnambulo!

SALVADOR Lo vedi che la luna è osso su osso?
Volevo che lo scheletro della luna fiorisse
dal tuo bacino, da quell'osso sporgente che mi dava pazzia
come la cresta di una montagna
disabitata e scabra. Volevo
sconfinare, e che tutto portasse le sue ossa, il segreto segreto
fuori dal molle delle carni, che ogni segreto del mondo
fosse portato sulle spalle del mondo
come un esoscheletro, un carapace.
Ti vedevo serrata e serena come una falce, a mostrare i segreti del corpo. E quella luce, che ti stava di sopra le ossa vive. Secca, affilata, ambigua
come un cane andaluso...

AMANDA Darling, mi hai dato del cane?

SALVADOR (*ignorandola*) Mio fratello l'archetipo, fratello femmina ancestrale, Ur-Salvador!
Più che Arianna o Teseo, labirinto. Il labirinto delle identità... Questo era il gioco. Questo era il pericolo. Perché la verità è che tu riportavi in superficie quello che deve essere sepolto...

AMANDA Meglio dire «nascosto», mi pare più elegante!

SALVADOR (*ignorandola*) Eri il mio pane d'oro: durissima fuori, perché la tua allegria è la tua corteccia. Fragilissima, quando sei sola. E quando eri con me, era come se tu fossi sola...

AMANDA (*sottovoce verso il pubblico, rassegnata*) Ma infatti. Non mi sente nemmeno...

SALVADOR E sola vuol dire libera. Libera come aria...

AMANDA Ah, questo è vero!
Una cosa è certa: non ho i piedi sepolti e mozzati come il tuo spettro del sesso!
Ho lasciato a me stessa la mia forma umana.
Tanto più umana, tanto più irreale...

SALVADOR Perfecta!, per indagare la legge del desiderio. Un desiderio freddo come acciaio. Un desiderio onirico, fermentato. Acciaio lucente posato accanto alla pietra, dove la pietra assorbe tutta la luce del mondo ed è tutta la luce del mondo. La pietra è luce massima, luce massimamente concentrata...

AMANDA (*sottovoce verso il pubblico*) Eh sì, ogni tanto fa così: delira...

SALVADOR Ma, oltre a sprigionare tutta la luce dalla pietra, facevo un'altra cosa: organizzavo razionalmente l'irrazionale: ipercubi fluttuanti, sviluppi antiprotonici del cattolicesimo mariano...

AMANDA Fermati, fermati! (*ironicamente seduttiva*) Vedo che ti accendo ancora la fantasia, Maestro!
Ma sai che a volte pure io, davanti a te, mi sentivo un manichino art déco, qualcosa che non esiste davvero, solo un mito mai sciolto, un corpo mai diviso a colpi di saetta dagli dei invidiosi.
Me lo dicevi sempre, ti ricordi? «Amanda, non sei utile agli dei, ma a un unico dio». Indovinate un po' chi era, quel dio?

SALVADOR Parli come se non ti avessi mai attribuito organi interni, Amanda!

AMANDA (*sottovoce verso il pubblico*) Oddio, che ha detto?

SALVADOR Organi interni! Visceri! La consistenza umana sta tutta lì.
Con te, mi sono concentrato sulla funzione di contenimento, la più importante e pericolosa. Ti ho rifatta vuota.
Ho disegnato lo slancio verticale che si ferma, per contenere e conservare il nucleo della vita. Pensaci!
Considera lo sforzo che fa lo scheletro per proteggere gli organi interni. Roba organica che si curva e si piega, compatta. Ponti di ossa intorno a cervello, fegato... E cuore! Rosso fiammante. Il più nascosto e il più bello.

AMANDA Stai dicendo che sono senza cuore?

SALVADOR Ma se ho detto il contrario! Eh, ma tu innaffi i fiori...
(*didattico*) Proprio due minuti fa, querida, ho detto che non volevo *sprigionare* il muscolo del tuo cuore...
Non perché non lo avessi, perché andava protetto dagli sguardi...

AMANDA (*simulando spavento*) Hai fatto bene, petit Dalí!
Che non si sappia in giro, eh?
Pure tu, mi hai detto che mi volevi bene solo in punto di morte...
La tenerezza è una cosa dura, difficile.
Certo, da quando te ne sei andato sei diventato più ombroso... Suscettibile.
Ma parliamo d'arte, cioè parliamo d'altro!

Ti sto dando ragione, è andata proprio come dici tu: quando mi disegnavi, facevi sanguinare la matita! Tutti quei tratti rossi come fruste! Svelti, selvaggi...

SALVADOR E che prima di esplodere in alto si trattengono, a conservare viva la vita!

AMANDA Infatti, eccomi qua!
Potevi immaginarmi inginocchiata, potevi immaginare di leccare la punta degli stivali rossi coi quali ti schiacciavo...
Ma non potevi immaginarmi dolce.
Il mio scheletro era la mia maschera, per i tuoi occhi.
Paradossale. Il mondo alla rovescia, come sempre! Non si riusciva a prenderti sul serio, eri un giocoliere!

SALVADOR Ma più vero del vero, mi ángel!
Niente al mondo va preso sul serio! Di sicuro non quello che appare.
Cultura e religione sono asini putrefatti. Figuriamoci!
La verità è talmente più cruda! E più crudele.
Se cerchi la verità, scappa dalle Accademie! Tutti lì a istituire convenzioni!

AMANDA E noia...

SALVADOR E noia. Come possono solo pensare di organizzare una volta per tutte l'inafferrabile?
¡Revolución! ¡Revolución! Il genio deve tenere gli occhi spalancati per accogliere il caso e metterlo nell'opera, deve stare all'erta, sensibile al mondo. Siempre! O almeno, fin che ce la fa...
Gli ingredienti di un'opera sono caso e volontà, mica lo studio di ogni pennellata!
Io ho voluto cambiare le sorti dell'estetica mondiale, ho inventato il poeta estroverso e mai uguale a sé stesso...

(*mostrando ad Amanda il suo quadro, posato sul cavalletto*) Vedi anche qui? C'è la luce della luce!
Un colore automatico, senza ombre.
Aureole, estintori. Corpi
che avevano colore e odore e adesso sono senza ombra.
È una potenza mistica, nucleare! Atomo di carbonio che tutto forma...
Difficile capire cosa sia opera di volontà e cosa sia dovuto semplicemente al caso. Ti ha squillato il telefono, il gatto si è strusciato sulle gambe e ti ha storto la pennellata...

AMANDA (*scherza, dissimulando la contentezza*) Come sei diventato buono, da morto!

SALVADOR (*urlando e sbattendo il piede*) ¡No estoy muerto!

AMANDA Scusa, scusa, mi amor, certe volte si parla per abitudine, per convenzione...
Insomma, sono contenta che «adesso» tu abbia cambiato idea sulla pittura delle donne! Ma esageri un po', è un quadretto così...

SALVADOR No, no, hai assorbito! Aprendiste. E senza neanche una lezione. Che bisogno c'è? Sono stato un maestro naturale, non ho mai avuto voglia di dare lezioni.
A te, a nessuno: vi ho fatto entrare da vivi
nell'oggetto nero e traslucido della mia fantasia.
Lo facevo apparire come un mago, come croce e corona, cigno e aquila dalle ali spiegate. Ho soltanto mostrato. Manifesté la verdad. Vi ho presi per mano e vi ho fatto vedere. E voi avete camminato con gli occhi dentro la mia fantasia...

AMANDA (*sottovoce verso il pubblico*) E dentro le sue allucinazioni...

SALVADOR Ti ho sentita, Amanda!
Ma che allucinazioni! Verità! ¡Verdad! Il cosmo è un unico grande oggetto dove ogni cosa, ogni elemento minimo e maggiore, sta in relazione di sostanza con ogni altra cosa. Il cigno con la scala a pioli, il pane con la grotta di Lascaux, la lampada con la rotazione di Urano, che rotola attorno al Sole, dopo che si è scontrato con chissà cosa di enorme e si è raggelato come un cuore umano dopo lo scontro col disamore. Lo sentivo, inseguivo quel sapere totale. Ora lo so, lo vedo.
(*rivolto al pubblico*) E lo vedete anche voi. Certo, non bene come me, ma lo vedete! Lo vedono i fisici, soprattutto, che registrano a distanza di chilometri le risposte delle particelle che hanno interagito!
E, siccome all'inizio di tutto ogni materia pensabile era una sola cosa, ecco che tutto risponde e risuona con tutto. Allora, mia moglie è davvero un'imperatrice quantica, con l'anima esplosa nella rotazione cosmica. È quello, il suo segreto, quella è la vera lei. Gala Placidia! E tu, Amanda, un'umanissima concrezione lunare, una luna contratta nella carne...

AMANDA (*riflessiva*) Sì... Eh sì, hai ragione.
Tutti mi credono solare. Ma sono piena di nuvole come la prima falce della luna crescente. Così dicevi di me. Quel che sarà di me, sarà dopo.
(*un po' imbarazzata, ma dolcemente*) Va bene darling, per oggi basta, riposati un po', che ne dici? Hai parlato tanto!
(*Amanda fa al pubblico un segno eloquente di sovrabbondanza*)

SALVADOR Sì, me ne vado... Ma ci vediamo presto...

(*Salvador fa per andarsene, ma ci ripensa, vuole dire un'ultima cosa*)
La mucca in camera da letto! Ma che altro dovete inventare, ladrones, bárbaros? Avete voglia di mettere una giraffa nella basilica di Massenzio? Fatelo! Storia che si ripete. Corsi e ricorsi. Corde e ricordi...
La vita è breve, cari miei. Adoperatela per stare bene!
¡Usa tu vida para ser libre!
(*su queste ultime parole, la sagoma di Dalí viene lentamente risucchiata verso il basso, sembra entrare nel corpo di un gattino. Amanda si china ad accarezzarlo con dolcezza*)

AMANDA Ciao, petit Dalí... Torna presto...
(*mentre Amanda accarezza il gatto, pian piano arrivano altri piccoli felini. Viene circondata da una decina di gatti che le si strusciano addosso facendo le fusa. Lei sta in mezzo a quel piccolo cerchio, ha carezze e parole per tutti*)
(*premurosa*) Eccomi, eccomi! Sì, il solito prepotente... Però ha ancora fascino il ragazzo, eh?
(*Amanda si siede per terra in mezzo ai suoi gatti. La scena è in piena luce, il cielo splende forte nello specchio*)
Sono contenta, qui. Mi sento in pace, come quel pezzo di cielo nello specchio. L'uovo azzurro... Cielo che sembra solido e fragile come un uovo. Però si muove. Movimento, ma non incontrollato: moto con base!
E base per altezza! (*ride*)
Insomma, l'area del triangolo: il triangolo del vostro muso, mostriciattoli!
Mi hanno sempre detto che somiglio a un felino, che sono un piccolo animale da preda. Mah, ne hanno dette tante... Pure che sono una varietà umana di ghepardo.

Sottilissimo. Innocente. Pura velocità. Sinapsi. Scatto. Corsa alla superficie delle cose. Ironia da predatore. Denti da predatore.
Dicevano che salissi sul palco come un predatore.
Sì, ero giovane, veloce. Salvador era la mia preda preferita. Una preda volontaria. (*sbuffa*) Ma insomma, che ne so... E chi se ne importa!
Ve l'ho detto: il mio segreto, il segreto dei segreti, è che nemmeno io conosco me stessa. Anzi, me ne infischio, di «co-no-sce-re me stes-sa»!
C'è così tanto di bello da fare, al mondo! Recito, recito sempre. Non aderisco a niente e a nessuno, figuriamoci a una che conosco da... Eh no, non da ottant'anni! Ve l'ho già detto, il tempo non esiste!
Posso essere quello che voglio perché non so chi sono. Forse niente. Forse sono niente.
Anzi, sapete cosa vi dico? Credo proprio che essere niente sia il segreto della felicità!
Solo una cosa sono di sicuro: l'ironia. L'ironia è la mia costante.
Chi lo sa, forse siamo solo quello che continuiamo a essere attraverso il tempo, siamo la caratteristica che sta in tutte le figurine delle nostre identità passate, come dice Dalí.
Be', io attraverso il tempo non riesco a fare a meno di vedere il ridicolo. In tutto! E sapete perché? Perché non so fare a meno di dire la verità. E la verità è sempre, sempre, sempre sommamente ridicola!
E così, quasi senza volerlo – anzi, proprio senza volerlo! – sono diventata pure una regina della disco. Ma è tutta da ridere! Pura invenzione! Ho dato un calcio negli stinchi a tutti, mi sono ficcata dentro tute di pelle

nera e tac! Una Marlene Dietrich disco. Altro che quella santarellina di Olivia Newton-John! Come facevano a dimenticarmi?
Ho usato i pettegolezzi per avere successo, ho giocato d'anticipo. Proprio come il ghepardo. Sinapsi. Scatto.
Sembro un maschio? M'invento che lo ero! Non so cantare? Parlo! Vi faccio ridere! Vi ubriaco di me, vi confondo.
Certo, ho venduto l'anima al diavolo, ho rinunciato all'arte con la A sublime!
Ma siamo sicuri? Forse ho fatto della mia vita la mia opera d'arte.
Una sola, ma viva.
Sì, avevo provato a scrivere le parole per i brani disco, ma chi le ascolta, le parole della disco? Tutti a muovere il culo e buonanotte... Tutti a dimenticare! E in cerca di qualcosa da adorare, da imitare... Volete questo? Eccomi! Sono *The Photograph*!
Comunque, ho fatto tutto quello che sognavo. E pure quello che sognavate voi! (*ride*) E, soprattutto, ho fatto tutto quello che non mi era mai venuto in mente!
Ma basta parlare di me... Già mi sono annoiata...
(*rivolta al pubblico*) Ecco i miei veri amori, miei cari! Le sole creature che ci amano per quelli che siamo!
(*rivolta ai gatti*) Sono tutta vostra! Mi sento come Gulliver fra i Lillipuziani, eh!
Sì, sì, eccomi, Salvador. Eccolo qua, il machissimo! Che beve litri d'acqua minerale e poi miagola tutta la notte come un drogato, con quegli occhi sbarrati che sembrano due uova al tegamino. Due uova strabiche!

SALVADOR Mieorrrrr!

AMANDA Ma l'hai detto tu! Gli occhi spalancati del genio... Adesso perché ti lamenti?
Comunque, a me càpitano solo gatti con gli occhi strani!
Guardate Helmut... Helmut (*prendendolo in braccio, affettuosa*), eccolo qua, il campione del tirassegno!
Ti guarda fisso, con l'occhio tondo, nero, senza palpebra, come se non riuscisse a metterti a fuoco... o volesse spogliarti.
Non si capisce mai bene se ti ama o ti odia, se sta per graffiarti o per fare le fusa... e mangia il pollo come Jack lo Squartatore!
E questo è Alain-Philippe. Vieni qui, Alain... Vieni, tesoro, mon seul amour col nome da brandy de luxe... sposino ardente come nessuno mai...
Posso dirlo anche a te: insieme fino alla morte...
E Brian, che ulula alla luce lunare su tutte le ottave e mi gela il sangue, poi corre come un matto sulla ghiaia del giardino... Rolling Stones!
E quell'orribile passione, eh? Orribile!
(*al pubblico*) Caccia gli scarafaggi!
Mi lascia quei poveri esserini – un po' schifosi, devo dire – ai piedi del letto, che muovono tutte quelle zampe così (*muovendo a ritmo le dita di entrambe le mani*) *Ob-La-Di Ob-La-Da*...
Brrrr! Venite, Roxy 'n' roll, Andy, Yves, profumato come un damerino...
Vieni, Coco, l'aristogatta coi capelli corti e la coda agitata come una frusta.
Sei più gatta tu di tutte le gatte che fanno le moine! Eh, Coco? Magrissima, scattante, total black...

E tu, povero David, così scheletrico, col ciuffone che pare di nylon color carota... sembra che dei bambini dispettosi ti abbiano acceso un focherello di paglia alla cima del cranio...
Povero piccolo Duca. Tanto bianco lui quanto nera io. Anche lui giovane predatore, mente prensile. Una faina. E quegli occhi stralunati, da alieno!
(*prende in braccio il gattino rosso*) Ma cerca di tenerti addosso i peli, per una volta! Ché ogni mattina lasci sulle lenzuola la sacra sindone in pelliccia... (*ride*) Peli bianchi, neri, rossi! A volte azzurri...
Scarafaggi, peli... Poi dicono che faccio la bella vita!
(*sottovoce verso il pubblico*) Comunque secondo me 'sto gatto si trucca di nascosto! Di notte, insieme a Silvio.

SILVIO (*strusciandosi*) Rrrrrrr...

AMANDA Ah Silvio! Il gatto col parrucchino! L'unico gatto al mondo che cammina sulle punte per sembrare più alto e adesso che è mezzo orbo si struscia contro tutte le sedie, manco fossero modelle di Hermès...
A volte si mette tutto storto sulla sedia, sembra che voglia prendermi sulle ginocchia.
Ma forse Twiggy gli piace più di me, è più formosa...
(*battendosi sulle ginocchia*) Vieni, Silvio, dai! Su, un bel salto, ché ancora ce la fai! Twiggy, aiutalo, visto che gli stai tanto simpatica. Dagli una bella spinta...
Hop!
Eh Twiggy, Twiggy... stai diventando grande come due gatti uno dentro l'altro! Una matrioska! La devi smettere di mangiare anche la pappa di Pacorabanne!

TWIGGY (*sentendo il nome di Paco Rabanne, Twiggy soffia*) Ffffffff!

AMANDA Sì, lo so, gli hai giurato vendetta perché ci vestiva con quelle corazze che sbattevano sulle ossa! Ogni passo, un livido! Un passo, un livido!

Infatti, stavamo ferme come statue. Ma lui ci voleva così. Statuarie, ironiche come sardine del mar Baltico. Inscatolate dentro quei sarcofaghi di metallo. Affascinantissimi, per carità, ma provate ad andarci al mercato! Vi scambiano per la tendina scacciamosche del banco del pesce!

O per un ventilatore...

(*piegandosi dolcemente verso un gatto magrissimo*) Paco, secondo me tu hai sbagliato mestiere. Dovevi fare il meccanico, l'arrotino, che ne so... Le tue sfilate sembrano il trailer di *Armageddon*...

PACO (*offesissimo*) Ffffffffff!

AMANDA E dai, non ti arrabbiare! Come sei permaloso! Si scherza! Si gioca, tutti insieme! Tanto l'inferno non esiste! Bisogna stare nella gioia possibile.

(*guardando il circoletto di gatti intorno a sé*) Come fate voi... Nella natura, fin che siamo vivi. Senza troppe domande. Le domande fanno male al fegato, eh? E non ci sono risposte. A che serve interrogarsi, se non ci sono risposte?

Chi sono, da dove vengo, dov'è che vado, precisamente?

Ma chi se ne importa, e che ne sappiamo!

Siamo tutti un gran caos. Io, per esempio, sono mille persone. E nessuna è vera.

Però, siamo tutte vestite benissimo! (*ride*)

Ah, sì! Ho certe borse a valigetta da far invidia alla Chouchou di Lady D., la Princesa Melancholia!

Che donna, eh? Che stile, che coraggio!
Ha passato tutta la (breve, lei, poverina!) vita in altalena: avere tutto, tuffi, pianoforte, perdere tutto, essere troppo alta per la danza, rinunciare, sposare un principe, rinunciare, perdere tutto, mettersi l'abito della vendetta, scegliere come madre una suora, Teresa di Calcutta, pensa che originale!, diventare la mina vagante che combatte le mine antiuomo e alla fine morire su un rottame a quattro ruote come una qualsiasi fidanzatina inglese.
Che, però, fa piegare la testa alla Regina, eh! All'ex suocera, insomma, Queen Elizabeth, immortale come me! Ma moooooooolto più vecchia di me, eh!
A proposito di madri (*si batte la mano sulla fronte*): stanotte, ragazzi! Stanotte mi sono fatta una gran risata con la mia mamma, morta da cinquant'anni!
Mi sono svegliata con le lacrime agli occhi dal gran ridere. Era un sogno semplice, io sono pure molte persone semplicissime!
C'era stata una festa a casa mia, il compleanno di qualcuno, che ne so. No, non il mio, io non compio mai gli anni!
Comunque: era notte, ero sola, avevo addentato un gran pezzo di profiterole rimasto su un vassoio sul tavolo della cucina. La crema al cioccolato dei bignè e la panna mi colavano sulle mani e sul mento, un vero schifo.
Mia madre entra in cucina e mi trova così, in piedi, piegata sul tavolo con la faccia e le mani coperte di panna e cioccolato, e si mette a sorridere scuotendo la testa.
Io la guardo e mi viene da ridere. Una risata irrefrenabile, guardate, sincera, complice, che piano piano la con-

tagia e, insomma, prima sbuffa, cerca di trattenersi, poi
il suo sorriso diventa una gran risata, di pura allegria.
Che orgoglio, averla fatta ridere così! Continuo a ridere
per la gioia e l'orgoglio, perché stanotte
ti ho fatta ridere come non ti ho mai vista ridere,
mamma. E questo è tutto il senso della vita. Bye bye!!!

Elisa Casseri

Groupieland

Pamela des Barres

Sono davanti al robot di Abramo Lincoln quando chiedo alla signora che è seduta di fianco a me se per caso sa dirmi in che anno ci troviamo. Lei mi guarda spiazzata e non mi risponde, riprende in fretta le sue cose e si allontana. Anche se il presidente sta pronunciando il suo famoso discorso di Gettysburg, so per certo che non siamo nel 1863. Sono strafatta, ok, ma mi ricordo bene di essere nata nel 1948: quindi, a meno che non sia stata la mescalina a farmi viaggiare indietro nel tempo, posso dire senza ombra di dubbio di essere lontana dalla guerra di secessione.

Ci sto provando ad ascoltare quello che dice Lincoln perché spero che le sue parole mi ispirino, ma non faccio che ridere perché poco distanti da me ci sono i tre porcellini che mi guardano facendo delle facce assurde e francamente anche un po' lascive: è da quando ho fatto il tour nella Casa del Futuro di Tomorrowland che mi seguono. Non riesco a capire cosa vogliano da me.

«Ehi, voi tre! State per caso cercando di sedurmi?»

Forse è stato anche quel posto a confondermi: qui a Disneyland c'è questa città del domani, un prototipo sperimentale di futuro che mostra come potrebbero essere le cose tra venti, trent'anni. Ma venti o trent'anni a partire da quando? Che futuro era quel futuro che ho visto? Avere la sicurezza di non essere nel passato è facile, ma con il futuro è più complicato: le capacità immaginative di Walt, mischiate con la mescalina e insozzate con la fiaba per adulti che stanno cercando di mettere in piedi Timmy, Tommy e Jimmy, mi stanno mettendo davvero in difficoltà.

E quale miglior posto, per avere una crisi esistenziale, di un gigante parco giochi durante un anno imprecisato della mia storia personale?

Se voglio capirci qualcosa, è il caso di muovermi: per trovare un senso devo cercare di fare il punto della mia vita, di ogni casa di paglia, legno o mattoni che ho avuto, del motivo per cui sono finita qui, di chi sono. Potrei tornare su Main Street, all'entrata del parco e cercare Topolino. Secondo me, può aiutarmi. Prima, quando l'ho visto, mi ha chiamato: aveva questo irresistibile accento british e nascondeva qualcosa tra le mani. Io ho cercato di raggiungerlo, ma c'era troppa gente, mi sono distratta e ho finito per perderlo. È chiaro che devo trovare lui per avere una risposta – è o non è un mio amico da sempre?

Ce l'ho avuto sulla copertina dei diari che ho scritto, sul quadrante dell'orologio che ha ticchettato intorno a tutte le mie scelte, sulle tende che ho appeso nella dépendance di Frank e Gail Zappa quando ho fatto da tata per i loro figli. Ce l'avevo sulle lenzuola, quando sono andata a vivere con Andee Cohen, una fotografa di celebrità, e poi l'ho appeso al muro, quando mi sono trasferita a casa della mia amica Michele Meyer: era sulla parete di fianco a Gesù, con Noel Redding, Rod Stewart, Frank Zappa, Chris Hillman e Gram Parsons a fare il coro.

Sa parecchie cose di me, Topolino. Molte più di quante ne sappiano Gesù e tutti gli altri. Sono certa che se riesco a ritrovarlo e magari a parlarci, potrei sapere non solo in che anno siamo, ma capire anche cosa ci faccio qui – qui a Disneyland, certo, ma anche qui in generale, in questo strano strano mondo, madida di desideri e di sensualissimo rock'n'roll.

Come ho fatto a non pensarci prima?

Prima tappa: Main Street, Beatlesland

Nel tempo della mia assenza, che a me è parsa di poche ore ma, a questo punto, potrebbe anche essere stata di giorni, mesi, anni, qui all'ingresso del parco è cambiato tutto. Al posto dei negozi di souvenir e della biglietteria, c'è Jamieson Avenue e la casa in cui sono cresciuta a Reseda, nella San Fernando Valley di Los Angeles, California. Credo che abbia senso come inizio di questo viaggio all'inseguimento del mio spirito guida disneyano che spero possa svelarmi qualche grande verità su me stessa.

Qui ci sono i miei 12 anni, Elvis che si rasa i capelli per andare in guerra, le barbie, mio padre che va a cercare l'oro in Messico, il mio cane, il mio gatto e il mio parrocchetto, l'assenza totale di tette – che comunque (attenzione: spoiler) non mi sarebbero mai cresciute –, l'incredibile pazienza di mia madre e la mia radiolina che, qualche anno dopo, iniziato il liceo, sarebbe diventata l'appendice della mia prima adolescenza, con le parole delle canzoni ad ansimarmi contro e a scavarsi dentro di me uno spazio sempre più importante.

Gli Everly Brothers, Bobby Vee, Paul Anka, Dion DiMucci all'inizio erano solo delle figurine da abbinare ai miei compagni di classe, ai ragazzi che incontravo e di cui mi innamoravo (scegliendo accuratamente sempre il più sbagliato). Poi, a Jamieson Avenue, arrivò il rock'n'roll in carne, ossa, sangue e sputi sui microfoni: nel garage davanti casa mia iniziarono a fare le prove i Rainbow Rockers e io ci misi pochissimo a scordarmi il ragazzo di buona famiglia che andava a cavallo e mi lasciava indossare la sua giacca da baseball a scuola per sbavare dietro a quella band, trovarmi a baciare con la lingua il chitarrista e a guardare la mia vita assumere, in una prima forma grezza, quello che poi sarebbe sempre stata: una costante ricerca del centro della tempesta, un rincorrere emotivo e sessuale della rivoluzione che ci ha travolti, un'immersione totale nelle canzoni che quegli artisti così inaspettati, così sexy, così impetuosi mi cantavano nella testa, spiegandomi chi ero e cosa provavo a volte ancora prima che lo provassi.

Ai tempi, mi imbottivo ancora il reggiseno e mi cotonavo i capelli, ma ero già melodrammatica e volitiva, curiosa e in ascolto, pronta ad afferrare ogni ossessione e a renderla materia di vita quotidiana.

Quando sulla scena mondiale esplosero i Beatles, diventai completamente scema.

Topolino forse pensa che l'ho scordato, che è necessario mettere su questo circo perché io mi ricordi di quanto fossi ridicola e maniacale, talmente pazza di Paul McCartney da portarmi dietro una scatolina d'oro con dentro una sua foto con le gambe aperte e il pube schiacciato nei pantaloni stretti. Lo coprivo con dell'ovatta e poi, una volta al giorno, con devozione e rispetto, lo guardavo. Scrivevo anche delle lettere per lui, lo evocavo in continuazione sul mio diario, pregavo Gesù e il suo manager Brian Epstein per far sì che non si sposasse. E poi me ne andavo in giro con queste tre amiche, una per ogni altro beatle: parlavamo con l'accento della classe operaia di Liverpool; scrivevamo delle storie, una per l'altra, in cui coronavamo il nostro sogno d'amore. Ci sostenevamo nella follia di quell'ossessione che si era mossa dai loro dischi per impadronirsi del nostro tempo, delle nostre mutande, dei nostri cuori.

Vennero a Los Angeles per un concerto e andammo a sentirli, ma non ci bastava. Così il giorno dopo ci presentammo, insieme a centinaia di altre come noi, a Bel Air, dove alloggiavano. Se solo riuscissi a entrare dentro questa riproduzione di casa mia, prenderei il mio diario per raccontare per bene l'avventura che ci portò ad essere arrestate dopo che il figlio di Jerry Lewis, incontrato per caso, ci aiutò ad avvicinarci al loro hotel, ma la porta non si apre: forse questi effetti speciali, un po' psichedelici un po' cartonati, sono troppo cheap o forse non è questo il punto della storia. Anche perché, di fatto, non ci riuscii a incontrarli.

Successe, però, che mentre i poliziotti ci portavano via, ci superò la limousine in cui era John Lennon. Le altre ragazze piangevano per l'arresto, quindi solo io mi accorsi che lui mi stava fissando. Riuscii a ricambiare il suo sguardo e a vedere il dispiacere e il disprezzo che si portava dentro. Lo tenni solo per me e non feci altro che pensarci, fino a che quella sensazione trovò il modo di farmi crescere.

Seconda tappa: Fantasyland, Sunset Strip

Bob, un teppistello di New York con origini italiane, mi iniziò al sesso nella roulotte di un suo amico: anche se mi tenevo stretta stretta la mia verginità, quei pomeriggi con Bob fecero diventare il desiderio reale, elettrico, sensato. Eppure non fu lui a cambiarmi la vita. Quando i suoi genitori lo riportarono a New York, mentre ci inondavamo di telefonate melense e lettere adolescenziali, conobbi Victor che aveva i pantaloni di velluto a coste e i capelli lunghi e che finiva sempre dal preside per questo. Mi fece scoprire, tra l'indignazione delle mie beatle-amiche, Bob Dylan e i Rolling Stones: Mick Jagger, per me, diventò l'incarnazione del sesso – la prima volta che ho ascoltato *I'm a King Bee*, ho avuto un orgasmo. Ma non fu nemmeno Victor a cambiarmi la vita, fu suo cugino. Captain Beefheart viveva in mezzo al deserto e faceva una musica talmente sperimentale da esser avanti a tutti: era un genio e, in più, stava davvero nel mondo della musica. Dopo averlo conosciuto, imparai tantissime cose e diventai hippie – fu così che scoprii che non avere le tette era una figata pazzesca.

Andammo a vedere gli Stones dal vivo e io aiutai Mick Jagger a uscire da un parcheggio facendogli tamponare due macchine. Poi, lui e Keith Richards chiesero a me e Victor dove fosse l'Ambassador Hotel: noi ci mettemmo in macchina davanti a loro e, con *Satisfaction* che usciva a tutto volume dalla nostra autoradio, ce li portammo. Quella sera, bussai alla porta del bungalow di Mick e me lo ritrovai davanti completamente nudo. Urlai e scappai via, senza riuscire a fare niente – una cosa che mi fece vergognare così tanto che non la scrissi nemmeno sul mio diario. Non ero riuscita a seguire il Bianconiglio nella tana, ma avevo scoperto che c'era una tana, c'erano dei posti in cui si poteva cercare, trovare e toccare la musica. A Hollywood c'era una via intera di tane: si chiamava Sunset Strip.

In questa mia visione mistica da mescalina, il mio Walt Disney interiore ha posizionato su questo pezzo di strada centrale per la mia crescita il Castello della Bella Addormentata di Fantasyland: mi sembra una scelta molto evocativa, visto che è su Sunset Strip che la mia coscienza, punta da un fuso di quel frigido arcolaio che erano gli anni Cinquanta, si è svegliata facendomi sentire finalmente parte di qualcosa.

Ci andai a manifestare su Sunset Strip, seduta per terra a gambe incrociate, per difendere il Pandora's Box, un locale storico, che però venne chiuso nonostante le nostre proteste. Ci gironzolai, facendomi un sacco di nuove amiche con le quali passavo serate folli e indimenticabili al Ben Frank's, al Ciro's, al Whiskey a Go Go. Ci vidi passare tutta la musica e i musicisti che avrei amato. Rimasi folgorata dai Byrds su Sunset Strip e mi innamorai immediatamente di Chris Hillman, il bassista. Iniziai a frequentare dj, attori, scultori, poeti incompresi, artisti di ogni risma dediti alla liberazione della loro anima e alla soddisfazione del loro corpo e diventai sempre più bohémienne, allentando i legacci che mi tenevano stretta a quel passato impacchettato, a quei rapporti laccati e in ordine. Ballavo, sognavo un mondo migliore, non facevo programmi, lasciando i miei genitori piuttosto sconcertati. Presi a mostrare il mio affetto per gli uomini facendo pompini e diventai piuttosto famosa. Quando conobbi gli Iron Butterfly sprofondai nei pantaloni di tutti mentre la loro musica entrava con forza dentro le mie vene – non in quelli del bassista, a dire il vero, perché non mi piaceva. Ogni tanto, quando mi fermavo a riflettere, mi chiedevo cosa pensasse Gesù di quel mio comportamento, ma nonostante fossi perplessa da me stessa non riuscii mai a fermarmi.

Al Bido Lido's, un locale che stava in uno scantinato di Sunset Strip, vidi per la prima volta i Doors: Jim Morrison era indescrivibile, magnetico e animale, pieno di poesia. Lo vidi buttarsi sul pubblico per la prima volta e vidi tutti noi prenderlo per non farlo cadere.

Non cedetti alla droga per un sacco di tempo, poi il bassista degli Iron Butterfly, quello che non mi piaceva, mi fece provare il Trimar, un liquido che veniva usato per l'anestesia «a sella» delle partorienti – poi avremmo scoperto che veniva usato anche per tramortire gorilla ed elefanti, ma a quei tempi non era di moda pensare alle conseguenze. Non avevo mai fumato erba né avevo provato acidi, coca o pillole varie, avevo resistito anche durante un viaggio a San Francisco, nonostante fossi stata alla comune Kerista House, al supermercato psichedelico di Haight-Ashbury e sull'erba del Golden Gate Park, durante l'Human-Be-In, una specie di pic-nic della pace dove tra le quindicimila persone presenti c'erano anche Allen Ginsberg, Lawrence Ferlinghetti, Tim Leary, Michael McClure e moltissime band che a Hollywood non avevo ancora visto. Il Trimar fu la prima droga alla quale mi dedicai, me lo portavo sempre dietro, in una boccetta che sistemavo nel cruscotto della mia Olds del '62.

Ma quella lì non è proprio la mia Olds? Ma chi è che la guida? Topolino?

«Topolino! Sono qui! Non mi vedi?» Non mi vede.

Sembra essere diretto su una collina, ma quanto corre questo stronzo di un topo?

Terza tappa: Adventureland, Laurel Canyon

I musicisti abitavano tutti a Laurel Canyon, un quartiere delle Hollywood Hills. Quando mi ero innamorata di Chris

Hillman e mi mancava qualche mese al diploma, passavo lì tutti i pomeriggi dopo la scuola, seduta su un muretto di Magnolia Street, a sognare di incontrarlo. E lo incontravo, ovviamente, ma senza nessuna conseguenza di rilievo.

Una volta diplomata ed entrata a pieno titolo nella vita di Sunset Strip, mi ritrovai molto spesso invitata su quella collina piena di eucalipti, a casa di amici e amiche. Spesso stavo da Sandy, una ragazza che aveva un lavoro regolare e che mi lasciava stare a casa sua mentre non c'era.

È dal suo salotto che, un pomeriggio, sentii la voce di Jim Morrison che cantava quella che adesso so essere *The End*, ma che ai tempi non conoscevo perché il disco non era ancora uscito. Mi catapultai in quella baracca verde da cui arrivava la musica e, quando lo vidi, mi feci coraggio ed entrai. Con lui c'era una rossa che non fu tanto felice della mia improvvisata, soprattutto quando mi sentì offrire a Jim il Trimar. Mi cacciò, ma nonostante quello, io e Jim finimmo comunque nel salotto di Sandy a sniffare e il giorno dopo, al concerto dei Doors, ci baciammo in un soppalco del backstage prima della sua esibizione. Dopo lo spettacolo, ce ne andammo in giro per un po' con la mia auto – sempre la stessa, quella che adesso è in mano a Topolino – e lui buttò la mia boccetta di Trimar dal finestrino: mi fece pure una mezza ramanzina sulle droghe che, devo dire, sortì qualche effetto. Incredibile, no?

Quella fu l'unica volta che ebbi un così stretto contatto con lui, le volte successive che lo incontrai era in diverse fasi distruttive. Non aveva affatto bisogno di me, aveva già la sua Pamela: io e la rossa che mi aveva cacciato dalla baracca ci chiamavamo uguale, ma era lei che sarebbe stata con lui, in un modo o nell'altro, fino al giorno della sua morte.

Anche le mie amiche Sandra e Lucy vivevano a Laurel Canyon, nello scantinato di una casa di legno in cui ci ritrovavamo spesso anche con Sparky – quando io e lei non eravamo impegnate a creare scompiglio a Sunset Strip. Chiuse là sotto, parlavamo dei ragazzi con cui volevamo andare a letto e le mie amiche facevano delle liste da cui poi cancellavano quelli con cui riuscivano davvero a scopare. Io non avevo nessuno da cancellare perché continuavo a tenermi stretta la mia verginità, manco fosse il pass per un backstage.

Poco prima che Frank Zappa prendesse in affitto la casa di legno e venissimo praticamente sfrattate, si unì a noi anche Christine. Eravamo un quintetto incredibile e il nostro stile era molto famoso e copiato dalle altre ragazze: ogni volta che uscivamo era come se stessimo mettendo in piedi uno spettacolo. Compravamo i vestiti usati, cucivamo, inventavamo. È anche grazie a questo se attirammo l'attenzione di Frank e del suo genio, trasformando quel quintetto nel nucleo centrale di un progetto artistico squinternato ma incredibile. Una sera che ci invitò a casa sua, ci presentammo vestite di bavaglini e pannolini extralarge, portando in mano giganti lecca-lecca. Mister Zappa impazzì e ci invitò a ballare sul palco con lui, al concerto dei Mothers of Invention. Alla fine, in realtà, per una serie di disguidi con la proprietaria del locale, quella sera non riuscimmo a esibirci, ma battezzammo ufficialmente il nostro gruppo: eravamo le GTO's, Girls Together Only (o Outrageously o Occasionally o Openly o Overtly o qualsiasi altra cosa avessimo voluto dire con quella O).

A dire il vero, dietro a tutto quello sfavillio, io continuavo a sentirmi sempre a disagio, la ragazza di Reseda inferiore a tutti quelli che incontrava. Anche se cercavo di essere sempre favolosa e stupefacente, interessante e creativa, sentivo di non avere chiaro quale fosse il mio posto nel mondo, dove incanalare tutta quella creatività. Continuavo a divertirmi e a vivere quella vita incredibile, ma speravo che da qualche parte sarebbe potuta arrivare un'illuminazione. Volevo diventare famosa, ma facendo cosa? L'attrice? La cantante? La modella? La GTO? Non lo sapevo, ma lo volevo. Lo volevo, ma non lo facevo perché finivo sempre a dedicare tutta me stessa a quegli idioti di musicisti geni che incontravo, che veneravo e di cui mi innamoravo perdutamente, donandomi a loro come se non esistesse nient'altro per cui valeva la pena vivere.

Mi successe così con Noel Redding, il bassista inglese della Jimi Hendrix Experience e con Nick St. Nicholas, un altro bassista, stranamente non inglese ma tedesco – ho sempre avuto una predilezione per i musicisti inglesi. Entrambi mi volevano, ma fu a Nick che concessi, dopo lunghe contrattazioni, di arrivare dove avevo impedito a molti altri di arrivare. Feci l'amore per la prima volta con lui e la cosa mi fece uscire completamente fuori di testa. Io e Sparky, in quel periodo, vendevamo caramelle in un grande magazzino, ma io non facevo che desiderare Nick e struggermi d'amore. Dopo che scopammo, non mi chiamò per sei settimane e, alla fine, si fidanzò ufficialmente con un'altra. Continuammo ad andare a letto insieme ancora per un po', fino a quando non li vidi abbracciarsi teneramente, una notte. Poi mi arrivò un invito di pizzo écru per le loro nozze e io lo cancellai dalla mia lista: gli uomini sposati erano off-limits per me.

Off-limits un po' come questa specie di giungla africana in cui Topolino ha lasciato la mia Olds. Non so se questo luogo così impervio vuole essere una metafora forzata dei miei sentimenti, ma mi sembra sinceramente troppo banale per gli standard di Adventureland.

«Ehi, Mickey! Mi aspettavo un po' di più da un topo intelligente come te...»

Magari non è colpa sua, magari sta solo finendo l'effetto della mescalina, ma di certo io in questa giungla non ci entro. Almeno, però, così ho ritrovato il mio diario: Topolino lo ha lasciato aperto sul sedile, vicino a una boccetta vuota di Trimar e a un lecca-lecca gigante. Anche questo un tantinello didascalico, ma tant'è.

Vediamo cosa c'è scritto nella pagina che mi ha voluto segnalare...

Parlo di quando hanno sparato a Bob Kennedy – quindi è il 1968 – e di una festa di Hugh Hefner a cui sono andata. Parlo di Nick St. Nicholas e mi chiedo cosa la vita abbia in serbo per me. «Sono in ritardo? Mi sento come se non avessi vissuto molto – e che cosa ho fatto se non ho vissuto? Quando dovrò cominciare?»[1] E poi bla bla, io che piango, io che mi interrogo sul futuro, io che mi presento: «Pamela Ann Miller, 19 anni e 3/4, capelli biondi, occhi azzurri, 52 chili: pronta, volenterosa e abile a VIVERE LA VITA PIENAMENTE! PRENDETEMI, SONO VOSTRA!»[2] Dio mio che cretina.

«Oh, ma quindi? Topolino, te lo dico sinceramente: non mi sei di un cazzo di aiuto...»

Quarta tappa: Frontierland, Permanent Damage

Mercy mi ha detto di aver fatto sesso con Chuck Berry in una roulotte qui a Disneyland, una volta. Sono sicura che è quel vecchio rottame che vedo adesso, quello che sta davanti al Big Thunder Mountain Railroad, l'ottovolante a forma di treno da miniera che sta in questa specie di Grand Canyon in cui sono arrivata con la mia macchina e il mio diario sotto il braccio, dopo che Topolino si è messo a fare l'ermetica testa di cazzo.

Quando Mister Zappa ci ha detto che avrebbe prodotto il disco delle GTO's e che la bizzarrissima Mercy sarebbe entrata a far parte del gruppo, da una parte scoppiavo di gioia, dall'altra ero disperata visto che non la sopportavo – (attenzione: spoiler) poi è diventata una delle mie migliori amiche. Comunque ci ritrasferimmo nel nostro scantinato di un tempo e cominciammo a scrivere i nostri testi. Mercy, a quel punto, aggiunse anche Cynderella e le GTO's furono al completo.

Pensavamo davvero di potercela fare: erano in tanti a impazzire per noi. Frank ci mise a disposizione tutto il suo staff e iniziarono a uscire articoli sui giornali: ci intervistavano e facemmo perfino un servizio fotografico. Allo Shrine Auditorium, aprimmo il concerto dei Mothers of Invention insieme ad Alice Cooper e Wild Man Fischer e, anche se era molto difficile gestire tutti i casini in cui ci infilavamo, le cose sembravano funzionare.

Mentre il nostro disco, *Permanent Damage*, prendeva forma, scoprimmo un altro dei mille progetti in cui era coinvolto Mister Zappa: le Plaster Casters di Chicago, due ragazze che facevano calchi dei peni dei loro idoli rock dopo avergli fatto una sega o un pompino. Una delle due, Cynthia, diventò una mia grande amica e non posso non pensarla mentre mi trovo in questo disneyano luogo di frontiera, visto che il suo salotto è una specie di Monte Rushmore porno, con i cazzi al posto delle facce dei presidenti – lo dico senza offesa, presidente Lincoln! Il lungimirante Mister Zappa voleva che i loro calchi fossero esposti in qualche importante museo. Giustamente, direi.

Frontierland non può che farmi pensare anche a Chris Hillman che in quel periodo, dalle ceneri dei Byrds, aveva fondato con Gram Parsons i Flying Burrito Brothers, il primo gruppo country-rock del mondo. Li amavo. Le altre GTO's trovavano assurdo che io mi dedicassi così tanto a quella band di cowboy, ma dentro di me c'era un'anima con le frange e i camperos che desiderava Chris Hillman così tanto che ero pronta a imparare a suonare il violino e a cucirgli camicie country su misura in modo da diventare la donna perfetta per lui. Ma con Chris le cose non andarono mai veramente bene: non mi amava. Così era.

Siccome la mescalina, l'LSD, la coca, il sesso folle con l'attore Brandon de Wilde, le lacrime, Noel Redding e le varie illuminazioni sull'universo e le sue galassie non mi aiutarono a dimenticarlo, decisi di fare un viaggio nel selvaggio Sud per andare a trovare i miei zii, che vivevano in stretta comunione con l'Altissimo, per capire se c'era qualche questione da risolvere con il padre di Gesù. Cosa pensava di me Dio? Voleva che finissi all'inferno? Come faceva mia zia Mildred a essere così felice con le sue preghiere e le sue torte di rabarbaro? Nemmeno tutti gli acidi del mondo mi avrebbero aiutato a rispondere a quelle domande, così fu mia madre a farlo: mi tranquillizzò e io tornai nella mia vita rumorosa.

Le altre GTO's continuarono a combinare casini, a drogarsi in maniera incontrollata, ma in qualche modo riuscimmo a finire di registrare l'album. Cantavamo le nostre canzoni tutte insieme, come un coro di bambine delle elementari, perché non sapevamo armonizzare, ma Mister Zappa era molto contento, si picchiava la mano sul ginocchio e ci guardava come se fossimo un'opera d'arte vivente.

Dopo Nick St. Nicholas, anche Chris Hillman si sposò e io continuai a cucire le mie camicie country su commissione per pagarmi l'affitto. Tra pionieri e cowboy era difficile sopravvivere nel dannato vecchio West senza nemmeno una pistola o un cavallo su cui saltare, ma la mia anima con le frange e i camperos rimase sempre lì, a fare l'autostop alle diligenze e a guardare la propria foto finire sulle pareti esterne di qualche saloon.

Wanted, dead or alive.

Reward: (attenzione: spoiler) il 58° posto nei Most Shocking Moments in Rock&Roll History o, in alternativa, il 5° nella classifica delle più depravate su «Spin Magazine».

Quinta tappa: Haunted Mansion, Whole Lotta Loveland

La prima volta che ho sentito la parola *groupie* ero davanti alla Continental Hyatt House, di fianco alla limousine nera dei Led Zeppelin, ad aspettare Jimmy Page. C'era stato da poco il loro incredibile concerto del 1969 a Los Angeles e Jimmy mi aveva fatto sapere che mi desiderava: io sapevo quanto fosse, come diceva la mia amica Cynthia Plaster Caster, «un uomo pericoloso», ma non riuscivo davvero a fare a meno di lui: aveva una capacità incredibile di trasformare qualsiasi ragazza in una folle che elemosinava il suo amore. Stavo accarezzando il mio boa di piume rosa quando qualcuno, da dietro le transenne, urlò: «Quella deve essere una groupie!» Groupie da group, pensai. Ci stava: giravo con il gruppo, entravo nei backstage, guardavo i concerti seduta sugli amplificatori, conoscevo le parole di tutte le canzoni, ascoltavo le sofferenze degli artisti, li sostenevo, li desideravo, me li scopavo. Mi sembrava un buon modo per dirlo. Non avrei mai pensato che quella parola sarebbe diventata un termine per insultarci, per dirci che eravamo delle sgualdrine sottomesse al volere dei nostri idoli, ma successe. Groupie vuol dire puttana della musica anche se non lo scrivono sul vocabolario ed è una cosa davvero deprimente che mi fa incazzare parecchio. Mister Zappa diceva che le groupie sono combattenti per la libertà di avanguardia nella rivoluzione sessuale e io, quando salivo sulla limousine con Jimmy Page, era proprio così che mi sentivo.

Con Jimmy le cose andarono molto bene fino a quando non smisero di farlo. Lui mi diceva che non aveva mai incontrato nessuno come me e io naturalmente gli credevo. Come la Haunted Mansion in cui mi trovo, anche l'amore è una casa infestata di fantasmi: facciamo finta di non sentirli quando strusciano le loro catene o frantumano a terra le bugie che esponiamo come ninnoli nelle nostre credenze, ma ci sono. Altroché se ci sono.

Mentre sono dentro questa attrazione, in questa *dark ride* disneyana allo stesso tempo eccitante e dolorosa, nessuna scenografia spaventosa, nessun rumore, nessuna comparsa improvvisa, niente riesce a distrarmi dal ricordo di quello che mi sembrò un amore gigante quando ci fu. Andavamo da un concerto di Elvis a uno degli Everly Brothers, passando per i suoi assoli in *Led Zeppelin II* che io dovevo commentare mentre lui prendeva un mare di appunti. Ci esibivamo in un sesso furioso e ardente mai fatto prima, tra un viaggio a New York per stare con lui in tour e un numero imprecisato di promesse che avevano spesso a che fare con un giardino pieno di pavoni da guardare al risveglio. Ero l'unica ragazza che poteva accedere al backstage e mi chiedevo cosa stesse succedendo. Sarei finita con il miglior chitarrista del mondo? Avrei continuato a sprofondare nei suoi riccioli per sempre?

Fu un periodo di grande inquietudine. Me lo ricorda una pagina del mio diario che mi viene aperta in faccia dal fantasma di Topolino, con qualche bieco effetto speciale che – booo! – non mi fa alcuna paura. Dopo che Sparky e Lucy avevano lasciato le GTO's e il nostro album continuava a non uscire, io scrivevo: «Che tipo di persona sono veramente? Una persona ancora incompleta. Sembra retorico, ma non ho ancora trovato me stessa. Non sono sicura di niente... tranne che di Dio e dell'Amore, due cose che devo avere per esistere (e che sono la stessa cosa). Non ho grandi ambizioni, o meglio, è come se mi limitassi: non sono all'altezza delle mie potenzialità. Ma c'è qualcuno che lo è? E in ogni caso, che cosa importa? È importante quello che si fa, o piuttosto, chi si È?»[3]

Mi sembrava di avere solo Jimmy e continuai ad essergli fedele. Perfino quando, durante un concerto dei Burrito, Mick Jagger mi notò e finimmo a baciarci a Lauren Canyon, non feci altro che quello: baciarlo. Ci vedemmo altre volte e io chiusi sempre i nostri incontri con un no. A un certo punto, Mick mi disse: «Che cosa pensi stia facendo Jimmy in questo preciso istante? Ricordati che tu sei una GTO, e non una scolaretta dell'Oklahoma».

Quando finalmente venne pubblicato l'album delle GTO's, non successe granché. Su un tascabile che si chiamava *Groupies and Other Girls*, Jerry Hopkins ci definì delle «groupie freak» e infatti tutti parlavano più del nostro stile trasgressivo e esagerato che della nostra musica. Eravamo bizzarre, sì: era quella la nostra visione del mondo, ma cosa avremmo dovuto farne?

«Aspetta, Topolino, ma sbaglio o questo che sento è il nostro disco? Alza un po' il volume, dai! Questa è *I'm in Love With the Ooo-Ooo Man*, la canzone che scrissi per Nick St. Nicholas. Dio mio, è come se fossi ancora lì...»

Sesta tappa: Ruota panoramica, Swingingland

Con Jimmy non funzionò, aspettarlo era inutile: così tornai da Jagger. Non ero decisamente una scolaretta dell'Oklahoma. Facemmo l'amore e io non ci potevo davvero credere che ero lì con un uomo che avevo desiderato avere dalla prima volta che avevo sentito una sua canzone. Una volta avevo persino fatto un disegno con i pastelli a olio di come immaginavo che potessero essere le sue palle e poi lo avevo riciclato per un progetto di arte moderna. Avevo preso il massimo dei voti.

Dopo la delusione d'amore avuta con Mister Page, salii su una giostra di droga e uomini per dimenticarlo. Tunail, hashish, cocaina. Brandon de Wilde, Noel Redding, Waylon Jennings. È così che faccio quando sto male: scelgo un'attrazione e ci salgo sopra. È successo anche dopo Marty e Don, due dei miei amori più grandi.

Marty era uno dei proprietari di *Granny Takes a Trip*, un negozio di Kings Road che dettava tutta la moda nella Swingin' London. Iniziammo a scriverci perché il suo socio aveva un amore epistolare con Cynderella e quando ci incontrammo a Los Angeles, cominciammo una storia che diventò presto seria, tanto che, quando lui e i suoi 21 centimetri di cazzo se ne andarono, iniziai a mettere i soldi da parte per raggiungerlo a Londra. Aumentai le mie ore di lavoro a Danceland, un posto squallidissimo in cui il mio compito era ballare e chiacchierare con dei tizi delle loro vite tremende come se fossi una psicologa da quattro soldi.

Quando riuscii ad andare a Londra ebbi la conferma di qualcosa che sapevo già: Marty amava scopare in giro, ne aveva bisogno ed era davvero difficile che potesse smettere. Anche se facevamo coppia fissa – una cosa che non mi succedeva dai tempi di Bob, il teppistello newyorkese con origini italiane – e vivevamo insieme, soffrivo molto, tanto che alla fine mi venne un'ulcera sanguinante.

L'album delle GTO's era in tutti i negozi di dischi e rilasciai anche qualche intervista oltreoceano, ma l'idea che era venuta fuori della possibilità di un tour in Europa svanì, più o meno mentre svanì anche la mia storia con Marty. Entrai in crisi. Ricominciai a scopare con Jagger subito prima che ci lasciassimo e, quando accadde, partì un'altra giostra.

In quel caso scelsi l'Europa come attrazione e mi feci mandare i soldi dal mio manager per partire. Parigi, Milano, Roma, Venezia, Firenze, Salisburgo, Vienna, il giovane François, l'hashish, il keef ad Amsterdam, il sensitivo che mi disse che accartocciavo gli uomini come pezzi di carta. Quando tornai a Londra, scelsi un bassista, Sandy, e cercai di amarlo più che potevo ma quello che veramente feci fu accartocciarlo come un pezzo di carta perché a Los Angeles c'era Tony Sales, un altro bassista, molto giovane, figlio del comico Soupy Sales che mi sembrava mi facesse battere il cuore, ma presto finì anche con lui.

Se alzo gli occhi li vedo tutti qui, a girare in maniera eccentrica sulle gondole di questa gigante ruota panoramica con Topolino impresso al centro.

C'è anche Don Johnson, altro grande amore della mia vita. Lui lo conobbi quando avevo appena finito di girare

200 Motels, il film di Frank Zappa, ed ero tornata a Los Angeles convinta che avrei potuto veramente fare l'attrice. Pulivo i pavimenti dei teatri per avere lezioni di recitazione gratis e facevo tutti i provini possibili senza ottenere nessuna parte. Gail mi aveva chiesto di andare a fare la tata per Moon e Dweezil, i figli suoi e di Frank, e mi ero trasferita nella dépendance di casa Zappa. Avevo iniziato una storia a perdere con Howard Kaylan ed ero caduta di nuovo tra le braccia di Jimmy Page quando cominciai a frequentarmi con Don Johnson. Andammo a vivere insieme, eravamo innamorati anche se avevamo problemi di soldi e di lavoro, lui era depresso e litigavamo molto. Io cercavo di sostenerlo come avevo sempre fatto con tutti gli uomini che avevo incontrato, ma era dura. Ci lasciammo quando lui si innamorò di una giovanissima Melanie Griffith. Mi chiese di poter vedere entrambe, ma io dissi di no. E via.

Di nuovo Mick Jagger, Jimmy Page, Chris Hillman e poi Ray Davies dei Kinks, Ruben di Ruben and the Jets, quel pazzo di Keith Moon degli Who, le sue pillole rosse, i nostri travestimenti e il Quaalude, Howard Kaylan, Waylon Jennings.

Se Topolino pensa che guardare tutti questi uomini da qui sotto mi farà girare la testa, si sbaglia. Loro sono il panorama che preferisco: mi danno la misura di quanto sia stata incessante, pertinace e sincera la mia ricerca di amore, di senso, di arte, di felicità. Insieme a loro ruotano i miei ricordi, i miei desideri, le mie delusioni, e poi tutta quella musica, tutte quelle parole e quelle note che uscivano dai loro strumenti e dalle loro bocche. Li ho amati tutti, anche per un secondo solo: erano la mia libertà. Sapere che continueranno a girare per sempre, anche quando me ne andrò da qui mi fa sentire sospesa nel tempo. E allora forse è questo e non la mescalina che mi sta facendo inseguire Topolino nella Disneyland che è stata la mia vita. Già, forse è proprio così.

Settima tappa: Neverland, Hollywood

Erano già morti Jimi Hendrix e Jim Morrison, quando incontrai il secondo uomo che, dopo Captain Beefheart, mi cambiò la vita: si chiamava Chuck Wein, ma lo chiamavano in molti The Wizard. Grazie a lui diventai vegetariana, studiai l'*I Ching* e i tarocchi, mi aprii alla spiritualità e allo yoga, iniziai a bere succo di grano e a masticare radice di ginseng. Mi spiegò cosa fosse il karma e mi aiutò a pensare alla morte in un senso diverso.

Morirono Brandon de Wilde e Miss Christine. E poi morì anche Gram Parsons e io cercai di utilizzare tutte le mie nuove conoscenze e i miei nuovi studi sullo spiritualismo per aiutarli a raggiungere la pace. Dopo di loro sarebbero morte molte altre persone a cui tenevo.

Quando Chuck mi disse che aveva scritto un film apposta per me, mi stavo frequentando con Lane Caudell, un attore molto fico con il quale non avevo assolutamente niente in comune. Il film di Chuck, *Arizona Slim*, parlava di una groupie un po' attempata che si innamorava di un giocatore di biliardo. Con i miei 25 anni, ero effettivamente io quella groupie un po' attempata che andò a New York per girare. Keith Moon, che doveva recitare la parte di una rockstar inglese, non si presentò sul set quindi fummo costretti a cercare un sostituto ed è così che conobbi Michael Des Barres dei Silverhead, il pazzo geniale *poseur* per cui mollai Lane.

Durante le riprese del film ci drogammo e parlammo tantissimo. Girava sempre con due bottiglie di Southern Comfort nella giacca e si era appena sposato, ma lasciò sua moglie e venne a vivere con me. Mi faceva veramente sentire me stessa. Dissi a tutti i miei amori passati che non ero più disponibile. Ci sposammo e dopo qualche tempo nacque Nicholas Dean, nostro figlio.

Provai ancora a recitare, per un po': film, soap, spot. Ma le cose non andavano per niente bene, mi tagliavano un sacco di scene e non ero mai felice, così smisi di provarci. Forse, come Peter Pan, dovevo ritrovare la mia ombra. Avevo la mia Neverland, con i bambini sperduti che suonavano il rock'n'roll e la polvere di fata che ci faceva volare, ma non riuscivo a capire come crescere.

«Questa è una storia senza tempo, di ieri come di domani» mi urla qualcuno, usando le parole con cui inizia il film Disney del 1953 su Peter Pan. Mi giro e lo vedo: è quell'idiota del mio animale di potere che si è messo dietro una transenna con le sue orecchie giganti a fare da amplificatore.

«Mancano un boa di piume rosa e una limousine nera, se vogliamo essere precisi» gli dico mentre si dirige verso di me insieme a quegli stalker dei tre porcellini.

Ultima tappa: Tomorrowland, Miss P

Mentre camminiamo verso la Casa del Futuro, Topolino mi dice che è tutto il giorno che mi corre dietro, che ha perfino sguinzagliato i tre porcellini per trovarmi, ma che come al solito ho fatto tutto di testa mia. Quindi non volevano sedurmi quei tre? E io che pensavo che stessero lì a confermare la veridicità del chiamare «porci» gli uomini che ti si vogliono scopare, e invece quei fannulloni non volevano altro che portarmi da Topolino.

Non faccio in tempo a ridere del mio pensiero che davanti all'ingresso di Tomorrowland viene ucciso John Lennon. Chapman che spara cinque colpi: è così che è finita. Dopo la morte dell'uomo che ha cambiato il corso della musica mondiale, anche la *groupie scene* ha trovato la sua fine: avvicinarsi alle rockstar con la semplicità con cui lo facevamo noi è diventato impossibile. Quel periodo che abbiamo vissuto si è cristallizzato nel tempo, noi ci siamo cristallizzati nel tempo e tutto è diventato storia. Una storia, ma anche la mia storia. La storia di come ho attraversato ogni momento per raccontarlo, senza chiedermi quale fosse il presente, il passato o il futuro, ma riempiendo pagine e pagine di diario con tutti gli ideali, i tormenti, i testi delle canzoni, gli amori, le passioni, gli incontri, le delusioni, le follie.

Si vive sospesi nel tempo, si sogna sospesi nel tempo e si scrive sospesi nel tempo. Questo è quello che ho imparato e questo è l'unico modo che conosco per essere me stessa. E allora quando Topolino mi fa segno di seguirlo, ora che sembra pronto a parlare e a darmi tutte le risposte, nella mia testa sento il rumore di un jack che si collega a un amplificatore e due bacchette che sbattono tra di loro. Io, senza nemmeno rendermene conto, mi metto a correre. I tre porcellini mi guardano con la bocca aperta mentre scappo e canto a squarciagola la prossima canzone di cui mi innamorerò.

Questo è l'anno in cui mi trovo, ora e per sempre.

Note

1. Da Pamela Des Barres, *Sto con la band. Confessioni di una groupie*, Castelvecchi, Roma, 2006, p. 111.
2. *Ibidem*.
3. Ivi, pp. 182-183.

Claudia Durastanti

Qualcosa di più, e qualcosa di meno

Alene Lee

Durante la guerra guardavo le femmine attorno a me; mi piacevano le operaie, le modelle e le puttane. Queste femmine andavano e venivano dalle fabbriche, apparivano sulle riviste, occupavano le strade e poi sparivano nei sotterranei; erano ovunque, uno sciame di ragazze riflesse nelle vetrine con le labbra scure e i fermagli tra i capelli, erano come le anguille o tante piccole vipere attorcigliate dentro alle carrozze delle metropolitane, si rovesciavano fuori come un'acqua nera e luminosa, cantavano certe canzoni tristi alla radio e riempivano New York di lampi e desideri. Nei giorni di festa tiravano fuori piccole frecce da guerriere e si abbattevano sui loro bersagli, precise e marziali in ogni avanzare. Da qualsiasi paesino fossero partite, ormai erano arrivate, e la città non esisteva più senza di loro. Le sentivo dentro di me come una nuova frontiera. Le guardavo, e pensavo a chi sarei diventata io. Quelle femmine lavoravano, posavano, scopavano; puzzavano di fiori secchi e di una vita segreta al mare. Da bambine senza fantasia giocavamo a riparare i morti, fingevamo che i maschi fossero tornati dalla Germania o da Pearl Harbor e li bendavamo fino a immobilizzarli. Io prendevo qualche vicino di casa e lo trasformavo in una mummia, lo bloccavo sull'asfalto e gli chiedevo nell'orecchio *Ti ha fatto male la guerra? Dimmi dove ti ha fatto male*, e poi lui mi dava un bacio senza saliva e scappava a casa. Mia nonna era una cherokee che non ricordava niente della sua vita da nativa, eppure i bambini dicevano che casa mia era piena di teschi e di candele, e questo alone di stregoneria mi è rimasto riluttante addosso per tutta la vita. La guerra stava finendo e noi ci scaraventavamo per le strade, nessuno ci fischiava dietro: c'erano solo le ragazze, le vedove che insegnavano a scuola e i drugstore con le sbarre di legno sulle finestre; l'eco crudele e pulita dei bambini che gridavano nei parchi. Staten Island era una terra vergine, fatta di adolescenti riformati e senza sesso. Qualcuno di loro moriva per davvero: un compagno di scuola era rimasto chiuso nella sua stanza per tutte le vacanze estive e un giorno si era buttato giù, spiccando il volo prima di un ennesimo settembre. Poi un giorno erano tornati. Erano sbarcati dalle navi per finire al manicomio o all'università o a perdere tempo nei bar; erano tornati a vivere a casa di mamma, ad addormentarsi sulle panchine e a fare casino. Erano tutti reduci da qualcosa, anche quelli che non erano mai partiti e avevano trovato una scusa per non combattere contro i nazisti. Si comportavano come se fossero scampati a qualcosa di orribile, eredi di un mistero che spettava a noi capire, se volevamo che si affezionassero a noi. Le case dei vicini si erano riempite di nuovo di voci scontrose, era tornato il brusio delle motoseghe, c'erano strette di mano troppo ruvide in chiesa, una fosforescenza malinconica e violenta. Non c'era più spazio, iniziavamo ad annaspare. A scuola i ragazzi portavano gli occhiali con la montatura più grande, andavano in giro con le camicie dalle maniche corte e i calzini consumati; parlavano molto di politica e di letteratura. Anche se avevano scoperto il mondo, io prendevo voti più alti dei loro. Le amiche mi invitavano a fare i compiti insieme, ma io preferivo scappare a Manhattan per andare nei bar dove facevano entrare le ragazze nere. Li sentivo ancora prima di vederli: studenti universitari che si lamentavano perché volevano sfasciare tutto e non gli riusciva di sfasciar niente, freddi e impolverati come le scorie di una rivoluzione. Io mi sedevo sugli sgabelli e qualcuno mi offriva da bere pur di raccontarmi la storia della sua vita; se era carino andavamo a pomiciare in bagno e gli permettevo di mettermi una mano tra le gambe, poi scappavo a prendere il ferry per tornarmene a Staten Island con il ronzio delle sue chiacchiere ancora nelle orecchie, e la certezza che il proprietario del locale mi avesse scambiato per una che si faceva pagare. Mi sporgevo sul parapetto per fissare il porto che spariva in una bruma appiccicosa e dicevo che sarei tornata domani, mi sarei trasferita domani. Cosa sarebbe cambiato, se mi fossi fatta pagare? Ogni ragazza aveva una storia su come era arrivata a New York. C'è chi era scesa dal treno, chi aveva fatto l'autostop e chi era arrivata addirittura volando, in fuga dall'Europa e da qualche barone sadico che l'aveva costretta a mettere in valigia i coltelli. E poi c'era chi arrivava dall'acqua, come me. Una mattina sono scesa dal ferry e non sono più tornata indietro, avevo i vestiti stropicciati per il lungo abbraccio di mia madre e la lingua incrostata di zucchero, il residuo di una caramella troppo dolce. *Cosa farai Alene, con chi starai Alene*. Io e mia madre ci intendevamo benissimo su molte cose, mentre su altre non voleva starmi a sentire, non riusciva a capire che io avevo un'assoluta riluttanza al fare, una riluttanza che aveva fatto impazzire i miei maestri. Io ero allora una ragazza svelta con i fianchi un po' grossi e le caviglie che stavano bene con i mocassini, mi mettevo le fasce in testa per tenere a bada i capelli, fumavo un pacchetto di sigarette al giorno e anche se mi piacevano i libri non ero voluta andare all'università. Mi era venuta la voglia di cambiare aria e, per convincere mia madre a darmi i soldi destinati al primo mese di affitto, le avevo detto *Vedrai, farò la commessa nei grandi magazzini o la segretaria*, e lei mi aveva creduto. Avevo una bella faccia. Io di lavorare non ho mai avuto una vera intenzione, ed è per questo che non sono andata a vivere con le mie amiche. Non ci tenevo a dividere la stanza con una ragazza che voleva fare l'attrice e a spartire tutto l'appiccicume della sua ambizione. E se poi non ci riusciva? Non volevo sopportare le chiacchiere su quanto era stronzo il padrone; non volevo trasferirmi in città per sentire il fischio del bollitore alle sei del mattino, *Alene, mica avresti dieci centesimi per la metropolitana*, e l'odore di patate e di uova sode da mangiare prima o dopo il turno di lavoro in qualche fabbrica del pesce; non volevo vedere le sue calze di nylon appese al radiatore, o il rossetto che non tingeva abbastanza perché lo aveva pagato troppo poco; non volevo sentire l'odore di glicerina della sua crema per le mani. Ogni giorno una ragazza si trasferiva a New York e si inventava qualcosa da fare, ma io non avevo idee e aspirazioni, e conoscevo a malapena il quartiere in cui sarei andata a stare. Al secondo anno delle superiori avevo pizzicato il professore di disegno e un mio compagno di classe a baciarsi nello stanzino del custode. Non avevo fatto la spia perché mi avevano offerto una sigaretta e poi eravamo diventati amici, e così quando avevo telefonato a Frank per chiedergli se c'era qualcosa che potessi fare ora che eravamo cresciuti e la scuola era finita, mi aveva detto *Alene, vieni a fare un giro da queste parti.* Viveva in un caseggiato di Alphabet City pieno di madri italiane che non sapevano i nomi dei figli e neanche quello dei cani e tenevano la radio accesa tutto il giorno; l'affitto era di trenta dollari al mese. *Ci vivono botteganti e scrocconi, ma ci vengono gli artisti adesso, un posto lo rimedi* e io gli avevo detto *Frank, io non sono né l'una né l'altra cosa*, ma lui insisteva che con questa bella faccia mi avrebbero presa e così ho rimediato un posto letto a Paradise Alley. Solo che nessuno lo chiamava così; le donne che ci abitavano dicevano *Stiamo tra Eleventh Avenue e la A nell'East Village*, e così avevo preso a dire anche io, imitando la loro dieta di arance e sardine. Paradise Alley era un'espressione che usavano i romanzieri da quattro tacche che venivano a bussare alla nostra porta per vedere come viveva *la gente vera* e a spiegarci quanto era stato umiliante crescere con tutti i soldi a disposizione per una laurea in legge alla Columbia. La prima persona con cui ho stretto amicizia era un buffo ragazzo ebreo che si chiamava quasi come me e portava gli occhiali da grande, quelli con la montatura scura e goffa. Era uscito da poco dall'ospedale psichiatrico, stava provando a diventare eterosessuale con scarsissimi risultati, e io provavo una pena infinita per le ragazzette abuliche e serie che gli stavano attorno. Faceva sondaggi per un'azienda di cosmetici e mi aveva chiesto di aiutarlo a sbobinare le interviste per dieci dollari a settimana. Io andavo a casa sua, battevo a macchina, fumavo l'erba che comprava al parco e qualche volta cucinavo. Lui ogni tanto mi leggeva una poesia e io gliela correggevo con la matita rossa finché non ce n'è stato più bisogno. Poi è diventato quasi famoso e mi ha presentato certi amici che parevano fantasmi di carne, erano magrissimi da svenire ma anche untuosi e pesanti; certi sembravano nazisti che amavano scuoiare i gatti, altri erano solo fatine che depositavano una polvere sottile e argentata ovunque si spostassero ed erano i miei preferiti, perché a parte quella velatura, non lasciavano niente. Allen era un buffo ebreo gentile, non era veramente portato per le droghe ma ci credeva, anche se a volte tutti gli andirivieni di quei fantasmi impasticcati lo stancavano, e gli veniva una certa solitudine da prete e così ce ne stavamo abbracciati nel suo letto a parlare dei libri che ci piacevano e di come William Carlos Williams lo aveva aiutato a non impazzire e di quanto era dolce Emily Dickinson e di come avevamo pianto tutti e due la prima volta che lo avevamo preso nel culo, non proprio di dolore e non proprio di piacere. Io mi raggomitolavo nel suo letto, mi piaceva quando mi diceva: *Come sei calma Alene, non come una sciamana, ma come una ragazza che è stata in tutte le strade d'America*, e io non ero mai uscita dallo Stato di New York, però quella frase mi è rimasta impressa. Certe volte penso che sia stata la mia condanna, perché un giorno ne avrei parlato a Kerouac, e Kerouac l'avrebbe usata contro di me per dirmi che ero pazza proprio perché ero stata in tutte le strade d'America. Ma così era, in quelle estati assassine in cui i grandi poeti uccidevano le mogli per sbaglio e i letterati finivano per accoltellare i loro migliori amici a Riverside Park, e i grandi geni perdevano la testa e poi partivano su qualche nave mercantile o andavano a fare i guardiani dei boschi, e io invece restavo sempre nella mia stanza tra Eleventh Avenue e la A nell'East Village, a leggere e scrivere ogni tanto, e a innamorarmi ogni tanto, senza affezionarmi troppo a nessuno. Le mattine erano svelte e convulse, tra il chiasso delle vicine di casa che facevano salire gli amanti dopo aver mandato i bambini a scuola e ricevevano le clienti a cui tagliavano i capelli e mi allungavano qualche quartino se andavo a fare la spesa per loro, e a me piaceva andarmene nelle botteghe all'aperto tra Little Italy e Chinatown a non capire niente di quello che sentivo e certe volte mi imbattevo in funerali strazianti che bloccavano tutta la strada e mi piaceva come morivano gli italiani, era il segno che era successo qualcosa, che avevano combinato qualcosa nella vita. I pomeriggi scorrevano languidi, mi spalmavo la fronte con il balsamo di tigre preso in qualche negozietto cinese per farmi passare il mal di testa e le serate di solito finivano alle quattro, dopo che qualcuno ci urlava di piantarla con quel casino, anche se eravamo giovani, dopotutto. Poi un giorno è arrivato Anton con le sue tele e le sue trementine, e Anton ha cambiato il mio modo di vedere le cose. Era il primo vero eroinomane del palazzo, e questo rendeva le sue conversazioni imprevedibili. Era anche l'unica persona davvero calma a parte me, e ci siamo piaciuti per questo. Gli altri della compagnia avevano ancora l'abitudine di andare nel West Village per vedere che aria tirava e che gente suonava; io e Anton ci ritiravamo presto da quelle serate. Erano tutti spaventosi. Gli scantinati erano pieni di gente quadrata che non riusciva a sincronizzarsi con la musica e allora esagerava il proprio entusiasmo. Tutte quelle grottesche maschere bianche. E così noi ce ne tornavamo nell'East Village e non ci importava niente del loro jazz alla moda e delle loro poesie di maniera. Abbiamo iniziato a dedicarci a passioni un po' più mortifere e serie, ma le famiglie che ci circondavano non se ne sono accorte subito, e l'odore dell'eroina scaldata si mescolava a quello dello sciroppo per la tosse o dei caffè venuti male. Spesso le mamme italiane ci regalavano la salsa di pomodoro e ci chiedevano di badare ai figli che non andavano ancora a scuola, e allora capitava che io e Anton fingessimo di essere una coppia mentre lui si era appena fatto e stava beato sugli scalini a sorridere al sole che filtrava dai bovindi e io tenevo un lattante sulle ginocchia o una bambina con la frangetta storta e intanto facevo i disegni con i gessetti sugli scalini di pietra rossa e poi Anton diceva qualcosa di dolce e illuminante e i bambini lo abbracciavano e io capivo che lo avrei perso presto. Allen sarebbe rimasto, sarebbe passato di moda e avrebbe assistito con me al mutare dei tempi, saremmo diventati vecchi e dimenticati in quella città sconfinata. Anton invece poteva esistere solo in intervalli di settimane, di mesi e di anni, prima di sparire nel sottosuolo. Nonostante per un certo periodo fossi diventata la sua più cara amica, non mi ha mai trasformato in una musa. Non ero abbastanza volgare per esserlo: una musa è una serpe, una spia, una venere a tre teste, *muse me use me amuse me*, e a molte ragazze beat stava bene così – anni dopo nei loro ospizi forse ci avrebbero ripensato –, solo che noi quella parola non la usavamo, non dicevamo *Paradise Alley*, non dicevamo *beat*, non dicevamo *la mia generazione*, non dicevamo *cool*, non dicevamo *ispirazione*, parlavamo poco e a stento, ogni tanto Anton sussurrava *Apri le gambe, Alene*, ma non mi faceva mica un ritratto per questo. Non sapevo ballare bene, non ero una tipa jazz. A casa mia non mangiavamo cibi autentici e non avevo una bella voce. Non ero un demonio né un usignolo, e quindi forse non ero neanche nera, dopotutto. Ad Anton stava bene così, lui scoloriva tutto. Non ha mai fatto finta che io fossi qualcosa di più o qualcosa di meno. Chissà se aveva ragione. Avrei preferito appurarlo da sola invece di ritrovarmi alluvionata a quella festa in cui sono collassate tutte le brutte storie d'amore che avevo letto, un incubo in cui è morta ogni Didone Ofelia Euridice che aveva mai pianto. *Questo incontro sarà un bruttissimo romanzo*, ecco cosa ho pensato mentre guardavo Jack Kerouac che piegava le labbra carnose e violacee lì sulla porta, sempre pronto ad ammorbare qualcuno. Sentivo che stavo per impazzire per un romanzo d'appendice in cui c'erano tutti i soldati razzisti e tormentati della guerra civile, le creole violentate, c'era qualcosa che mi dava alla testa, era come iniettarsi tutta la frociaggine romantica di Whitman e la superbia di una lunghissima piagnucolosa adolescenza americana, colata in un unico, mortificante, erotico spasmo. Era uno che andava a frignare in tutti i bar e in tutte le chiese e a molestare i tassisti, a cercare e a rompere dei vincoli, già presagivo il futuro in cui mi avrebbe abbracciata a letto alle quattro del mattino con il sacco di infelicità umida che si portava dentro al petto, già vedevo come se ne liberava per ringiovanire di colpo e io assistevo a quella trasformazione pensando che mi avrebbe preso il cuore solo per ridarmelo stregato e disumano. Non ci avevo ancora parlato, ed ero già estenuata. Già sapevo che ci si lascia così, non con odio, non con amore, ma con una spiritata stanchezza; già intuivo le poesie brutte che avrei scritto in sua compagnia. Jack Kerouac era una camera a gas di buone intenzioni, sia benedetta Lowell, sia benedetta pure la ragazza che ero quel giorno e che presto sarebbe diventata una stregonessa, in parte tristessa, *rootless*, *toothless*, come tutte le ragazze che quell'infelice ha amato e toccato. Be', dicevo di questa serata finita dritta nelle sue cronache del disgraziato amore. C'era una festa e io ero in cucina vestita tutta di nero come al solito, perché la gente si inquietava quando una nera si conciava in quel modo, e poi era arrivato Allen tutto scomposto e gli avevo sentito dire

Jack, ti presento la ragazza più intelligente che io conosca, e lui aveva perimetrato la stanza per capire con quanti maschi là dentro avevo già scopato. Mi ha chiesto che libro stavo leggendo. Era uno sfasciato, un vero sfasciato con i pantaloni da contadino e la cintura pesante; aveva la faccia da ragazzo che si vergognava del suo passato in una squadra d'atletica. Voleva dirci quanto era matto e imprevedibile e quanto ci rispettava. Anche se aveva solo dieci anni più di me, ricordo che parlava come un vecchio, ed era pieno di affettazioni, con quel taccuino in cui prendeva appunti e segnava tutte le frasi *robo-robo-anti* e *traba-traba-llanti*. Ogni volta che qualcuno decideva di andare via, insisteva affinché bevesse un altro bicchiere, e diventava molesto in un modo che non ci piaceva, un modo da fascista. A casa nostra ognuno poteva bere e stordirsi e ritirarsi in un angolo, non avevamo bisogno di pagliacci autoritari che ci spiegassero chi eravamo e cosa sentivamo. Eppure mi è venuta pena. Stavo leggendo le *Ricerche filosofiche* di Wittgenstein. Lui mi ha detto *Che cos'è questa roba da secchiona, Burroughs, hai letto* La scimmia sulla schiena *di Burroughs*, e io gli ho risposto che Burroughs me lo mangiavo a colazione, che eravamo amici, e avevo letto le bozze in anteprima, ma non era il mio genere. Si è innervosito. Io avevo letto le bozze, ma loro lo avevano *quasi* scritto insieme. Essendo Burroughs una specie di sacerdote di cui tutti quei ragazzini volevano la stima, essendo io una ragazza di cui a Burroughs per fortuna non importava niente, se non nei termini di una nuda e affettuosa amicizia. Ho sempre avuto pena per quelli che ci provavano un po' troppo a scuola o alle feste, e così l'ho preso per mano e l'ho accompagnato a fumare fuori. Un giorno avrei scoperto che si vergognava un po' che fossi nera – si faceva ancora lavare le maglie e le mutande da sua madre –, eppure quella prima sera siamo rimasti a chiacchierare e invece di sentirmi inadeguata, ho pensato a quanto fosse inadeguato lui. Era lui quello fuori posto. Come Allen, era stanco di certe estati assassine. *Devo andarmene da New York* ha detto un paio di volte e io pensato *Per favore, non un altro di questi.* Dovevano sempre andarsene in California o in India; la realtà è che non ci sapevano stare, New York non era per tutti e lo capivo, forse era più semplice per me che non avevo alcuna tensione verso il fare. Me ne andavo la mattina a comprare la frutta e a badare ai figli degli altri, a leggere e sbobinare, e quando rientravo e passavo sotto la sua finestra Allen diceva che parevo tornata da tutte le strade: ancora con quella storia. Ma il mio segreto è che mi ero scelta un punto molto piccolo in cui stare, per gravitare lì e lì soltanto. E neanche a innamorarmi o a farmi amare facevo grossi sforzi, ascoltavo. Penso a quegli anni e vedo una lunga processione di maschi dal muso triste davanti alla mia porta che volevano essere ascoltati. E forse Jack è rimasto un po' più a lungo degli altri perché i drogati veri, quelli con la dipendenza, a letto erano fin troppo gentili, si addormentavano e mi lasciavano lì da sola, e se sparivi non gli facevi neanche male e io un poco di male ne volevo fare. Kerouac era come i maschi dopo la guerra – una malinconica fosforescenza –, era quello che tornava sempre più consumato, traumatizzato e perso, mi sfebbrava addosso la sua nostalgia, mi asfissiava parlando dei suoi voli atterrati male, dei bar della marina mercantile, mi sfiniva con la sua buffa religione, e ce ne siamo andati avanti così per un po', a scambiarci i pezzi a incastrarci a placcarci a sfamarci. A graffiarci a letto e a sbandare tra i palazzi, sotto le luminarie che dicevano *Gas liquore birra*, che dicevano *Soldi amore fortuna*, e quando uscivamo dai locali gli amici quasi non mi riconoscevano, ma siamo stati soprattutto nella mia stanza a farci gli scherzi sotto le lenzuola grigie e morbide e ci siamo voluti davvero bene e per un po' siamo diventati invisibili, siamo scomparsi dai pettegolezzi e dalle conversazioni, ma io ho commesso l'oltraggio di annoiarmi in fretta e poi Jack è diventato davvero cattivo, e alla fine su questo amore fatto un po' male è calato un vento buio, pieno di rabbia, e di tempo sprecato. Kerouac, un cognome che sembrava uno strumento cherokee buono per fare la guerra, una parola vecchia ma ormai americanizzata, Jack che era un po' nativo come me o così diceva, che sarebbe marcito su una poltrona in provincia mentre io ero ancora a New York, e ancora mi andavo perdendo felice e straniata tra gli edifici così alti, andando a spiare l'acqua da cui ero arrivata, figlia anche io di una città di mare, pure se non avevo mai fatto le notti al porto, pure se non mi ero mai fatta pagare. Mai l'ho odiato come quella sera in cui ha detto *Leggici una poesia Alene, facci vedere cosa sai fare*, e poi io gli ho tirato un bicchiere di vino in faccia e ho sibilato *Piantala con queste pagliacciate* e abbiamo iniziato a fare la lotta davanti a tutti e lui diceva *Vieni qui gattina, vieni qui gattina* e io l'ho guardato con il piombo dell'odio puro negli occhi miei nerissimi, e quando sei morto sono venuti a piangerti, e io? Chi piangeva me, chi piangeva la ragazza che ero? Io che non ho mai voluto mangiare la carne di una persona, non l'ho voluto prima e non l'ho voluto dopo. I bambini della mia infanzia a Staten Island dicevano che a casa mia facevamo cose cannibali, mia madre io e le mie sorelle, perché eravamo scure e sole, e forse era vero: in un certo senso, era tutto vero. Kerouac andava in giro a dire *Ci credi che Alene mi ha morso?* mostrando la guancia ferita. Se io avessi fatto vedere i miei lividi sulle cosce mi avrebbero detto: *Beh che ti aspettavi, era Jack, solo Jack*, e povero il cuore mio schiantato. *Che splendido animale che sei Alene*, e io ribattevo *Davvero è qui tutta la tua fantasia?* Fare di una ragazza come me un animale, o una madonna. Mica il massimo, per la mente migliore e smitragliante della mia *gene-gene-generazione*. Quando facevamo l'amore mi mordeva in testa, come se fosse un esploratore in una foresta tropicale a cui avevano appena offerto il cranio aperto di una scimmia così da dimostrare la sua virilità, e poi piangeva se non trovava una torta al limone nel frigorifero. Aveva delle bellissime intuizioni, chiamava le piantagioni *campi di concentramento a colori* pensando di farmi piacere. Io che non conoscevo neanche una canzone scritta in una distesa di cotone. Arrossiva per le sue bestemmie. Cinque anni dopo quell'incontro in cucina, ha scritto una storia su di me. L'ha pubblicata, ci ha fatto i soldi, ne hanno tratto un film brutto. L'ha ambientata a San Francisco e mi ha fatto diventare la sua scimmietta nera, una schiava americana ma giovane e flessuosa e moderna che distruggeva la vita di un uomo bianco. Una creatura selvatica, mentre io ero elegante, fatta di stelle fredde, avevo avuto sin dall'infanzia un rigore, per quanto affamato, che era un mistero persino per me stessa. Non sono mai stata così nera come in quel libro. Aveva combinato la stessa cosa a quella ragazza messicana, Esperanza Tercerero, l'aveva presa e l'aveva chiamata Tristessa, dandole una carne stupida e mostruosa come la mia. Il razzismo di Kerouac era ingenuo. Non che fosse meno feroce o meno letale per questo, ma era davvero ingenuo. Era tutto sensualità e percussioni. Era anche patetico: perché il suo unico desiderio, e il suo unico scopo, era renderci *veri*. E non c'era niente che mi sembrasse più patetico, a vent'anni, dell'essere vera. Rispetto a lui posso dire che io, Anton e quelli della nostra cerchia stretta eravamo un po' più cupi, e le nostre allucinazioni erano un po' più serie, ci vestivamo in maniera più autoritaria, e so che gli facevamo davvero paura come una storia psicologica che veniva dalla Russia; lui era troppo chiassoso e sincero. Andavo alle feste e tutti mi dicevano *Chissà come ti sei arrabbiata*, e poi quando ho letto il libro ho pensato soltanto che era la vita di un'altra ragazza, che viveva sulla costa californiana, e nessuno avrebbe potuto confonderla davvero con me. Jack sapeva stare solo nell'infanzia di un amore. La vita con lui era un funerale anticipato. Non vedevi il morto, magari ti scappava pure da ridere, eppure sapevi che per qualche ragione dovevi sentirti irrimediabilmente triste. Anche se c'era un bel sole sopra la bara, anche se fuori c'era una luce davvero intensa da spossarti di commozione, anche se per qualche istante potevi sentirti in una comunione miracolata e perfetta con il tuo paese, la tua storia, la tua nazione, la persona che amavi, tua madre o persino un bambino o un cane, non dovevi fidarti: c'era sempre un motivo per piangere, e sentire una luce nera che calava sulle cose. Dopo quel libro non ci siamo più parlati, e ho compreso che non volevo essere famosa, per motivi miei, ed era difficile trovare qualcuno che mi credesse. Quando dicevo che volevo solo un posto piccolo in cui scrivere le mie piccole cose, senza scopi e distrazioni, perché solo in quello mi sentivo magnificata, nessuno mi credeva. Mi ha creduto solo Kerouac, per un attimo. Per un istante era stato lui ad ascoltare me. Mi aveva detto che anche lui era stanco di tutte le città, di tutte le prove di fedeltà imposte dalla gioventù. Gli sarebbe piaciuto ritirarsi nel ventre e chissà, se ci fossimo conosciuti anni dopo, se avesse visto la mia pelle già stanca, se fosse stato già bolso e impresentabile, magari ci saremmo fatti venire un attacco di cuore tutti e due in qualche Stato del Sud a fissare il Mississippi. Per dimenticare quella vicenda, sono diventata ancora più silenziosa, ma non riuscivo veramente a liberarmi della ragnatela che mi ero intessuta addosso tra la Eleventh Avenue ed A. Anton era scomparso. Allen era smarrito in qualche comune di nuova invenzione. Burroughs era riuscito a diventare un prete e non un cadavere, ma gli altri morivano fatti a pezzi, e per la prima volta ho pensato seriamente di andarmene da New York. C'era uno di loro, uno scrittore che era rimasto più ferito degli altri e si era fatto degli anni di prigione: negli anni Sessanta ho vissuto con Lucien Carr, che ormai si occupava di cronaca, e passavamo le giornate ad accogliere in casa i vecchi amici, spettri sbandati. Ci sono ragioni imperscrutabili per cui finiamo con una persona. Il tempo, penso. Una volta ho scritto una lettera a Kerouac ma non gliel'ho mai spedita. Faceva così: *Ciao* bambino – lo chiamavo così anche se non ero italiana, lo sentivo dire alle vicine –, *ho mangiato un ovetto e ti ho pensato. Vivi ancora a casa di tua madre? Hai smesso di viaggiare? Io sono ancora nello stesso punto di sempre. Va bene così. Se vuoi, dimmi dove ti ha fatto male*. La mia vita si basava sui momenti, la sua sulle direzioni. Io avevo un modo mio di esplorare tutto nello stesso istante, lui non era felice se non imparava un po' di geografia. Gli importava un po' troppo delle frontiere, delle strade. A poco più di vent'anni ho incontrato un romanziere sfasciato che mi ha ricordato le mie femmine preferite da ragazzina: Jack Kerouac era una modella, un'operaia, una puttana. Andava e tornava, guerreggiante e serpentoso, si rovesciava come un'acqua nera, ho amato in lui quella prima memoria, di una vita e della città, di quel che di sepolcrale e malinconico e indimenticabile c'era sotto l'America. Aveva avuto molte amanti, ma si somigliavano tutte: ogni uomo vuole un'orfanella, una piccola fiammiferaia, una samaritana. Viveva in una patria immaginata tra Messico, Italia e Big Sur. Il re di ogni tavola calda, la spia di tutte le Chinatown. Per lui eravamo tutte vogliose e senza radici, eravamo sempre irlandesi, nere o messicane, sempre etniche, insopportabilmente vere, insopportabilmente posticce... *Una poesia di Baudelaire non vale il suo dolore*, dice la ragazza che sta al mio posto in quel libro. Vale anche per me. Ho capito che i tempi erano cambiati quando andavamo alle feste e tutti mi dicevano *E tu cosa fai, Alene.* Per me, come per molte ragazzine arrivate da chissà dove, dalla terra, dall'aria e dall'acqua, fare non significava esserci. Anzi: più facevi, e meno c'eri. Tra me e i miei amici era sempre stato così. Ogni tanto qualcuno spariva, o diventava ingestibile, e dicevamo *È uscito fuori di testa*, *sta fuori*, *quello è fuori.* Io invece ero fuori-uscita: ero uscita dal fuori ed ero tornata nel dentro, da qualche parte. Sono successe molte cose da quella mattina in cui sono scesa dal ferry che veniva da Staten Island senza tornare indietro. Ho avuto una figlia di cui non dico il padre. Ho tenuto dei diari che non ho fatto leggere a nessuno, eppure ne ho lasciato tracce da tutte le parti, ora che non vivo più in una casa e muoio in ospedale. È venuto Allen a trovarmi. Mi ha abbracciato e mi ha detto: *Sei ancora la ragazza più intelligente che io abbia mai conosciuto* e io sento che quell'intelligenza non è andata sprecata: sono riuscita a esistere e vivere tra tutti loro, senza il desiderio di appartenergli. E ho ancora certe visioni di Alene Lee, che un giorno è arrivata in città perché amava le modelle, le operaie, le puttane ed è sempre stata, credetemi, qualcosa di più, e qualcosa di meno.

Ilaria Gaspari

Dancing barefoot

Jeanne Hébuterne

Una volta a una festa mi sono vestita da quadro di Modigliani. Quadro generico, travestimento approssimativo, venuto neanche tanto bene. Era una festa a tema e il tema era: opere d'arte. C'era una Statua della Libertà con la tiara e la fiaccola, un Keith Haring (silhouette dal rosso cuore scoppiettante dipinta con una linea bianca su una tutina nera). C'era persino il *Ritratto della giornalista Sylvia Von Harden* di Otto Dix, con tavolino da bar annesso.

Nessuno ha capito da cosa fossi vestita io. Mi ero fabbricata un lungo collo rosa chiaro con un pezzo di cartone talmente rigido che mi graffiò la gola; rimasero i segni dei graffi per qualche giorno. In fondo a quel collo posticcio, che dipinsi a tempera, avevo persino disegnato una collana, giusto perché si capisse che era un collo. Mi ero pitturata le palpebre di blu polvere, tenevo gli occhi chiusi – ché fossero tutti di un colore, come gli occhi spenti nell'enigma delle donne dei ritratti.

Nessuno ha capito.

«Ah! Ma certo, sei Frida Kahlo!» Avevo ripassato con la matita nera il segno delle sopracciglia, il taglio del naso.

Nutro un'avversione tanto profonda quanto ingiustificata nei confronti di Frida Kahlo. Non mi ha fatto niente, lo so: è più forte di me. L'icona baffuta, chc per qualche anno spuntava accigliata da ogni angolo, che ti fissava dalle magliette e dalle copertine dei quaderni, persino dai cuscini di locali alternativi per finta, mi ricorda ahimè una persona che ho trovato molto antipatica nella vita reale. E non ci si può far niente, quando si mette di mezzo l'inconscio, no?

Insomma, il mio travestimento fu un fiasco. E mi offendeva quella confusione continua con Frida Kahlo – lo so, poveraccia, non mi ha fatto mica niente, eppure. Eravamo in un piccolo appartamento alle pendici di Montmartre, e nell'appartamento ci abitavo io; il soffitto era tanto basso e irregolare che per farmi la doccia dovevo stare piegata sulle ginocchia, altrimenti avrei battuto la testa. Adoravo quella casina scomodissima, con il parquet in pendenza e la lavatrice che perdeva. Una volta tornai dal mercato dove avevo fatto la spesa e sulle piastrelle bianche della cucina si allargava una pozza color sangue. Erano le lenzuola rosse che avevo messo a lavare: siccome il pavimento era tutto inclinato, l'acqua tinta fuoriuscita dal tubo era arrivata fin lì.

Mi piaceva anche che il piccolo lucernario non si chiudesse bene, nonostante l'avessi malamente aggiustato con il fil di ferro. Quando pioveva fuori, sui tetti e sui camini di Parigi, pioveva anche dentro casa mia. Allora mettevo sotto il lucernario un pentolino, per raccogliere le gocce di pioggia che diventavano centimetri cubi d'acqua, nel pentolino che usavo per farmi il caffè solubile – non con l'acqua piovana, anche se qualche volta ci avevo pur pensato, a come sarebbe stato berc la pioggia di Parigi.

Probabilmente tossico; ma lì, in quella casina, la contiguità fra poesia e intossicazione mi piaceva. Mi faceva sentire come se stessi vivendo davvero. Lo so che tutto questo sembra di un bovarismo imbarazzante, pretenzioso, provinciale, ma posso ancora peggiorare le cose: per esempio potrei approfondire le ragioni per cui a quella festa mi ero vestita da quadro di Modigliani.

La ragione principale è che ho il collo molto lungo. Da bambina mi chiamavano giraffa – allora promettevo di diventare anche parecchio alta. Ci ho creduto – avrei potuto fare la modella. Invece un giorno ho smesso di crescere, ed è finita lì. Avrei potuto fare la modella per un artista, pensavo per consolarmi quando avevo quindici, sedici anni e avevo già smesso di crescere da un pezzo. Mi sarebbe piaciuto, e quanto!, essere guardata da un artista. Mi avrebbe resa speciale, fantasticavo; perché a quindici, sedici anni, io volevo, più di ogni altra cosa, essere resa speciale.

Nessun artista mi guardò mai. A dirla tutta, non avevo nemmeno idea di dove se ne potesse trovare uno da cui farsi guardare. Forse all'Accademia di Belle Arti? Una mia amica, molti anni dopo, mi raccontò di aver posato una volta per gli studenti dell'Accademia. Nuda? Nuda, sì. Sentii un brivido. Quanto mi sarebbe piaciuto – quanto sarebbe piaciuto alla me di sedici anni!

Forse, invece, non mi sarebbe piaciuto affatto. E chi può dirlo? Nella mia testa sono capace di un'audacia che poi – non prendiamoci in giro – nella vita vera non conosco. Nella mia testa seduco chiunque mi passi a meno di cinque metri di distanza, riduco gli uomini a ruderi di sofferenze, mi vendico continuamente di chissà che torti. Nella realtà tento in tutti i modi di scomparire; poi soffro se qualcuno non mi nota. Nella mia testa sono libera, sfrontata, un'amazzone fuori controllo. Nella realtà ho il fiatone dall'ansia ogni volta che devo fare una telefonata.

Comunque, tornando ai miei quindici anni: da un bel pezzo i bambini della mia età avevano smesso di chiamarmi giraffa, non ero più una bambina io, né lo erano loro; e non ero neppure una giraffa. I ragazzi – non gli artisti, ahimè! dove diavolo si erano cacciati, quelli, quando avevo quindici, sedici, diciassette anni, quando, insomma, iniziava a servirmi un artista a portata di mano? – qualche volta mi guardavano. Questo mi faceva piacere. Sei strana, mi dicevano, e io pensavo: sarà un complimento. Poi però ci ripensavo e capivo che non era il genere di complimento che mi sarei aspettata. Qualcuno mi diceva: sei bella, sembri un disegno. Quello sì, che era un complimento e mi piaceva – ma mi piaceva poi davvero? Pensavo: e allora su, disegnami, disegnami tu. Fammi vedere come mi vedi. Ma nessuno di quei ragazzi che mi dicevano che ero bella, che sembravo un disegno, era un artista. Forse lo dicevano tanto per dire. Neppure io sono un'artista, intendiamoci. Non saprei disegnare nemmeno una casetta o un albero, quando ne ho dovuto disegnare uno per un test psico-attitudinale ho barato: l'ho fatto pieno di rami, di frutta, di fiori, di uccellini. Tutto insieme. Pensavo: così diranno, è un'incapace, ma si vede che ama la vita.

Mi fecero notare che non possono esserci tanti frutti e contemporaneamente tanti fiori, su un albero. E comunque, nessun albero produce, insieme ai fiori, mele pere e ciliegie. Già che c'ero avrei potuto metterci pure una banana – questo non lo dissero loro, lo aggiunsi io. Solo che detesto le banane, mi piace solo la parola. Dirla, pensarla. *Ba-na-na*. Fa ridere.

Comunque quelli precisarono che oltretutto, se sul mio albero demenziale, carico di fiori e frutti di specie diverse, avessero davvero abitato tanti uccelletti, i frutti sarebbero stati mangiucchiati.

Non c'era logica, insomma, in quell'albero.

Però si vede che ami la vita, dissero, e io sorrisi, anche se le loro deduzioni logiche mi avevano appena dimostrato che, se pur l'amavo, era solo per un grave errore di comprensione di cosa fosse mai, la vita. Fiori che muoiono per diventare frutti. Frutti che non possono essere ciliegie se sono pere, se sono mele. Uccelletti che si mangiano i frutti. E poi, quando li finiscono, che gli resta?

Non amavo forse troppo la vita; non abbastanza, almeno, da accettare di comprenderla. Ovviamente questo lo dico con il senno di poi, allora ero una ragazzina e non capivo niente se non ragionamenti come: non so disegnare, mi inventerò qualcosa così penseranno che quantomeno sono una che ama la vita. E l'hanno pensato spesso, di me, credo.

Sempre che la cosa a qualcuno interessasse davvero.

Ora, però, la questione è un'altra. Ora non vivo più in quella piccola casa, nel sottotetto, e nessuno si è ancora sognato di farmi un ritratto. Ma i ritratti mi piacciono, e molto. Nei musei guardo le donne dentro le cornici. Penso alle loro vite segrete, fermate nel dipinto; ai gesti che sembrano involontari – lo so, sono pose, eppure. Una mano che si solleva, uno sguardo, la bocca che si schiude in un certo modo. Più che in una fotografia, ho il senso della vita che è soffiata sopra quei movimenti impercettibili. Più di tutte guardo le Madonne. Le immagino in carne e ossa, ragazzette di campagna o nobildonne, a cui questi pittori morti da secoli hanno rubato un ricciolo o un'occhiata, le manine grassocce dei neonati che stringono la veste o un uccellino, e penso: come possono essere così veri, e così irreali insieme? Questo lo penso di tutti i quadri che mi piacciono. Una volta a Berlino, insieme a una delle mie amiche più care, ho visto una Madonna di Botticelli che aveva il naso e gli occhi arrossati, come avesse appena finito di piangere. In piedi davanti alla tela abbiamo pianto senza vergognarci, il tempo sembrava non esistere, e nemmeno la cornice, i cinque secoli, nient'altro.

Non sono un'artista, dicevo, però scrivo. Non so disegnare un albero, ma forse, quando l'estro mi assiste, un albero ve lo posso far vedere, senza bisogno di colori, di niente, solo parole. In ogni caso, questa mia occupazione – che, spesso mi ripeto, sto usurpando (ma che altro potrei fare? Vi prego vi prego vi prego, risparmiatemi i test attitudinali, lasciatemi imbrattare fogli, per carità, e poi pazienza: mal che vada morirò nell'ingenua convinzione di essere riscoperta postuma, che importa adesso il giudizio, che importano i canoni e tutta quella marea di stronzate piccolo borghesi da critici letterari tardonovecenteschi, che importa? Lasciatemi alle mie velleità, non darò fastidio a nessuno) – dicevo, quest'occupazione che abusivamente svolgo prima che qualcuno si accorga che continuo a disegnare alberi sbagliati, solo sprecando più parole per dirli, mi ha portata fin qui. Qui a scrivere di te – ti ho scelta, bella mia, non credere il contrario. Non pensare che mi ti abbiano affibbiata nel mucchio, sbaglieresti – sono stata io che ho detto: voglio lei. Voglio Jeanne, la racconterò, le presterò la mia voce.

Non avevo pensato, allora, che impresa improba sarebbe stata, piccola Jeanne evanescente. Jeanne adolescente madre suicida, di cui si sa la morte e non la vita, se non per sprazzi intravisti da feritoie: feritoie che sono i tuoi occhi

– turchesi, senza il bianco – nei ritratti del tuo amore. Sei morta per lui, quasi con lui – e questo, come lo racconto? Come posso osare, dove troverò le parole? Siamo così lontane. Oltretutto, quello che non avevo pensato all'inizio ora è un pensiero in cui inciampo di continuo. E se non la volessi, la mia voce prestata, la mia voce per raccontarti? Non ti biasimerei. Se tu volessi solo rimanere in silenzio, nell'ombra, nella pace – se non avessi proprio nessun desiderio, nessun bisogno di essere stanata dal riparo del tuo «estremo sacrifizio»? Ahimè hanno scelto queste parole, sulla tua tomba, la vostra – in italiano. Ci sarebbe di che indignarsi, e non solo per quella *z* che denunzia quanto tempo è già passato, dalla notte di gennaio del tuo salto – e dalla tua doppia sepoltura. Perché poi vi hanno sepolti insieme, sì, ma i primi anni della tua morte li hai dormiti da sola, in una tomba oscura al cimitero di Bagneux – così hanno voluto i tuoi genitori, hanno pure chiesto un funerale dimesso, da non confondersi con quello dell'improvvisamente grande Modigliani, con grancasse principesche a celebrarlo quando era tardi per curargli i polmoni e la meningite tubercolotica e tutto quanto il freddo che si era preso negli inverni di Parigi, quando era un ebreo sbronzo, un poveraccio, un italiano, forse pure un oppiomane: lo posso biasimare? No, certo, non biasimo nemmeno lui, le sue notti ai crocicchi a Montparnasse: almeno si è divertito, mentre nessuno sapeva che artista diventava. Queste cose si sanno sempre postume, l'ardua sentenza e tutto il resto, va così. Mi chiedo che voce aveva lui – cadenza livornese di un secolo e rotti fa, avrà aggiunto *deh* in chiusa di frase? I livornesi di oggi lo fanno, almeno, tutti quelli che ho conosciuto io. In ogni caso i tuoi lo schifavano, tuo padre, con il fervore fuori luogo del convertito, del cristiano nuovo di zecca, non poteva tollerare che sua figlia passasse le notti con un piccolo ebreo sempre ubriaco fradicio.

E difatti ti sei dovuta ribellare, come un'eroina da *Decameron*, una Griselda, una Lisabetta – ti è toccato rinnegare la famiglia, sbattere la porta; come hai fatto? Certo non era più possibile che continuassi a vivere come una bambina mentre infuriavano l'ebbrezza e il deboscio alla Rotonde: lasciarlo incustodito in mezzo a quella manica di gaudenti, geni, baccanti, poveracci (geni lo diciamo adesso, di qualcuno però, ci scommetto, si iniziava a mormorarlo anche allora: e c'era l'imbarazzo della scelta, Cocteau, Picasso, Utrillo, e poi Soutine, e quel magnifico giapponese per cui hai iniziato a fare la modella, Foujita) e tornare a dormire a casa ogni sera. 8bis rue Aymot, non c'è nemmeno una targa, e invece ben gli starebbe a quel bigottone del signor Hébuterne, non credi? Comunque, dicevo: forse non hai nessun bisogno di una voce che rettifichi o spieghi quello che hai fatto, che chiarisca se fu gesto di disperazione o dedizione assoluta – come suggerisce quella parola sgraziata, *sacrifizio*, sopra la tua tomba – di sposa indiana che si getti sulla pira. Non c'era nessuna consuetudine indù da rispettare, nella notte del 25 gennaio 1920, nel V arrondissement, nella tua stanza di bambina dove fino a qualche istante prima ti aveva vegliata tuo fratello. Cos'è stato, allora, il *sacrifizio*?

E i tuoi genitori, che hanno fatto mai. Ti hanno lasciata dormire da sola per anni, nella tua tomba a Bagneux, tu che pur di non dormire sola un'unica notte di gennaio nella tua stanza di figlia, ti sei buttata giù. Ma anche da questo, non ti posso difendere – e allora spiegami a che diavolo servono le mie parole. A niente, lo so; e sì, hai ragione: sono io che dovrei spiegarlo a te. Lasciamo perdere, torniamo alla questione; qualunque cosa dica, qui, non serve proprio a nulla. Anzi mi pare quasi offensivo che io da dietro questo vetro che guarda su una strada di Parigi, a molti ma non troppi isolati di distanza dall'esatta increspatura dell'asfalto su cui tu sei volata, ennesima *grisette* suicida – eppure no, diversa: la regina di tutte le sartine, le ingannate, le sedotte, tu la Madonna delle affogate nella Senna, delle sparite, *disparues*, dimenticate – che io da qui, dicevo, ti presti la mia voce, o ti chieda, peggio ancora, in prestito la tua. La riproducibilità, quanto male ha fatto al tuo caro Dedo, o come lo chiamavi – e che ne so io, adesso, di come lo chiamavi? È finito sulle tazze e i frigoriferi, e ci sei finita pure tu, a dirti il vero. Calamite, ombrelli, teli da bagno, tu stampata con i tuoi occhi, il tuo cappello a cui dovevi tenere molto, credo: ti stava tanto bene. Così che a noi, sbalzati un secolo oltre, all'inizio di questi già vecchissimi anni Venti, ci pare di aver visto sempre troppo troppo troppo Modigliani. Maledette stupide riproduzioni. Ho visto due o tre quadri dal vero, ma che dico, ho visto una mostra intera, e poi ne ho trovati altri, come imbattendomi in vecchie conoscenze, in musei sparsi per l'Europa. L'impressione – non lo dico per farti piacere, ma perché lo penso seriamente – l'impressione era ogni volta di essere sul punto di un'epifania.

Non è arrivata; ma come se camminassi sull'orlo di un burrone, mi sentivo a un passo, una frazione di passo, dalla rivelazione. Ecco di cosa quelle stupide riproduzioni mi hanno troppo a lungo derubata, resa ottusa. Ora, a parlare di te, a parlare con te, è facile scivolare nel melenso o nel kitsch, in una riproduzione scadente di dialogo impossibile, capisci? Evocarti senza eleganza, come in una di quelle croste tutte sbagliate che pittori dilettanti rifilano ai turisti con piumini troppo pesanti, troppo colorati, sui gradini del Sacré-Cœur. Rabbrividiresti, mi permetto di indovinare. Povera Jeanne, povera me. In cosa mi sono andata a cacciare.

Soprattutto: perché. Perché ho scelto la storia difficile, l'enigma?

Ora poi, che non avevo più bisogno di disegnare alberi carichi di fiori e stupidi uccellini incapaci di cibarsi dei loro frutti promiscui, per dimostrare che sono una che ama la vita.

E allora, mi chiedo, mia bella Jeanne dalle trecce avvoltolate come un paio di ciambelle sopra le tue piccole orecchie di ragazzina, perché proprio te? Tu la ami, la vita? Perché di te si sa soprattutto la morte. Guardo un albero che hai dipinto tu. E dire che hai vissuto ben prima che si usasse fare test psico-attitudinali – e che vita breve, che linea sottile doveva essere scritta sopra la tua mano, una linea lieve, ventun anni appena; e già madre, la prima volta a diciannove, la seconda – la seconda mai e sempre, la seconda quasi. La morte ti ha imprigionata, come un insetto dentro l'ambra, incinta del tuo secondo bambino; o forse, chissà, era una bambina, come la maggiore, Jeanne come te, che ha scritto di te e di suo padre – ti trovo un poco nelle sue parole, belle, terse, ma neppure lei ti ha conosciuta se non nei ricordi degli altri, nei documenti, nei racconti; e nella lingua misteriosa del codice genetico, nel tuo destino trascritto in lei, che quando ti sei uccisa aveva due anni appena. E a proposito: dov'era, quella notte? Dov'era la bambina Jeanne – era gennaio, hai aperto la finestra – dov'era, l'altra Jeanne, mentre la sua madre bambina, Jeanne pure lei, piombava giù dalla casa dei genitori?

Dov'era?

Non smetto di chiedermelo. Vorrei chiederlo a tuo padre, il bigotto, il baciapile – come ha potuto non capire, lui, con il suo cristianesimo nuovo di zecca, lui che vi leggeva Pascal la sera, come ha potuto non capire cosa succedeva nell'altra stanza, nella camera della piccola Jeanne, Jeannette – come? Non ha sentito la disperazione? Poi penso, era un padre, solo un padre. E magari pensava pure di far bene, lui con il suo odio per il tuo uomo ebreo, un odio da convertito recente, un odio un po' da traditore a ben guardare – che dirgli? Magari pensava di far bene. La bambina ora donna, ora vedova da poche ore, di nuovo nella stanza dell'infanzia. Ti credeva al sicuro – cosa poteva succedere? Non ha visto arrivare la disgrazia, non l'ha saputa indovinare. Come non ha saputo indovinarla tua madre, e neppure André, il tuo fratello grande, il fratello che adoravi, che ha cominciato tutto, il pittore aspirante che ha presentato sua sorella agli artisti. Non oserei chiederlo a te, dov'era la bambina. Quando avevo la tua età, la tua ultima età, io ancora giocavo a travestirmi da quadro. Sapevo a malapena chi fossi tu, il tuo nome l'avevo incrociato in un libro di Gertrude Stein che una volta leggevo in treno, e un controllore mastodontico, di una gentilezza estenuata, commovente, si era fermato a dirmi che quel libro per lui era stato la giovinezza. Me lo ricordo ancora a distanza di anni, perché adesso lo capisco; so cosa voleva dire. I posti che abbiamo sognato nelle parole degli altri – Parigi, la generazione perduta, luci accese che non vedremo mai, che non abbiamo mai visto, eppure.

Eppure le abbiamo viste più forte, e meglio; le abbiamo desiderate sapendo che era inutile. Dissipazione del desiderio, dei desideri, ecco. *Flânerie* immaginativa, completamente superflua, essenziale alla sopravvivenza. Sono in un albergo, ancora a Parigi, le luci si spengono una a una. Domani la città sarà chiusa, mi guardo nel riflesso, alla finestra.

A te poi non avevo pensato più molto. Sapevo il tuo nome, la notizia della tua morte – suicida, incinta. Musa: almeno venti ritratti. Nei ritratti gli occhi cambiano, l'iride si dilata, divora il bianco. Occhi come gioielli, come pietre a intarsio, turchesi. Guardo quest'albero che hai dipinto tu. Un albero nero, secco, un albero d'inverno: nel quadro è sera (forse il crepuscolo? la finestra al piano basso ha i vetri scuri, quella sopra, invece, un riflesso azzurrino, come nell'attimo dopo il tramonto) e la corteccia è scura come dopo molta pioggia, in un cortile di Parigi. Ti stupirebbe forse sapere che oggi le corti interne delle case sono rimaste identiche a quelle che vedevi tu. Io guardo una riproduzione: il quadretto è stato venduto a un'asta – mi chiedo chi sia il riccone che se l'è aggiudicato. Le tue opere purtroppo non stanno nei musei. Le ha custodite tuo fratello nel suo atelier, finché è morto, quasi trent'anni fa, e poi certi nababbi se le sono comprate, buon per loro – sì, è un peccato non poter sperare di vederle mai dal vivo. Ma magari, sai, le hanno comprate persone ossessionate da te, di quelli che per te hanno un piccolo culto, come pittrice, o come quasi-martire – martire del talento, del genio non riconosciuto (il genio del tuo amato, intendo, neanche il tuo... se solo i ricconi si fossero svegliati prima! Sareste andati a vivere ad Antibes, sul mare, altro che tubercolosi: sareste stati splendenti e abbronzati come quel pelatone di Picasso, che è campato cent'anni, l'amico rivale del tuo uomo, ti immagini? Belli e dannati con moderazione in Costa Azzurra, voi e i vostri due bambini, se solo i nababbi avessero avuto un briciolo di lungimiranza nell'indovinare il talento quando ce l'avevano di fronte!). Quello che non dice nessuno, alla fin fine, lo dirò adesso io: se tuo padre non fosse stato un ebreo che odiava sé stesso, se non avesse avuto quello zuccheroso entusiasmo da neofita, se non fosse stato un convertito antisemita! Se non gli avesse fatto tanto schifo quel genere *rital*, italiano e giudeo e povero, forse avresti saputo chiedere aiuto; forse non vi avrebbero trovati abbracciati nel letto come due amanti sorpresi dalla lava di Pompei. Forse non ti avrebbe fatto così tanta paura quella notte di gennaio nella tua casa di bambina, o sbaglio? Martire quindi, della bigotteria antisemita della Francia borghese di tuo padre.

Ma d'altra parte, bella mia, è andata così, e la tua uscita di scena è stata tragica e regale; sei una diva, tu, una diva un poco macabra perché la tua vita è una vita molto postuma, vive della morte tremenda che ti sei inflitta, che ti hanno inflitta quando si sono addormentati tutti nel silenzio della casa. Sei una diva, uno splendore per sempre, nel mosaico dei ritratti, con quei tuoi occhi fissi, bizantini. Ci saranno schiere di feticisti che oggi ti idolatrano, depravati facoltosi che nelle loro ville ti ergono piccoli altari. Ma che ti importa, ma che ci importa. A te che sei stata coraggiosa, che ti sei lasciata guardare dall'artista, che importa? Forse ti secca un poco – a me, al posto tuo, seccherebbe, sì – che la tua fama di musa sopravanzi la tua fama di artista. I tuoi quadri, di cui trovo solo brutte riproduzioni essendo gli originali inglobati nelle collezioni private di suddetti nababbi, a me piacciono tantissimo. Non occorre che tu mi faccia notare che non capisco un'acca di arte, lo so anch'io. Eppure mi parlano, mi affascinano. Cerco te, vedi? ti cerco nei tuoi quadri: sei più qui, o nei ritratti che ti ha fatto lui?

I vetri scuri al piano di sotto, sopra carta da zucchero; l'albero secco nel cortile. Persiane grigiazzurre, è Parigi, oltre ogni dubbio.

Guardo dentro la finestra il mio riflesso, è inverno anche adesso. Un secolo dopo, giusto giusto, un nuovo '20; sono come te a Parigi, fuori c'è un silenzio lugubre, sento una sirena in lontananza. Ambulanza o polizia, fa poca differenza.

Perché ho scelto proprio te, di cui so solo la morte, io che amo tanto la vita da mettere insieme frutti fiori uccelli? Tu, un albero d'inverno, scheletrito.

Forse per vendicare quella faccenda della festa e di Frida Kahlo. Forse in memoria del tempo in cui mi chiamavano giraffa – quando ero sproporzionata e interessante, intendo. Prima di finire di crescere e armonizzare quelle belle sproporzioni adolescenziali. O forse perché tante volte le persone mi trovano somiglianze. Somigli a un disegno. Somigli a un quadro di Modigliani – me l'aveva detto un ragazzo che mi piaceva da morire. Io mi ero sistemata il lenzuolo un po' meglio, per coprirmi; aveva visto abbastanza. È quella, credo, la vera ragione per cui avevo deciso di vestirmi da ritratto alla Modì alla festa in maschera; quella, soprattutto, la ragione per cui mi offendeva che nessuno mi avesse riconosciuta.

Frida Kahlo.

Lo sguardo degli altri – lo sguardo che ti trasforma, ti deruba forse di qualcosa? o ti deturpa, è il minimo. È questa la ragione per cui ho scelto te. Per me è una delizia e una tortura, quello sguardo. Lo era quando stavo crescendo, quando avevo gli anni che hai avuto anche tu. Lo è stato dopo, lo è ancora. Vorrei sapere cos'è stato – cosa può essere stato? – per te.

Io non avrei saputo sopportarlo, sai? Ti ammiro. Quanto devi esserti sentita esposta, quando ti sei lasciata guardare. Magari, mi dico, a te non è costato come immagino io, da dentro la mia testa, dentro la mia paura, io che non vorrei che nessuno mi guardasse davvero, se non in superficie, giusto fino al punto, molto in alto, a fior d'acqua, che mi sembra accettabile – un'impressione generale, niente dettagli. Come un istrice farebbe con le spine, proteggo i miei segreti, con i capelli, il sorriso, gli occhi bistrati, anche, perché no? Sono vanitosa per nascondermi. Non potrei nemmeno immaginare di sedermi a uno di quei banchetti dove ti fanno la caricatura – pensa che disastro, che tragedia, se uno sconosciuto mi guardasse e vedesse qualcosa di vero. Tu pure, vanitosa, lo sarai stata, che dici Jeanne? Non c'è mica niente di male. Mi chiedo solo che vanità sarà stata la tua. Ti sei dipinta in dolci autoritratti sfuggenti, capelli rossi annodati sulla testa, sfondi di stoffe sgargianti. Dicono che ti piacesse comprare gli scampoli stampati, inventarti acconciature, disegnarti anche così; d'altra parte quando una è bella come te, Jeanne, che deve fare? Nascondersi davvero è impossibile, tanto vale gettare la bellezza in faccia a chi ti guarda, come una manciata di sabbia negli occhi; o no?

Una volta, non troppo tempo fa, quando insomma avevo già finito di crescere (è allora che si comincia a invecchiare, giusto? un'età che non hai conosciuto), uno scultore mi ha detto che avevo una testa perfetta. Credo si riferisse alle proporzioni del cranio; dire grazie sembrava fuori luogo, ma mi hanno insegnato a ringraziare quando accolgo un complimento. Così, ho ringraziato – ma era proprio un complimento? Non saprei. E comunque, cosa valga un complimento a una scatola cranica io non lo so di certo.

Tu, in ogni caso, tu sì che avevi una testa perfetta. Lo dicevano tutti. Come una noce di cocco – *noix de coco*, ti chiamavano, e come suona bene. Perché la pelle era bianchissima, per il contrasto con il castano ramato dei capelli.

Ma secondo me anche perché era così tonda, così perfettamente rotonda la tua testolina. Chi le ha scattate, quelle fotografie di te che conoscono tutti? In una somigli stranamente a Puškin, morto giovane pure lui – qualcuno sostiene che non sia mai vissuto, mai esistito. Che in realtà Puškin sia Dumas, Dumas padre intendo – una stupida leggenda, una diceria, chissà. In ogni caso, se è vissuto, che morte sciocca anche la sua, in duello, giovane. Non ti offendere, non voglio dire che la tua morte sia stata sciocca. Mi chiedo solo – se non ti avessero lasciata sola di notte, sarebbe successo lo stesso? Avresti saltato comunque il davanzale?

Sto cercando di entrare in punta di piedi nelle tue ultime ore. Ma non è facile, Jeanne – quanto mi piace il tuo nome, se avessi una bambina penso che glielo darei. Certo, forse dovrei tradurlo, perché non suoni troppo pretenzioso. Gianna – Giovanna, forse?

Una sera sono andata a cena con uno scrittore famoso. Perché ho accettato l'invito? E chi lo sa. Forse volevo vedere cosa si provava a cenare a mezzo metro dal talento – non avevo un soldo in tasca ed ero terrorizzata di dovermi mostrare femminista, *ma sì, dividiamo il conto*, anche se mi aveva invitata lui. Infatti non ne ha voluto sapere – sospiro di sollievo. In ogni caso per prudenza avevo mangiato pochissimo. Forse ero lì per carpire il segreto del talento – tu, Jeanne, ci hai mai pensato? Perché alla fin fine, il tuo Dedo (quanto non mi piace questo soprannome, eppure è carino se penso che l'avrai chiamato così; forse non è successo mai, ma permettimi di fingere di sì, attenua un poco la mia impostura, sii indulgente insomma, che ti costa?) quando l'hai conosciuto, chi era? Con il senno di poi già il grande artista intemperante, beveva come una spugna davanti ai modelli in posa. Ma perché pure lui, poveraccio, non aveva una lira, e con quella faccia da schiaffi, gaglioffa, era malato e bevendo si teneva su di corda. Per finire i ritratti – odiava interrompersi, se si interrompeva non riprendeva più il filo; come lo capisco, anch'io se smetto di scrivere poi non mi raccapezzo più. Certo, non voglio dire che per questo sono un genio, al contrario. Comunque ecco, tu l'hai acchiappato nel pieno dell'intemperanza, del dolore, anche, credo: malato, senza soldi per curarsi; squattrinato, prima del successo. Quei mesi che avete passato al sud, quando hai avuto la tua bambina, Jeanne, a Nizza – lì forse siete stati un po' felici, vero? Tua madre però era venuta giù anche lei, per controllarti, controllarvi. Zborowski si era accorto eccome del talento, pagava lui, gallerista-quasi-mecenate. Lui scrisse un appunto, che si impegnava a sposarti, Jane. Ha sbagliato il nome, l'avrà fatto apposta? Atto mancato, lapsus, scherzo fra amanti? Certo questa storia del nome sbagliato mi addolora quasi quanto la frase che ti han scritto sulla lapide – devota fino all'estremo sacrifizio. Pretendo per te un poco di gratitudine, di rispetto, non puoi essere pura devozione! Tu, però, quanto sarai stata docile? O meglio, mettiamola così: era il tuo carattere, o solo l'amore, oppure ancora la solitudine, dopo che la tua famiglia ti aveva abbandonata, sola, a quest'uomo, un genio sì, quello che volete, ma incapace di prendersi cura di te? Tu, qualsiasi fosse la ragione, ti sei lasciata guardare, dipingere, hai lasciato che ti considerasse sua. Questo, mi chiedo, io lo saprei fare? Avrei il coraggio di lasciare che l'amore mi deturpasse il nome, il viso, l'epitaffio – che raccontasse al posto mio la mia vita nascosta? Non credo: sono troppo codarda, io, la mia vita segreta la voglio raccontare con le mie parole, come quell'albero con sopra frutti e fiori. Poi, certo, mi offendo perché non la legge nessuno.

Comunque, quella volta lui forse scherzava – scherzava anche per posta con Zborowski, scriveva: ho venduto tutto, lo champagne scorre a fiumi, non era vero niente. E quello ci cascava. Una cosa te la devo dire, bella Jeanne, siete morti che il successo a malapena si affacciava, ma poi lui è diventato enorme, un gigante, un genio: troppo tardi per voi. E tu? Il tuo nome, la tua storia, chi li conosce si commuove. Ci sconvolgi tutti quanti, ora, cent'anni dopo, sai? Ci chiediamo, ma come ha fatto – come ha potuto – quanto amore ci vuole per un gesto come il suo, quanta disperazione? Certo lui doveva essere simpatico, un briccone, un malandrino, con quel fascino un po' disperato che hanno gli alcolisti, lo conosco pure io. Tornando a quella sera: volevo farmi guardare dal grande artista, sapere cosa si prova? Forse, sì, ma non ho avuto il tuo coraggio, piccola temeraria Jeanne. A me lo sguardo del grande artista, sempre che mi vedesse, ha messo i brividi, mi sono inventata una scusa, ho detto che dovevo andare via. Quell'uomo mi era parso troppo solo, benché grande artista, o forse proprio per quello, e non avevo nessuna intenzione di lasciarmi guardare da lui. Ma prima mi aveva raccontato di una bambina di nome Jeanne, e io cercavo – per farmi guardare, o per sviare lo sguardo del grande artista? Chi lo sa! Forse per indirizzarlo, a pensarmi dolce e colta e sensibile, che vergogna; quella sera mi sono vergognata tantissimo, mi vergogno pure adesso a raccontarlo – cercavo insomma goffamente di tradurgli quei versi di Dante.

Oh Padre suo veramente Felice!
Oh madre sua veramente Giovanna,
Se interpretata val come si dice!

Pare che Giovanna, in ebraico, voglia dire: piena di grazia. *Pleine de grâce*, traducevo. All'artista piaceva, ovviamente: gli ho fatto vedere quella parte di me, costruita, pretenziosa, che a cena ti cita Dante e te lo traduce in francese. Non è che stessi fingendo, intendiamoci, ma, mi chiedo oggi, e mi vergogno: perché mettermi in posa? Scrivo troppo, parlo troppo, ho troppi capelli, e tutto per nascondermi. Dovrei andare dall'analista, ma chi ce li ha i soldi? – *vraiment Jeanne. Pleine de grâce.* Mi sembra una bella cosa da dire, comunque, di una bambina. Pure di te. Che hai fatto, *vraiment Jeanne*, come sei arrivata a farlo – il pensiero, solo il pensiero, mi pare insostenibile. Dalla tua stanza di bambina, piccola Jeanne.

Ti hanno lasciata sola.

Torno a guardare le tue fotografie – chi le ha scattate? Immagino uno di quei giganteschi apparecchi di quando esistevi tu, che erano quasi piccole cabine. Chi aveva infilato la testa sotto il telo? Tu portavi un vestito con uno scollo squadrato, di velluto a costine. Sapessi quanto mi piace il velluto. Dai frammenti sparsi di cose che si son dette di te: bella, bellissima, la noce di cocco, la pelle chiara, i capelli ramati. Da qualche parte ho letto che ti facevi i vestiti da sola, cercavi scampoli di stoffe orientali, cucivi turbanti – giocavi, d'altra parte eri una bambina. Chissà se il vestito a costine te l'eri fatto tu – chissà chi stavi guardando quando sulla lastra si sono impressi i tuoi occhi larghi, in quella foto imbronciata in cui somigli a Puškin, i tuoi occhi larghi come laghi. Non sorridi, sotto tutti quei capelli. Cerco di immaginare i colori – il vestito, secondo me, era di un marrone bruciato, era del colore dei capelli; hai un velo sulla testa, sembri una sposa, permettimi, un poco perversa, ma è per via dello sguardo che fai, e che direi sardonico. Ho delle foto di me in cui guardo proprio così, da sotto in su, provo uno strano imbarazzo a rivederle – me le hanno fatte uomini che dicevano: guarda in su, brava, così. Ho guardato, hai guardato. Non si vede nemmeno quanto erano azzurri i tuoi occhi in quella fotografia, Jeanne – sei bellissima, eh, non sto mica dicendo il contrario. Anche quello di Puškin è un complimento. Dico solo che ho dovuto vedere altre fotografie tue, per capire che occhi avevi. Non credo di aver mai conosciuto nessuno con occhi come i tuoi – certo, li ho visti solo in fotografie vecchie di cent'anni, nei ritratti.

Questa faccenda degli occhi, nei Modigliani che ti ritraggono, è quasi un enigma – sapessi quanto inchiostro è stato spanso per spiegare il perché e il percome. Lui, che ti è quasi morto fra le braccia in un atelier pieno di spifferi a Montparnasse, lui ti ha tanto amata e tanto dipinta, con il cappello, e con la collana, e con il maglione giallo – mi chiedo: ti vedeva con un cappello nuovo e diceva ecco, ti dipingerò così, o ti chiedeva di metterlo apposta? Sono pose o piccoli segreti della tua vita segreta di ragazza? In fondo, però, cosa cambia. È sempre vita sommersa che viene a galla nello sguardo dell'uomo che ti ha guardata tanto in fondo. E però, qui l'enigma: ti ha guardata, ti ha vista, ti ha dipinta, e sei tu, sei tanto tu anche quando i quadri non ti somigliano (pure di più, direi, ma solo perché mi piace il paradosso). A furia di dipingerti e ridipingerti, i tuoi occhi dentro i quadri son cambiati. Prima erano occhi umani, con il bianco della sclera, con l'iride più scura che spiccava. Poi, via via, diventano campiture immobili, laghi fermi. Perché? Dicono: perché l'anima non si può dipingere, e gli occhi sono specchi dell'anima, li ha lasciati vuoti. Ma io ne ho abbastanza di sentir parlare di anime, e poi, a me quegli occhi sembrano più pieni del pieno, più dipinti del dipinto, e allora penso: ha voluto che fossero eterni, forse, che il colore della luce che li assale quando c'è il sole, o la nebbia, o la neve, durasse per sempre, dentro i quadri. Sono più veri così che se somigliassero a un paio d'occhi in fotografia, no? Però, per capirlo, nel tuo caso, bisogna guardar bene le fotografie.

Se guardo quella in cui hai una collana che pare una catena, con anelli larghi, e con una mano tieni aperta la scollatura di una camicia bianca, ti vedo come se fossi qui a mezzo metro da me. Vedo gli occhi, il naso largo, mi pare pure di poter sentire che voce dovevi avere. Una voce rauca, ti immagino, come il tuo cognome. I tuoi occhi in questa fotografia sono stupefacenti, sotto la frangetta, le sopracciglia perfette; sono incredibilmente lunghi, e vivi e morti insieme. Sono chiari, due lunghi vortici azzurro chiaro, e tu mi dirai: la foto è in bianco e nero, come possono essere azzurri? E che ti devo dire, sono talmente azzurri che si vede l'azzurro anche dentro il bianco e nero. E sembri così assente, così incredibilmente assente – ma di certo è perché so cos'è successo poi. E non poteva essere passato troppo tempo dalla foto – tanto breve è stato l'arco della tua vita, sotto quelle sopracciglia perfette. In questa foto in cui i tuoi occhi sembrano piccoli laghi congelati, hai il collo appena appena inclinato; un'inclinazione innaturale. Sembra rotto – lo so, lo so, ma non l'ho mica detto per essere macabra. Qui però è un rischio che si deve correre, con questa immagine tremenda della tua morte che spunta da tutte le parti.

Ti eri dipinta morta, a dirla tutta, prima di poter sapere che sarebbe successo – allora, mi dico, dovevi già saperlo prima. E non mi stupisce affatto, sai? anch'io spesso sento di sapere cose che ancora non ho scoperto, poi ecco, scivola via il velo e le so sul serio. Non mi sorprendo.

Giù, lungo la strada, un'altra sirena. Io sono sempre qui, in piedi, davanti al vetro della portafinestra. Fuori è talmente buio che mi rifletto come in uno specchio. Sono a piedi nudi, non mi importa della moquette di questo albergo; è un bell'albergo, l'avranno pulita. Ma anche fosse lercia, non mi importa, voglio sentire il pavimento con i piedi, come se avessi messo radici, qui, mentre ti penso.

Io ho gli occhi gialli, sai Jeanne? Niente di paragonabile ai tuoi azzurri laghi fermi, diciamo; al confronto, due pozzanghere al sole. Se n'è accorto solo l'uomo che mi ama, glieli ho lasciati vedere, ho lasciato che me lo facesse sapere, non è stato facile per me – questa frase delle pozzanghere è sua, di primo acchito non sembra un complimento. È che siamo arrivati, credo, a quello stadio in cui i complimenti non hanno più senso – non servono. Quello che vedo nei ritratti che ti ha fatto il tuo amante è la stessa cosa, sai? Ci si può guardare, e lasciar guardare, selvaggiamente. Non suona bene, peccato, non trovo altre parole. Penso a una cosa che ho letto da qualche parte, chissà quando e chissà dove, a proposito di certe tribù che vivevano ancora una vita primitiva, in nascosti seni verdissimi dell'Africa o dell'Amazzonia, quando sono arrivati i soliti bianchi prepotenti con le macchine fotografiche. E loro non volevano lasciarsi fotografare, si ribellavano agli scatti convinti che la macchina, imprimendo l'immagine sulla lastra, gliela rubasse, che gli portasse via un pezzo di sé, quello che rozzamente chiamiamo anima. È così, allora, Jeanne? È così che funziona? Chi ti vede veramente, ti porta via un pezzetto. La sclera bianca dei tuoi occhi, via. Mi guardo nel riflesso della portafinestra, nell'albergo sembra che non sia rimasto più nessuno.

Fuori hanno chiuso tutto, si sono spente le luci. Avrei anche fame, ma non oso avventurarmi a cercare un negozietto aperto, mi tengo la fame e mi guardo nel riflesso, scontornata contro il nero della notte. La cosa che mi è parsa più tremenda, quando ho letto le notizie della vostra morte: le sardine, le scatole di sardine. Vi hanno trovati sfondando la porta. Uno strano silenzio, uno strano afrore temo, dovevano arrivare a ondate dall'atelier di rue de la Grande Chaumière; vi hanno trovati abbracciati nel letto, anche voi sardine in una scatola, e intorno? Intorno, scatole di sardine vuote. Il solo vostro sostentamento, per giorni – immagino la sete, il salato, il dolore del tuo uomo che moriva. Quanto tempo siete rimasti così, abbracciati nel letto, a sentir arrivare la fine come due destinati al naufragio, soli in una cabina invasa d'acqua, in fondo alla pancia della nave? Quante ore – com'erano passate, mentre non chiedevi aiuto, tu per lui, tu a lui che si addormentava, come un bambino, che non aveva più coscienza, tu sola, con lui e il tuo bambino nella pancia? Come sei riuscita a non impazzire, sepolta viva con lui fra le sardine, tu che non volevi – e come avresti potuto – lasciarlo andare?

Vi hanno separati a forza, l'hanno portato all'ospedale. Ti sei precipitata, per essere con lui fino all'ultimo – più niente da fare. E sei tornata nella casa dei tuoi genitori, c'era André, tuo fratello, che adoravi; si è addormentato anche lui. Sei rimasta sola, tu, ti immagino nel buio, lo stesso buio che vedevi nell'infanzia. Ti immagino con occhi aperti, sbarrati, occhi tutti azzurri che splendono nel buio.

Jeanne, che cosa ti passava per la testa quando hai dipinto *La suicida*, si può sapere? è un quadro spaventoso. C'è una donna in primo piano, tutta arcuata, con i capelli che pendono all'ingiù da un lato, dall'altro le gambe in una gonna rossa, o sono pantaloni da odalisca? Comunque, la donna sei tu, ha i capelli ramati, sei tu, *noix de coco*. Anche la collana, come te; la collana pende verso il basso, un'attrazione gravitazionale che tira giù pure il braccio destro, perché nel braccio destro non c'è più forza, c'è un pugnale che stilla gocce di sangue, e anche quelle scendono giù, giù, verso il basso. E dal petto della donna zampilla, sempre giù, altro sangue, inutilmente l'altra mano lo tampona: non è morta la suicida, sta morendo. È incinta, come te, Jeanne. Il letto ha una testiera rossa, a piccoli archetti, la candela è ancora accesa sul comodino. Brucerà tutto, se qualcuno non la trova, la suicida. Andrà a fuoco la casa, il palazzo, la città. Ha la bocca aperta, gli occhi sbarrati; gli occhi dipinti come te li dipingeva lui, vuoti. Sarà un omaggio, un segnale da amanti cortesi? Sarà, come dicono, che non ti volevi far dipingere gli occhi, con enfatica ritrosia, come le prostitute non si lasciano baciare sulla bocca? Non so, io credo che la risposta sia nelle fotografie in cui i tuoi occhi, congelati, sono piccoli laghi troppo chiari.

Lisa Ginzburg

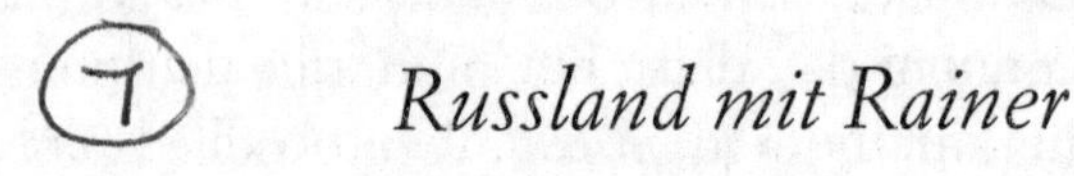

Russland mit Rainer

Lou Andreas-Salomé

Sono in treno, al momento di salirci su Lou ha notato la lamiera del vagone, il verde acido scolorito e le grandi chiazze di ruggine in corrispondenza delle ruote motrici. Nello scompartimento stanno seduti uno di fronte all'altra – accasciati, più che seduti, Rainer specialmente, sprofondato sul sedile che è di pelle scuoiata liscia, scivolosa al tatto. Fuori dal finestrino, inghiottita dalle prime ombre della sera, sfreccia e si allontana San Pietroburgo. Guglie, cupole, i palazzi e le facciate magnifici, ecco non ci sono più, frantumati e trasfigurati nei loro freschi ricordi di viaggiatori.

Lou è stanca; non lo ammetterebbe mai, ma stanca anche di viaggiare. Taciturna e bellissima, i boccoli un po' arruffati e da sotto il cappello lo sguardo che dardeggia, sono occhi color miele i suoi mentre brillano e penetrano la vita, anche adesso, nonostante la fatica e l'impaccio di quel transito. Insieme alla stanchezza balena un'inquietudine, rapida quanto lo sfilare dei palazzi poco prima. Lou tace, quel presagio d'ansia sa tenerselo per sé; gravare Rainer dei propri stati d'animo non lo farebbe per nessuna ragione al mondo, non le corrisponde. È troppo libera e la sua fantasia troppo ampia e viva per farle immaginare di pesare su qualcuno: men che meno su lui, su Rainer. Anche per quello fa innamorare gli uomini: per l'aria, il soffio di respiro che sa dare a sé stessa quanto a loro. Però ecco è svuotata, l'impegno continuo degli ultimi giorni – fisico e psicologico – l'ha provata, e il pensiero di trovarsi in viaggio, da settimane ormai, anziché galvanizzarla, le fa malinconia.

Di fronte a lei, Rainer si è assopito non appena il treno s'è mosso, ora dorme con la guancia premuta contro il poggiatesta del sedile e tutto del viso di lui le è caro, Lou pensa guardandolo fisso. Il mento sfuggente, il collo troppo lungo, gli occhi ora chiusi ma verde nocciola e sempre spalancati e fervidi, la bocca grande, scura, coperta solo in parte dai baffi. Il solo essere sfiorata da quella bocca, baciarla, per Lou è un'unica esplosione, dei pensieri e del corpo, un flusso caldo che l'ammutolisce e l'accende e la rigenera, ogni volta. Ogni giorno con Rainer.

Trentasei anni lei, lui ventidue quando s'erano incontrati. Ma gli anni non contavano, un niente rispetto alla scossa che lei sentiva sprigionarsi nell'aria non appena si trovavano vicini. Per Lou, prima esperienza di vera reciprocità: non essere inseguita e nemmeno inseguire, incontrare l'amore e incontrarsi loro, le anime gemelle che di lì a poco avrebbero scoperto di essere. Amanti destinati: sin dalla prima lettera ricevuta da Rainer, il maggio di quattro anni prima, una mattina. *Nostalgia canta: Sono per te come un apprendistato / e un poco sorrido quando ti smarrisci; / so che lontano dalle solitudini / tu cammini verso la grande gioia / e che troverai le mie mani.* «Grande gioia», così aveva scritto – con quale forza di prefigurazione. *Libero e presto anche felice*, Rainer le aveva detto ancora nella seconda lettera, e lì, a leggerlo Lou s'era emozionata moltissimo. *Fonte di montagna, fonte limpida per l'assetato, mio giorno di festa. Penso a te ogni istante e i miei pensieri inquieti ti accompagnano ovunque.* Quelle dichiarazioni: eppure non erano state né la poesia né la penna di Rainer a farla perdutamente innamorare di lui. Altro, di più potente e più sottile: incantesimo della cattura, loro due e il loro amore unici, uguali a niente.

Distratto e come assente all'apparenza, Rainer al contrario mai si lascia sfuggire i dettagli. Possiede un tratto femminile, quell'attenzione sempre delicata (*grazia virile*, lei scriverà). *Sono per te come un apprendistato*; adulto e ragazzo, a dire la freschezza dei sentimenti e insieme la loro profondità. E quanto l'ha accolta – come nessun altro, lei pensa con gratitudine profonda mentre continua a osservare Rainer e il suo riposo a bordo di quel treno che li porta via da San Pietroburgo, via dal sogno che hanno tessuto attorno alla città così come faranno intorno ai luoghi che non hanno ancora visitato.

Il corpo di Lou, imponente, come spinto da un presagio poco prima di incontrare Rainer s'era messo a cambiare, era adesso più morbido, florido – di femmina. Tutto preparava, concorreva. Sentimento e sensi insieme, anima e corpo senza separazione: così sono stati loro, dall'inizio. *Silenzio ed evidenza – questo sempre ci ha tenuto uniti*, Lou scriverà più tardi. Prima di Rainer, gli uomini, l'amore, lo stesso matrimonio le hanno insegnato seduzione, gioco, oppure molto impegno – nulla comunque di minimamente vicino a quanto condivide con Rainer. Che è uomo e ragazzo insieme: l'espressione del viso rispecchia la sua caparbietà fanciulla, quella leggerezza di Rainer fatta di innocenza testarda. *Spengimi gli occhi: io ti potrei vedere / Tappami le orecchie: ti potrei ascoltare / privo di piedi fino a te potrei arrivare / anche senza labbra ti potrei evocare.* Tutto della loro passione ha avuto i versi di Rainer a commento, sempre; ma non è stata la poesia a unire le anime sorelle che sentono di essere. I cuori sincroni, piuttosto, e l'intesa dei corpi, un'intimità assoluta che si rinnova ogni volta con la sacralità di un rituale.

Anche Rainer appare provato, nel sonno le palpebre sbattono intermittenti per via di un tremito nervoso, il pallore lunare lo fa sembrare soprappensiero anche adesso che è addormentato. Quando si ridesta di soprassalto, il tempo di sorriderle, guardare un istante fuori; poi sfilato dalla tasca il suo taccuino incomincia ad annotare, la stilografica scorre veloce mentre Rainer febbrile cancella, riscrive, o tiene la penna a mezz'aria in attesa che a guidarla siano le parole trovate, le più vere. Concentrato, in totale raccoglimento. Saranno magnifici i versi che sta appuntando, pensa Lou, schegge di sensibilità in grado di arrivare al nervo delle cose e toccare il cuore di ognuno; però dell'abnegazione al lavoro di Rainer, che lui sempre vive con un'esaltazione ardente, febbricitante, Lou anche si preoccupa. Consuma lui e stanca lei, quel continuo fervore.

Fa fresco come può essere in una notte d'estate: quando Rainer si alza per aprire di poco il finestrino, un refolo d'aria riempie lo scompartimento, l'aria è pungente, odorosa di fieno e di terra bagnata. Il treno è arrivato nei luoghi che loro più bramavano di vedere: se solo si potesse osservare nel buio, la distesa immensa che li circonda, verde e corsi d'acqua a perdita d'occhio. È il Volga, finalmente. Nell'oscurità, parallela al corso del treno, si intravede la superficie blu e argento del fiume, in lontananza romiti casali diroccati, volumi che in scala sarebbero difficili da ricostruire (*anche le grandi città qui sembrano capanne e tende, si reimpara ogni dimensione*, scriverà Rainer). Più in là, ai confini di quell'intrico di rovi, boschi, cespugli, incomincia la steppa. E a tutto quel paesaggio immenso Lou sente di appartenere, profondamente; *quale sia l'evoluzione che conoscerò, continuerò in un modo o nell'altro a camminare lungo le rive del Volga come verso una patria.* Così scriverà: adesso guarda fuori dal finestrino e la natura immersa nel buio è come le parlasse. Ah, se parlasse! «Eccomi qui a esaudire i tuoi sogni» le direbbe. «Hai desiderato l'amore, gli uomini, hai smaniato e pianto per loro. Ma ecco io anche posso essere un tuo desiderio, e il più dolce, quello che solo per davvero si esaudisce e ti appaga». Quiete della notte; riposo e nutrimento di guardare, tacere, ascoltare il flusso dei pensieri e lasciare che trovi calma e si depositi. Di quello erano in cerca, di quella pace; lasciando San Pietroburgo Lou presentiva che l'intensità completa sarebbe stata adesso, vicino al Volga. Nei versi di Rainer: *Prenderemmo comunque lo stesso cammino per rimontare il fiume, perché uguale è la foce che ci attende.* Ardire e ardore con cui lui sempre sa trovare le parole più precise, eccoli custoditi nell'impressionante capacità di concentrazione. Lou sta a guardarlo ancora mentre lavora: scruta la fronte alta e liscia di Rainer, senza una sola ruga, i capelli fini rialzati nel ciuffo, i baffi a spiovente e il grande naso che gli marca il profilo. La sensualità si sprigiona involontaria, e Lou quella di Rainer l'avverte sempre, adesso però senza emozione. La passione è distante, oscurata dalla forza di quel paesaggio notturno, dall'eco fragorosa del treno che sferraglia nel nulla. *Intimità e ampiezza*, Lou scriverà di quella distesa sconfinata di verde e d'acqua, e della steppa scura sotto il cielo.

Anche l'immagine di loro due amanti, sempre impazienti di accoppiarsi ancora e ancora, è sfocata, lontana. Rainer tenero, lento, dolcissimo; eppure a Lou negli ultimi tempi verrebbe spontaneo fermarsi, smettere. Arriva ogni volta alla fine dell'atto per soddisfare lui ma senza che il piacere sublime che era prima la interessi – non più completamente.

Tanto più giovane di lei: Lou non ci ha mai dato peso e invece nel corso del viaggio il pensiero della loro differenza di età si è affacciato, ricorrente. Durante la visita che hanno fatto a Tolstoj a Jasnaja Poljana è stato triste, anche penoso, vedere Rainer comportarsi in modo inadeguato e infantile. Ha scalpitato per farsi notare da Tolstoj e per tutto il tempo dell'incontro è stato vanitoso, inappropriato. Si sono intrattenuti in giardino, avanzando di pochi metri lungo il sentiero che portava alle stalle. Tolstoj distratto, indifferente alla loro presenza, forse infastidito. Già la seconda volta che andavano in visita, due anni prima sono stati nella residenza moscovita di Tolstoj, ma allora c'era anche Friedrich Andreas, il marito di Lou, e tutto era stato più armonioso e gradevole. A vederli arrivare, Tolstoj neppure ha dato segno di ricordarsi per davvero di loro; il cenno di benvenuto è stato vago, lo sguardo era appannato, assente – *già di là*, scriverà Lou ricordando quella difficile giornata. Si sono avviati per la breve passeggiata, Tolstoj si appoggiava alla sua canna. Un vecchio curvo, stanco e insofferente a tutto – compresa la loro presenza. Lou avrebbe voluto offrirgli il braccio per sostenerlo nell'andare ma l'ha vinta la timidezza, il rispetto che Tolstoj le incute non gliene ha dato l'ardire. E Rainer? Niente, non s'era accorto di nulla, ha continuato a raccontare garrulo storielle e aneddoti utili a dire di sé, pavoneggiarsi, mettersi in mostra. Cieco sulla molestia che arrecava a Tolstoj, cieco sulla sua vecchiaia, stolido a non voler notare il totale disinteresse di Tolstoj, evidente nel suo sguardo appannato ogni volta che sollevatolo oltre la tesa del cappello si è fissato su Rainer.

È passato uno dei contadini di Jasnaja Poljana e Tolstoj s'è fermato a parlare con lui, aggrappandosi con le mani al manico della canna da passeggio infilzata nel terreno per non perdere l'equilibrio. I due insieme hanno commentato qualcosa circa la semina del grano, poi Tolstoj s'è congedato dall'uomo con un cenno tremante della mano e voltandosi indietro è tornato a loro – a malincuore, ha notato Lou, consapevole di quanto Rainer e lei stessero risultando invadenti, rapaci visitatori tesi nell'aspettativa di chissà quali considerazioni elargite da lui, Tolstoj, il più grande degli scrittori. Come l'amore per l'arte, anche quello per la natura non sempre risiede nelle parole: molte volte è giusto si imponga il silenzio, un'eco capace di vibrare lasciando risuonare più forte la vita. Verità che Rainer sarebbe tenuto a sapere, dalle quali la sua poetica non è certo distante; invece ecco aveva continuato a importunare Tolstoj con le sue inutili cronache pur di mettere in mostra sé, il suo calibro di poeta. Vanità figlia della sua insicurezza e giovinezza, Lou lo sa bene – ma proprio per quello il suo disagio a Jasnaja Poljana ha rasentato la vergogna e il senso di offesa. È stato quel giorno che più ha pensato alla loro differenza di età, accorgendosi lei stessa di come il proprio sdegno di fronte al comportamento di Rainer somigliasse a quello di una signora davanti alla scostumatezza di un ragazzino.

René: è stata Lou a volere cambiargli il nome. Rispetto a quella francese, la forma tedesca si è convinta trasmettesse di più la forza di personalità di Rainer, il suo carisma. Come una nuova nascita, un battesimo con Lou nelle vesti di madrina devota per sostenere quel nuovo lui. Quanto a Rainer, la cosa l'aveva un po' subìta, accogliendo il suo nome in tedesco con un sorriso rassegnato, da consorte innamorato quale era.

Prima di prendere il loro treno verso il Volga, per tre giorni hanno alloggiato in una camera al Central, albergo in un palazzetto a tre piani, all'angolo tra la prospettiva Nevskij e il canale Fontanka. Sono stati felici? Sì e no. Uniti? Non veramente, di certo molto meno che nel precedente viaggio in Russia. La Russia: una radice inventata per Rainer, per Lou completamente vera. Luogo della sua nascita (a San Pietroburgo, ultima figlia e unica femmina dopo cinque maschi). Russia/casa per Lou, posto dell'anima – lì dove è voluta tornare quando già s'era trasferita (a Zurigo prima, poi a Roma) e un ritorno indietro non era detto affatto. Base ritrovata – per Rainer invece invenzione di una patria che è insieme anche terra promessa, forza di richiamo di un paesaggio diventato interiore a forza di esser stato letterario e mitico ancor prima che distante secondo le coordinate della geografia. È in quella Russia vagheggiata che la poetica di Rainer più ha preso forma, nella fiamma di quel fervore: pensando la Russia come terra lontana di cui inventarsi una nostalgia struggente, da espatriato e non dell'apolide che invece è, per biografia. Russia desiderata nell'immaginazione sino a riuscire a visitarla ben due volte, entrambe in compagnia di Lou. Viaggi che per la loro coppia sono combustibile, passione comune che irrora il loro amore abbeverandolo di una fantasia condivisa – ora realizzata. Luogo dell'anima infine raggiunto, da ammirare e amare amandolo insieme, a due. *Penserò il tuo sorriso come una città, una città lontana, viva, brillante – riconoscerò ogni tua parola come un'isola, fitta di betulle e pini, in ogni caso alberi solenni e silenziosi.* Nel mondo, Rainer – Lou pensa mentre insiste a guardarlo – sempre cerca nuove patrie, nuove lingue, tutto quanto lo aiuti ad allontanarlo dalle sue provenienze – che sono molte, amalgamate nel suo apolidismo inquieto. Però è in Russia che Rainer sente di avere trovato *la* radice, quella in cui tutte le provenienze convergono, trovano soluzione e senso. Anche in lei, in Lou, Rainer cerca accoglienza; Russia e Lou anzi per lui coincidono, è «casa» anche il caldo del grembo di lei ogni volta che ci trova riparo quando fanno l'amore. Con la differenza che per Lou la radice è realtà, andare in Russia per lei è un rientrare a casa letterale, un ritorno vero e rifondatore; non certo lo stesso è per Rainer.

Diversità però invisibili all'apparenza: il loro viaggio è sogno esaudito, gioia condivisa, sintonia profonda. *Sembrava toccassimo tutto con le nostre mani, con noi stessi*, Lou scriverà ricordando quelle settimane. La Russia per la loro coppia fa da fiamma e da combustibile, è cemento di affinità. Un paese amato insieme per essere più intimi ancora – passeggiando mano nella mano per San Pietroburgo mattinate intere fantasticando di traferirsi lì per sempre, a vivere. Nel fondo invece, Russia faglia di divisione, foriera per entrambi di metamorfosi che di lì a poco significheranno divergenze. A Lou trovarsi lì, sul «suo» Volga, restituisce una sé stessa del passato; a Rainer regala i tratti di un'identità nuova che lo infervora. Per entrambi quel viaggio è contatto con lati di sé sconosciuti prima, e di lì un pericolo per l'amore: insidioso motivo di separatezza, sottotraccia. Lou sembra saperlo già e di quell'evoluzione intravede tutto il rischio mentre nelle pause dalla contemplazione di Rainer il suo sguardo vaga preoccupato e in ascolto del silenzio della notte scruta il buio.

Sul predellino Rainer ha deposto la sua canna, Lou la impugna per provarla. È una canna sottile, di acero, si piega flessibile sotto la mano quando lei la fa roteare nel poco spazio dello scompartimento. Di quel bastone da passeggio Rainer si serve un po' per vezzo, un po' perché il fiato a volte lo tradisce e camminare puntellandosi lo aiuta. È gracile Rainer, un corpo a cui succede di cedere, che conosce la stessa vulnerabilità di cui è fatta la sua tenerezza. Viaggeranno ancora almeno una settimana, faranno visita a Spiridon Drožžin e poi si sposteranno ancora più a nord. Lo hanno programmato e Lou ora quei giorni prova a figurarseli – non fosse che intermittente ma con insistenza nella sua testa ha preso ad affacciarsi un'altra idea. Concluso il giro sul Volga con Rainer, anziché con lui tornare a San Pietroburgo continuare a viaggiare lei sola. Andare in Finlandia, nella grande casa di sua madre dove la famiglia s'è riunita per trascorrere il mese di agosto tutti insieme. Lei e la madre se la sono immaginata in uno scambio di lettere, quella possibilità, un cambiamento di programma che attrae Lou e la tenta moltissimo. Andare, non andare? Tacere il pensiero a Rainer, Lou si ripete, malinconica e smaniosa mentre se lo impone. Ma sì, viaggeranno ancora, entusiasti, determinati – *lungo le rive del Volga come verso una patria*. Visiteranno villaggi abitati da donne e uomini poverissimi che Rainer osserverà taciturno, non più vanesio, solo ispirato, pronto a imparare da quella misera gente e dalle loro vite a contatto ravvicinato con la Natura.

A Mosca il penultimo pomeriggio lo hanno passato nella stanza dell'albergo Central. Ai piedi del letto la valigia era pronta, già chiusa. Rainer calmo, un po' indolente, voglioso di Lou. Ha tentato una lunga carezza sulla coscia sino a sollevarle la sottoveste ma lei gli ha allontanato la mano, irremovibile dietro il sorriso dolce. Rainer non è parso darvi peso, s'è alzato e avvicinato alla finestra, scrutando oltre la tendina la vita pomeridiana della strada centralissima. Amante, amica, sorella, madre: quanti ruoli riveste Lou. Per Rainer lei è una e molte; lui per lei, uno solo – pensa anche questo mentre si ostina a osservarlo sul treno.

Per il viaggio lei ha scelto un abito troppo chiaro, ora se lo rimprovera nello scoprire che la gonna ampia, di un crema punteggiato di rosa scuro, s'è sporcata. Nel bagno Lou prova a pulirla sfregando il lembo di tessuto sotto il getto dell'acqua: poi sfila via il fermaglio dei capelli, la pioggia dei boccoli cade giù come un sipario, lei scuote la testa e rigettandola indietro fa in tempo a vedersi nello specchio e a sorridersi. Quello di poco prima è stato giusto un momento di malinconia, fuggevole come il paesaggio fuori dal treno. Ama troppo sé stessa e la vita, Lou, per indugiare in un malessere così; la macchia sulla gonna ora si vede meno, lei torna verso lo scompartimento e nel corridoio gettando l'occhio fuori viene sorpresa dallo spettacolo di un canneto. Bambù, a migliaia, fruscianti nel vento della sera. Se solo si potesse veder meglio nel buio, quella schiera di canne fosforescenti, la loro danza selvaggia. Quanta voglia di star sola. Sola a guardare.

In Russia, nel viaggio di due anni prima, a rendere più fluido e piacevole tutto c'era la presenza di Andreas, suo marito. Per paradosso, lei e Rainer sono stati molto più vicini allora che non ora che sono soli. Vera armonia quella stabilita a Mosca tra lei, Rainer e Andreas. Per il motivo anche che in Lou (lo sa, di sé) la dimensione triangolare dell'amore è naturale, una base sentimentale obliqua su cui lei istintivamente invece si muove bene, sa districarsi. Tre meglio di due, sempre.

Il treno arriverà al mattino presto, dovranno cambiare, prenderne un secondo e fare un'ultima tratta di sei ore. Due giorni attraverso la steppa prima di arrivare dal loro ospite, il poeta Spiridon Drožžin. Più attento in occasione di questa visita, ora Rainer è cordiale, si unisce a Lou nelle lodi dell'isba mentre curioso vi si aggira seguendo Drožžin e tenendosi un po' curvo dati i soffitti molto bassi. L'isba è un mondo in miniatura, incantevole: tre stanzette quadrate distribuite su un unico livello, scaffali zeppi di libri, appesi sulle poche pareti libere quadri, anche un ritratto di Tolstoj, che di Drožžin è amico. La moglie e le tre figlie di Drožžin vivono nella casa che è duecento metri più su, l'isba Drožžin racconta di usarla «solo» per lavorare. Invita Lou a seguirlo sul retro, le mostra orgoglioso il piccolo orto, un rettangolino di terra dissodata, bulbi e ortaggi piantati con cura massima; lei nota quel lavoro paziente, fatto di attesa e di esperienza. Chiede a Drožžin i nomi in russo di piante e fiori, al sentirglieli pronunciare li reimpara ripetendoli allegra ad alta voce. Ritrovare la lingua madre, quello pure è ritorno a casa, affiorare della nuova Lou che sente di essere da quando sono vicini al Volga. Rainer li raggiunge, senza parlare assiste al loro scambio botanico e linguistico; è scuro in volto e pensieroso. Deve provare invidia, viene in mente a Lou: invidia di Drožžin per quel suo ritiro così sereno, di uomo libero, incurante del riconoscimento del mondo.

Con Drožžin, Lou si trova bene, la mette a suo agio la sua cortesia; nel vederlo insieme alle figlie, a cena, si commuove delle sue attenzioni paterne pur di far sentire ciascuna ugualmente importante nel corso della conversazione. Mai che indugi in sé stesso, mai che perda tempo o faccia perderne agli altri per qualcosa che lo riguardi. L'opposto di Rainer e del suo continuo «pensarsi», fisso sull'ascolto interiore perché altrimenti perderebbe il proprio orientamento nel mondo.

Durante la cena il clima è vivace, la zuppa di patate e rafano squisita, la conversazione animata. Lou ha nostalgia dei suoi famigliari, di sua madre e dei suoi fratelli con le loro mogli, tutti speranzosi che Lou anche si unisca alla riunione nella grande casa in Finlandia. Pensa a quella casa, al tragitto per raggiungerla: duecento chilometri dal confine russo, un viaggio che ha fatto tante volte da bambina da San Pietroburgo, sarà più breve partendo dall'alto del Volga. Si prefigura il paesaggio, lei sola a contemplarlo e a trarre forza dal silenzio, non più prosciugata come si sente negli ultimi giorni. *Qu'est ce qui m'attend? Dieu seul le sait. Mais ce qui est à moi est à moi.* Sì, è lì, a quel che è suo che Lou sente il dovere di tornare. Ora – è mattina, nell'orto sul retro dell'isba il sole invade la vigna chiaroscurando le linee dei solchi sulla terra – quel pensiero si fa nitido. Troppo posto occupa l'amore di Rainer, troppe energie sono bruciate da quell'ardore – dal sentirsi amata sempre all'insegna dell'eccesso. *Tutto è incominciato con una grande precisione visiva*, scriverà Lou di quella sua inquietudine nuova. Guardare in un altro modo, più sgombro, concreto – di questo ha urgenza. Osservare senza più frapporre il filtro di sé stessa, immergersi unicamente nel paesaggio del mondo, nella realtà delle cose. La natura può esaudire ogni desiderio perché infinitesimali sono le loro vite – la sua come quella di Rainer, e la vita della loro storia d'amore. *I nostri progressi nella conoscenza sono funzioni della capacità che abbiamo di prendere distanza da noi stessi*: lo scriverà anche, dopo, quel pensiero. E Rainer? Quale distanza da sé è in grado di stabilire lui, prigioniero dell'attesa di riconoscimento degli altri come è? *Soltanto tu sei reale*, le ha detto nella più estrema delle sue dichiarazioni d'amore. Non fosse che a Lou – sempre più nel corso del viaggio – provvisti di realtà paiono solamente il mondo e le persone incontrate. La semplicità vista a Jasnaja Poljana, in Tolstoj mentre parlava con il suo contadino, e ora respirata nell'atmosfera in casa di Drožžin. Percezioni nitide, di una chiarezza che a lei e Rainer è sconosciuta. Il loro amore si compone di una trama difficile, più ancora dopo questo viaggio sul Volga che ha riportato Lou alle sue radici con la stessa forza con cui in Rainer ne ha esaltato l'irrealizzabile desiderio.

In Finlandia da sua madre, con i fratelli e le loro mogli – lei, Lou, punto di riferimento per tutta la famiglia, il suo ruolo luminoso di unica sorella e la più giovane. Andare le farà un gran bene, sarà tornare al passato e insieme ritirarsi in compagnia di sé stessa. Rainer è nell'isba, concentrato nel silenzio perfetto di una partita a scacchi con Drožžin. Lou può concedersi di restare ancora là fuori: ha notato dei fiori di mughetto sotto l'olmo sul sentiero verso l'isba, si avvicina all'albero per chinarsi a raccoglierli e intanto pensa. Pensa che il coraggio lo troverà di lì a poco: comunicherà a Rainer le sue intenzioni, il cambio di itinerario, la necessità imperativa di non tornare con lui a San Pietroburgo. *Il Volga mi sottopone a me stessa*, annoterà più tardi, e quello anche cercherà di spiegare a Rainer: la forza di un richiamo interiore cui non le è dato sottrarsi. Rinascere, fluida come il fiume: un moto che la spinge lontano e verso un paradosso – nel pieno centro di sé stessa, ma lontana da sé.

Rainer ancora non sa, in nessun modo immagina che tra poco Lou lo vorrà lasciare. La adora, lei resta ai suoi occhi un miracolo pari alla poesia perché come la poesia divino e inspiegabile. Non ha minimamente percepito quanto Lou invece già sia distante, protesa verso sfide che lo escludono. Sfide di nuove fedeltà: legata all'amore, ai ricordi, ma non più agli uomini. Né a Rainer, né a nessun altro che ci sia stato o che arriverà.

Appare riflessiva e lunare Lou, nella fotografia in cui è insieme a Rainer e a Drožžin. *Ero apprensiva e fervida, vicina a te, e però esterna a quel che unisce l'uomo e la donna. E da allora è stato sempre così per me.* Astrarsi, dimenticarsi di sé; addestrare lo sguardo, anche quello interiore, a vedere tutto da fuori e solo così, in quella nuova maturità, partecipare per davvero alla vita. Fatale che così la passione perda di forza, di valore. Lou sta entrando in una nuova età e per capirlo è dovuta arrivare lì, sul Volga. Quel che l'attende ha voglia di viverlo, costi quel che costi – le lacrime di Rainer, la sua costernazione, tutto il dolore di entrambi prima di riuscire a separarsi e poi a diventare amici, vicinissimi ma senza più la cattura dei corpi, l'insensata fatica della fusione. Mentre apre la porta dell'isba – giusto in tempo per assistere alla fine della partita a scacchi vinta da Rainer – Lou ha gli occhi lucidi: nella loro luce color miele sfavilla il lampo felice dell'autodeterminazione.

Chiara Lalli

La foto 51

Rosalind Franklin

È il 10 dicembre 1962. Quella sera, a Stoccolma, c'è la cerimonia di consegna dei premi Nobel. James Watson ha vinto il Nobel per la fisiologia o la medicina insieme a Francis Crick e a Maurice Wilkins. Sale sul palco da solo e ringrazia Maurice e Francis. «Questa sera è sicuramente il secondo momento più bello della mia vita. Il primo è stato la nostra scoperta della struttura del DNA».

Watson ringrazia anche il professor Bragg – Sir William Henry e il figlio William Lawrence avevano vinto il Nobel nel 1915 per la cristallografia a raggi X – e Niels Bohr – vincitore nel 1922 per i suoi studi sulla struttura degli atomi e sulle radiazioni che emanano.

La scienza, dice, è un lavoro collettivo.

«Credo che sia molto importante, soprattutto per noi che siamo stati così straordinariamente onorati, ricordare che la scienza non si fa da sola, ma è il prodotto di molte persone».

Nove anni prima, Watson e Crick avevano pubblicato un articolo di un paio di pagine su «Nature»: *Molecu-*

lar Structure of Nucleic Acids. È il 25 aprile 1953 e quella struttura molecolare è una delle scoperte più importanti di sempre – è il «nuovo mondo» di cui parla Watson la sera della premiazione. Sembrano passati millenni. Anche senza conoscere bene come funziona, siamo ormai abituati a sapere che le informazioni genetiche vengono trasmesse tramite il DNA e che quello strano filamento ha quattro basi: adenina, citosina, guanina e timina.

A, C, G e T.

In pochi anni siamo arrivati a clonare i cani – la pecora Dolly è stato il primo animale a essere clonato nel 1996, poi c'è stato il cane Snuppy e molti altri animali – e a fare i test genetici a casa nostra: con un test salivare da rispedire a 23andMe si ottiene una mappa dei nostri cromosomi e dei nostri geni, come un Google Maps genetico in cui cercare un marcatore o navigare.

Quell'articolo di quasi settant'anni fa inizia così:

> Vogliamo suggerire una struttura per il sale dell'acido desossiribonucleico (D.N.A.). Questa struttura ha nuove caratteristiche di considerevole interesse biologico.

In quell'articolo c'è un disegno che è diventato pop come lo è il volto di Che Guevara o di John Lennon o la scritta della Coca-Cola. È la doppia elica.

A disegnare la struttura del DNA è la moglie di Crick, Odile Speed.[1] Alla fine, i due autori ringraziano Wilkins, Rosalind Franklin e il gruppo di lavoro al King's College di Londra per i loro esperimenti non pubblicati e per le loro idee.

Nello stesso numero, a pagina 738, c'è anche una foto con la didascalia «Fig. 1. Fibre diagram of deoxypentose nucleic acid from *B. coli*. Fibre axis vertical».

Quella foto è diventata, molti anni più tardi, il simbolo di un'ingiustizia.

Ha ragione Watson: la scienza è un lavoro collettivo e le scoperte sono il risultato di molti elementi che si accumulano e di molte persone che formulano ipotesi, conducono esperimenti, sbagliano, rivedono le premesse e provano ancora una volta a fare ipotesi ed esperimenti.

Nel discorso di Watson, come ho detto, c'è anche Wilkins, di cui nessuno si ricorda mai. Nonostante il Nobel sia stato consegnato a tutti e tre, la maggior parte delle persone ricorda solo Watson e Crick. Sono giovane, dice Watson, e senza l'aiuto di Maurice e di Francis niente di tutto questo sarebbe potuto accadere.

Ma in quel discorso del 1962 non c'è Rosalind Franklin.

C'è di nuovo nel libro che Watson pubblicherà alcuni anni dopo, *La doppia elica*.[2]

Come scrive Anne Sayre,[3] il merito di questo libro non è solo di raccontare una delle scoperte più importanti di sempre, ma che questo racconto sia proprio di chi quella scoperta l'ha fatta. Una *inside story* abbastanza rara, perché non è così frequente – e allora meno di oggi – che siano gli stessi scienziati a raccontare il loro lavoro e a parlare delle implicazioni e dei rischi delle loro scoperte. E a raccontare quanto la scienza sia fatta da uomini ambiziosi e competitivi. Fino a che punto?

Watson però sbaglia in modo grossolano e anche un po' ridicolo nel descrivere Rosalind Franklin. Non solo.

Nel libro c'è una Rosy, un personaggio che niente ha a che fare con Rosalind Franklin, la donna che Sayre ha conosciuto e ammirato e che non riconosce in questa descrizione. A cominciare dal soprannome, che nessuno dei suoi amici aveva mai usato per riferirsi a Franklin o davanti a lei, soprattutto non Watson (non avrebbe mai osato).

Rosy è insomma letteralmente un personaggio, uno stereotipo, la visione che Watson ha di Rosalind Franklin – legittima, ovviamente, ma in un libro che vuole essere una descrizione accurata di una scoperta e delle persone che hanno contribuito a quella scoperta rischia di essere fuorviante e moralmente discutibile.

Le biografie e le descrizioni dei caratteri sono inevitabilmente approssimative, possono sbagliare o confondere i particolari. Ma Rosy sembra essere un esempio un po' estremo: Watson, nel descrivere la scienziata con quel brutto carattere e la poca attenzione ai vestiti e al trucco (chissà a chi importa e cosa c'entra se uno si veste bene o male e se non ha voglia di truccarsi, e chissà se Watson è affidabile nei suoi giudizi estetici), sembra raccontare più di sé stesso che di lei. Come spesso accade, poi, c'è un'asimmetria, in questo caso irrimediabile e particolarmente sbilanciata: Watson è vivo e ha vinto un Nobel; Franklin è morta e fino a quel momento è quasi sconosciuta.

Quando Aaron Klug dice ai genitori, forse solo per consolarli, che almeno la figlia sarebbe stata ricordata, la madre Muriel risponde: «Preferirei fosse dimenticata piuttosto che essere ricordata così».[4]

Che Rosy sia una creazione di Watson è forse ancora più evidente durante una conversazione con Anne Sayre il 19 agosto 1970. Watson descrive Rosalind come una persona profondamente infelice e individua la radice della sua sofferenza nel rapporto con la sua famiglia e in particolare con il padre. A dimostrazione di ciò, dice, dopo il suo primo intervento chirurgico non trascorre la convalescenza a casa loro. È sorprendente avere la certezza di sapere per quale ragione Rosalind ha scelto di andare altrove, soprattutto se si considera che Watson non conosce la famiglia Franklin. Non ha mai cenato con i fratelli e con i nipoti e non è mai stato a casa dei genitori. È particolarmente presuntuoso, secondo Sayre. Soprattutto perché gli scienziati «dovrebbero conoscere i rischi, e l'inopportunità, di arrivare a una conclusione di comodo sulla base di dati insufficienti».

Sayre è stata la prima a rimediare all'ingiustizia di considerare Franklin più o meno come una nota o una parentesi nella storia della scoperta della doppia elica.[5] Non solo. Crick suggerisce addirittura che Franklin era a poche settimane dallo scoprire la struttura del DNA. Se solo Wilkins non avesse fatto vedere la foto a Watson senza il suo permesso.

Che cosa avrebbe fatto Rosalind? Le sarebbe importato? Avrebbe risposto a Watson? Non lo sappiamo. Come scrive Sayre, le proteste e le rivendicazioni in suo nome non sono necessariamente quelle che avrebbe fatto lei. «Ma c'è sicuramente un altro lato della storia del DNA, ed è Rosalind».[6]

Rosalind

Rosalind nasce il 25 luglio 1920. Ha cinque fratelli e fino a quando non nasce la sorella è l'unica figlia femmina. Quando è ancora piccola si ammala e quell'esperienza le lascia un senso di frustrazione e di ingiustizia. Mentre i fratelli sono liberi di fare quello che vogliono, lei è costretta a riposarsi e a riguardarsi. Secondo Sayre,[7] quel senso di svantaggio collegato all'essere femmina che Rosalind si portava dietro dall'infanzia poteva avere più una origine dovuta alla sua salute che al sesso – almeno all'interno della sua famiglia che trattava i figli allo stesso modo. Quando il padre Ellis porta a casa un tavolo da falegname per far imparare ai figli qualche abilità pratica, è per tutti i figli e non solo per i fratelli. È proprio Rosalind a trarne maggiore profitto e la capacità manuale sarà una componente importante per la futura scienziata. Forse è proprio questo insolito trattamento egualitario a rendere Rosalind particolarmente insofferente a qualsiasi esclusione o restrizione, a cominciare da quelle subite durante la sua infanzia sebbene giustificate da ragioni mediche.

I problemi di salute le avevano lasciato anche un'insofferenza per le malattie e per tutto quello che le sembrava un segno di debolezza. Una volta aveva camminato, da sola e a lungo, fino all'ospedale con un ago conficcato nel ginocchio. Quando il medico che l'aveva curata le aveva detto che nessuno avrebbe sopportato di camminare con un ago infilato in un'articolazione, Rosalind aveva riso. Quel modo di reagire, secondo Sayre, sarà una sua caratteristica per tutta la vita. Non è pensabile, per Rosalind, accettare passivamente cose sgradite e non reagire alle frustrazioni.

Alla St. Paul Girls' School è una delle poche bambine a studiare chimica e fisica. Vuole fare la scienziata più o meno da quando ha quindici anni. Il padre era poco convinto dell'utilità della formazione professionale per le donne e nonostante fosse incline ad ammettere delle eccezioni probabilmente non aveva mai considerato la figlia come tale. E poi Rosalind non aveva bisogno di lavorare. La sua famiglia era benestante e in quegli anni le poche donne scienziate erano più o meno invisibili. Non avevano incarichi ufficiali, nessuna era membro della Royal Society o aveva un ruolo importante nelle università. Le possibilità e il futuro sembravano angusti e poco attraenti. O meglio, lo erano. Ma Rosalind è determinata: vuole lavorare e vuole fare la scienziata.

Per iscriversi all'università deve fare i test e non è sicura di farcela. Li passa entrambi – in chimica riceve il punteggio più alto.

In quegli anni a Cambridge ci sono solo due possibilità per le donne che vogliono studiare: il Girton College e il Newnham College. Se allora era già insolito per una ragazza studiare, scegliere una materia scientifica era ancora più bizzarro. Se proprio deve continuare a studiare, non potrebbe scegliere qualcosa di più adatto? Magari l'insegnamento, oppure il volontariato. Insomma una cosa più da donna.

Nel 1938, Rosalind va a Cambridge. Quasi tutti gli studenti sono maschi. Si laurea tre anni più tardi, quando ancora le lauree per le donne non erano proprio come quelle degli uomini (fino alla metà del secolo precedente solo i maschi potevano iscriversi). C'è la guerra e ci sono i bombardamenti. Franklin partecipa al lavoro di ricerca della British Coal Utilisation Research Association sui filtri delle maschere a gas. Tra il 1942 e il 1946 è autrice di tre articoli scientifici e coautrice di altri due. Sono anni di lavoro intenso e di felicità – Rosalind è particolarmente contenta di avere una indipendenza che difficilmente avrebbe avuto altrove. Le sue ricerche e i suoi esperimenti contribuiscono a realizzare una fibra di carbone che poi sarà anche usata negli aerei e nelle macchine e che sarà l'argomento della sua tesi di dottorato nel 1945.

Le persone che la conoscevano, scrive Sayre, la descrivono in modo simile. Aveva una natura riservata ma chi la incontrava difficilmente non rimaneva colpito. Era una di quelle persone che ti sembrano più alte di quello che sono in realtà, e non solo per il suo aspetto e il suo modo di muoversi, ma per una specie di ostinazione e caparbietà. La sua dedizione alla scienza era totale, e questo era piuttosto insolito in quegli anni. Anche per le conseguenze: non sposarsi, non fare figli. Se non possiamo inferire che non poteva che andare così e se è difficile sapere perché qualcuno non si sposa e non fa figli (e tutte le variabili al riguardo e su tutto il resto), quello era un periodo in cui se una donna era interessata alla medicina la si incoraggiava a fare l'infermiera mica il medico, suggerendole che imparare a battere a macchina poteva sempre essere utile.

Dopo la fine della guerra, Franklin si trasferisce a Parigi con l'aiuto di Adrienne Weill. Ci arriva nel febbraio del 1947, come ricercatrice presso il Laboratoire central des services chimiques de l'État. Ci rimarrà fino al 1950 e questi sono forse gli anni più felici della sua vita, scrive Sayre.

Lì impara a usare i raggi X per studiare atomi e molecole. Diventa esperta in cristallografia – e questo sarà un elemento cruciale per la realizzazione del modello della doppia elica.

Pubblica articoli scientifici e partecipa a convegni. Poi viene a sapere che a Londra usano la tecnica che ha imparato a usare sugli organismi viventi. Le sembra lo stadio successivo della sua carriera.

Torna quindi in Inghilterra e comincia a lavorare al King's College di Londra. Lì incontra Maurice Wilkins. Si trovano entrambi a lavorare sul DNA animale ma i rapporti tra i due non sono buoni.

Scatta delle foto, alcune direttamente.

Quello che succede dopo lo sappiamo, anche se come e perché possiamo solo immaginarlo.

Nessuno in quel momento sa. Nemmeno lei immagina che per costruire il modello che cambierà la scienza siano stati usati i suoi lavori e le sue ricerche. Forse pensa che a Cambridge si stia facendo un lavoro parallelo arrivando a risultati simili. In fondo spesso accade davvero così. Poi un gruppo è più veloce dell'altro. O più fortunato.

Franklin ha 33 anni e il clima al King's non le piace. Si sposta di nuovo. Va al Birkbeck College a studiare i virus, in particolare un virus del tabacco.

Nel 1956, durante un viaggio negli Stati Uniti, sente un dolore allo stomaco. Tornata a Londra, scopre di avere un tumore. Ha 36 anni. Continua a fare ricerca e comincia a studiare la struttura del virus della polio. Muore il 16 aprile 1958.

Su «Nature»[8] a scrivere di lei è John Desmond Bernal, direttore del laboratorio di cristallografia del Birkbeck. Dieci anni prima del ritratto che ne farà Watson, la descrizione di Franklin sembra appartenere a un altro mondo. Una ricercatrice brillante, con grandi capacità e talento, vincitrice di una borsa al King's, esperta cristallografa, autrice di articoli (il primo nello stesso numero in cui c'è il pezzo di Watson e Crick), perfezionista. «La sua morte prematura è una grande perdita per la scienza».

Nessun accenno alla trascuratezza del vestire o al suo brutto carattere.

La foto 51

È la foto numero 51 scattata da Raymond Gosling, che è un dottorando di ricerca e lavora con Franklin, quella pubblicata su «Nature» con la didascalia «Fig. 1». In questa storia complicata quello che dobbiamo ricordare è che ci sono vari gruppi che lavorano su ricerche simili e che Gosling è al King's College con Franklin e con Wilkins mentre Watson e Crick stanno a Cambridge.

Secondo Gareth Williams,[9] la tensione tra Wilkins e Franklin è in origine causata dal capo del gruppo di ricerca al King's College. John Randall dà l'impressione a Franklin che avrebbe sostituito Wilkins nel lavoro sul DNA e a Wilkins che lei sarebbe stata la sua assistente. Non è una buona premessa per andare d'accordo.

Sarà poi Gosling a diventare l'assistente di Franklin e a scattare la foto.

La versione fin qui è stata che Wilkins ruba la foto per farla vedere a Watson. Williams racconta la storia in modo un po' diverso.

Il mese di gennaio 1953 è per Wilkins è una specie di limbo.

Il 28 gennaio Franklin terrà il suo seminario di congedo e lascerà il King's College. Ma ha l'influenza e la sua partenza è rimandata. Intanto Wilkins pensa di rimettersi a lavorare sul DNA appena se ne sarà andata.

Poi succede qualcosa: Gosling va a trovare Wilkins e gli fa vedere la foto, scattata il primo maggio 1952, dicendogli che può farne quello che vuole.

È la foto catalogata da Franklin come foto 51.

Sempre secondo la ricostruzione di Williams, Wilkins continua ad aspettare la partenza di Franklin.

Qualche giorno più tardi, incontra Watson in un corridoio – è in visita al King's – e gli fa vedere la foto. Per Wilkins, Watson sembra avere fretta e non manifestare particolari reazioni.

Durante il seminario del 28 gennaio, non viene mai nominata la parola «elica» e la foto non viene mostrata.

Passa ancora un po' di tempo. Per costruire un modello di DNA Watson e Crick hanno bisogno di dati – che finora sono di seconda mano e principalmente derivanti dal King's. Se Crick scherza sul furto di dati da Wilkins, Franklin e Gosling, al King's non ci trovano niente di divertente.

Dove e come trovare nuovi dati? L'incontro con la foto 51 è raccontato in modo diverso da Watson. Va al King's per far vedere a Franklin un articolo. Discutono, lei è infastidita dall'ipotesi di Watson che il DNA abbia una struttura a elica, litigano. La disavventura unisce Watson e Crick nell'essere maltrattati e quasi schiaffeggiati, ed è questa complicità di persone ferite che avrebbe portato Wilkins a condividere i risultati delle ricerche altrui. In questa versione, quando Watson vede la foto 51 la reazione di stupore è immediata. Il suo cuore comincia a battere più forte. Lì davanti ai suoi occhi c'è la prova della struttura a doppia elica del DNA.

In treno verso Cambridge, Watson scarabocchia la X su un giornale e si domanda se le catene sono tre o due. Arrivato al suo college, aveva deciso che fossero due.

Qualsiasi sia la versione più corretta, qualsiasi fossero le intenzioni delle persone coinvolte, una cosa è sicura: Franklin non sa che il materiale che ha raccolto e collezionato viene usato per costruire il modello della doppia elica, nessuno le ha chiesto il permesso o le ha detto che il suo lavoro è stato mostrato ad altri. Un mese prima della pubblicazione dell'articolo su «Nature» si trasferisce al Birkbeck College per studiare la struttura dei virus.

Il 16 aprile del 1958 muore. Il riconoscimento del suo ruolo nelle ricerche e nella scoperta della struttura del DNA avverrà solo dopo la sua morte.

È Watson il primo, dieci anni più tardi, a riconoscerle il ruolo che ha avuto. Nonostante la *sua* descrizione di quel carattere terribile, dell'ostinazione e del curarsi poco dell'aspetto.

È a partire dal libro di Watson che Franklin diventa la «Sylvia Plath della biologia molecolare». L'incarnazione di un modello, il sacrificio del suo talento in nome del successo maschile. Questo intento riparatore, secondo Brenda Maddox,[10] non le avrebbe però fatto alcun favore. Finendo per ridurre la complessità della sua vita a questo episodio sgradevole. Secondo la nipote, nata due anni dopo la sua morte e che come lei si chiama Rosalind, Franklin non si sarebbe nemmeno considerata femminista (immagino dipenda anche da cosa si intenda per «femminista»), non si sarebbe mai considerata iconica (a parte la mitomania di considerarsi un'icona, questo non implica che non abbiano potuto farlo gli altri) o una eroina dimenticata e trascurata[11] (il vittimismo sembra una caratteristica assente in Rosalind Franklin). Per Sayre, Rosalind era femminista in un senso molto ampio e, mi viene da aggiungere, molto liberale. Non voleva alcuna considerazione speciale e non voleva trattamenti privilegiati come donna. Voleva che non ci fossero differenze, voleva essere giudicata come una scienziata e per quello che sapeva fare, non per la sua appartenenza a un genere sessuale. Forse l'amicizia con Adrienne Weill aveva rinforzato le sue convinzioni. Weill va a vivere in Inghilterra subito dopo la sconfitta della Francia. È più grande di Rosalind e sua madre è una femminista abbastanza conosciuta in Francia. Weill è sorpresa dall'arretratezza dell'educazione a Newnham e nelle università inglesi. Escludere o trattare molto diversamente le donne per un pregiudizio ingiusto e insensato è uno spreco di risorse e di talenti. Rosalind e Adrienne diventano amiche. Adrienne le fa lezione di francese e quando Rosalind ha ventun anni si trasferisce in una casa che l'amica ha affittato a Cambridge. Il tempo passato insieme permette a Rosalind di affinare i suoi argomenti e di rinforzare la sua convinzione di non meritare niente di meno – e niente di più – di un uomo.

Franklin non ha mai potuto dare la sua versione in questo lungo dibattito che dopo la sua morte ha riguardato non solo la sua vita come scienziata ma il suo carattere e le sue volontà e la sua vita privata.

Chissà cosa avrebbe voluto lei, se le interessava la fama, come avrebbe raccontato la storia di questa foto famosissima e cosa avrebbe pensato del comportamento di Wilkins. E chissà se davvero senza il furto dei suoi dati sarebbe arrivata prima a immaginare correttamente la struttura del DNA.

Stephen Franklin, un altro nipote di Rosalind, ammette di non essersi reso conto di quanto la zia fosse ammirata[12] fino a quando non ha incontrato un professore di biochimica al quale ha detto chi era sua zia. Quel professore incontrato sulle piste di sci gli ha detto che il Nobel lo avrebbe meritato lei, molto più di Crick, Watson e Wilkins.

La doppia elica

La descrizione che Watson fa di Franklin è forse ancora più bizzarra sapendo la storia della foto e delle sue ricerche usate senza che lo sapesse. Ma anche la storia di quel libro.

Lo racconta Gunther S. Stent nell'introduzione. La Harvard University Press fa un contratto a Watson. La casa editrice fa poi circolare una prima bozza tra le persone citate. Le reazioni sono così negative che Watson corregge o ammorbidisce i toni e nell'epilogo chiede alle persone che ha citato di correggerlo se i suoi ricordi non sono precisi.

> Tutte queste persone, se lo desiderano, possono precisare avvenimenti e particolari di questa storia ch'essi ricordano in modo differente.[13]

Ma Franklin, «la persona che ne risultava più colpita» scrive Stent, non può smentire e non può correggere perché è morta.

Lo fa quindi Watson, scrivendo che la sua prima impressione era sbagliata e cercando di rimediare alla descrizione che ne aveva fatto.

Ma a parte il fatto che spesso la chiama Rosy («come la chiamavamo fra noi» – noi chi?) e che non possiamo sapere se Franklin avrebbe gradito e anzi è più probabile il contrario, nel libro Franklin viene descritta come una che si innervosisce se un ospite non invitato non bussa alla porta ed entra (e vorrei vedere), iraconda, la sua voce stridula, «accecata dalla collera».

La prima volta che ne parla, la descrive così (i corsivi sono miei):

> Fin dal primo momento in cui Miss Franklin mise piede nel laboratorio di Maurice, i due cominciarono a litigare. Maurice, alle prime armi nel campo della diffrazione dei raggi X, aveva chiesto un assistente e sperava che Rosy, esperta cristallografa, lo «aiutasse validamente nelle sue ricerche». Ma Rosy aveva tutt'altre intenzioni. Sosteneva che il DNA era un problema suo e *non voleva assolutamente mettersi al servizio di Maurice.*

> Maurice sulle prime sperò che Rosy si calmasse, almeno ho questa impressione. Ma bastava un'occhiata per capire che *la ragazza aveva il suo caratterino.* Di proposito *non faceva nulla per mettere in rilievo la sua femminilità.* Malgrado i lineamenti un po' marcati, non mancava di attrattive e *avrebbe avuto il suo fascino se si fosse occupata un minimo del suo abbigliamento.* Ma se ne guardava bene. Non metteva un filo di rossetto che facesse risaltare i capelli neri e lisci, e *a trentun anni vestiva con la fantasia di un'occhialuta liceale.*

Però Franklin non «si calma» e non vuole fare da assistente a Wilkins. Che sfacciata. La descrizione di un comportamento almeno moralmente dubbio è ancora più incredibile.

> Ormai Rosy non riusciva più a padroneggiarsi, e con voce stridula mi disse che la stupidità delle mie osservazioni sarebbe risultata lampante se solo l'avessi piantata di blaterare e avessi dato invece un'occhiata ai suoi dati sperimentali.
> Io ero più al corrente dei suoi esperimenti di quanto lei non credesse. Parecchi mesi prima Maurice mi aveva illustrato la natura dei suoi cosiddetti risultati antielica. Poiché Francis mi aveva assicurato che si trattava di un'argomentazione speciosa, chiusi gli occhi e mi buttai, sostenendo che a lei mancava la competenza necessaria per interpretare esattamente le fotografie ai raggi X. Se solo avesse studiato un po' di teoria, si sarebbe resa conto che quei tratti considerati una sicura prova antielica derivavano da lievi distorsioni, rese inevitabili dalla necessità di inserire un'elica regolare in un reticolo cristallino.

Forse la parte più impressionante è quella che riguarda proprio la foto 51. Dopo aver raccontato un episodio in cui avrebbe rischiato di essere schiaffeggiato da Franklin, e dopo che Watson racconta a Wilkins la disavventura scoprendo che «erano quasi venuti alle mani» – così dice Wilkins – Watson scrive che quella comune sfortuna («l'inferno che sopportava da due anni») li porta a confidarsi. E così Wilkins dice a Watson di avere fatto di nascosto delle copie di alcune foto fatte con i raggi X da Franklin e da Gosling.

> Avrebbe così potuto riprendere in pieno il lavoro con un minimo di svantaggio. Finalmente saltò fuori la notizia più grossa: fin dalla metà dell'estate Rosy aveva ottenuto la prova di una nuova forma tridimensionale del DNA. Essa compariva ogni volta che le molecole di DNA erano circondate da una forte quantità di acqua. Quando chiesi a che cosa somigliasse lo schema, Maurice andò nella stanza vicina a prendere una riproduzione della nuova forma che essi chiamavano struttura «B». Come vidi la fotografia rimasi a bocca aperta e sentii il cuore battermi più forte. Questa nuova forma era incredibilmente più semplice di quelle ottenute in precedenza (struttura «A»).

Magari Watson non ci vede nulla di male, né nel descrivere una scienziata per come si veste, né nell'usare le sue ricerche senza chiederle il permesso.

Molti anni più tardi[14] si difende così dall'accusa di aver rubato il lavoro di Rosalind Franklin.

> C'è questa leggenda, sapete, secondo la quale io e Francis avremmo rubato la struttura del DNA dal gruppo

del King's. Mi è stata mostrata una fotografia a raggi X di Rosalind Franklin e, wow!, c'era un'elica, e un mese più tardi avevamo la struttura e Wilkins non avrebbe mai dovuto farmi vedere quella foto. Non sono mica andato a rubargliela dal cassetto, mi è stata mostrata, e mi sono state dette le dimensioni – una ripetizione di 34 angstrom – e cioè sapevo a stento cosa volesse dire e insomma quella foto di Franklin è stato l'elemento chiave. Psicologicamente è stata quella la spinta.

La scienza è un lavoro collettivo. E Watson mica è andato a rubarle la foto dal cassetto.

Note

1. Massimiano Bucchi, *Come vincere un Nobel*, Einaudi, Torino, 2017.
2. *The Double Helix* viene pubblicato nel 1968 (da Atheneum negli Stati Uniti e da Weidenfeld & Nicolson in Gran Bretagna) e tradotto in italiano nello stesso anno da Garzanti. Le citazioni sono tratte dall'edizione digitale del 2016 (*La doppia elica*, a cura di Gunther S. Stent).
3. Anne Sayre, *Rosalind Franklin and DNA*, W.W. Norton & Co., New York, 1975. Sayre era un'amica di Rosalind.
4. Brenda Maddox, *Rosalind Franklin: The Dark Lady of DNA*, HarperCollins, New York, 2001; traduzione italiana *Rosalind Franklin. La donna che scoprì la struttura del DNA*, Mondadori, Milano, 2004.
5. «Until Mrs. Sayre's book was published by Norton in 1975, Rosalind Franklin had been little more than a footnote to the history of the discovery of the double helix, the form taken by deoxyribonucleic acid, the stuff of heredity» (Robert Mcg. Thomas Jr., *Anne Sayre, 74, Whose Book Credited a DNA Scientist, Dies*, in «The New York Times», 18 marzo 1998).
6. Ivi.
7. Si veda soprattutto il capitolo *Rosalind*, pp. 25-66.
8. J.D. Bernal, *Dr. Rosalind E. Franklin*, in «Nature», 182, 154 (1958).
9. Gareth Williams, *Unravelling the Double Helix: The Lost Heroes of DNA*, W&N, Londra, 2019.
10. Maddox, *Rosalind Franklin*, cit.
11. Vicki Larson, *Debunking the Myth of Rosalind Franklin as 'Feminist Icon'*, in «Marin Independent Journal», 12 agosto 2020.
12. Stephen Franklin, *My Aunt, the DNA Pioneer*, BBC News, 24 aprile 2003.
13. La Harvard University Press decide comunque di non pubblicare il libro di Watson (Walter Sullivan, *A Book That Couldn't Go to Harvard*, in «The New York Times», 15 febbraio 1968).
14. James Watson, Center for Genomic Research Inauguration, Harvard, 30 settembre, 1999.

Cristina Marconi

Troppi fuochi 

Zelda Sayre Fitzgerald

Di buona stella è bene averne solo una, o c'è il rischio che si mandino in buca l'una con l'altra, come palle da biliardo. Nasci molto spiritosa, bella come una madonnina di Dürer, protetta da quella roccaforte che è tuo padre anche quando ti comporti molto, molto male. Sei la figlia diletta degli anni zero di un secolo tutto proteso in avanti. Il mondo ti guarda e soprattutto ti ascolta divertito, perché dalla tua piccola bocca arricciata escono parole come comete che tutti si incantano a seguire, credendo di aver catturato qualcosa di te. Di solito non si trovano in mano che un pugno di polvere argentata. Balli così bene che anche le *étoiles* russe ti fanno spazio sul parquet delle loro esercitazioni, se ti metti a dipingere crei mondi di intricata grazia e personalissime forme bulbose, la tua scrittura è incisiva al punto che hai un marito che si arrabbia se usi i tuoi diari invece di cederli con docilità a lui, che senz'altro sa cosa farsene: scrivere decine di versioni immortali della vostra storia, ad esempio.

Zelda Sayre Fitzgerald di stelle ne aveva moltissime ed è morta bruciata in un ospedale psichiatrico, identificata solo grazie a una pantofola rossa, dicono i verbali. Non sono molte le cose che ne avrebbero permesso il riconoscimento, in realtà: la verità su Zelda fluttua nello spazio che esiste tra le testimonianze mirabolanti sulle sue favolose doti e quello che le pagine scritte, le tele e le vecchie foto ci permettono di ricostruire. In entrambe le dimensioni, Zelda arriva sempre da una strada diversa, si diverte a confonderci. Le sue discendenti, dall'alto di quella soffice vecchiaia americana che lei non ha mai raggiunto, hanno accolto con un sorriso divertito ogni tentativo di «risolvere» Zelda, di trovare per lei l'etichetta giusta: musa vampira vittima genio incompreso ragazza perduta pazza di dio rivoluzionaria icona *it girl* moglie pazza in soffitta diva mistica. La lista è ben più lunga, ma lei continua a sfuggire e a far crescere il suo mito. Non fa mai quello che ci aspettiamo. Di certo c'è che le muse con Zelda sono state generose e lei ha lanciato i suoi doni in aria e li ha fatti ricadere lenti e spiegazzati come vestiti di chiffon. «Sono così piena di coriandoli che potrei partorire una bambola di carta!» disse un giorno con una di quelle battute intorno a cui risuona ancora l'estasi di chi le ha riferite. Quelle testimonianze ammirate sono invecchiate, hanno preso polvere. Lei neanche un po'.

Zelda è entrata per sempre nell'Olimpo delle dee del Novecento la cui vita riscriviamo furiosamente, condannandole a un eterno presente, alla ricerca di un finale diverso, di quel momento, scelta o passo che avrebbe potuto cambiare il loro destino, e con quello anche il nostro.

La prima immagine di lei ci porta alla New York iridescente di tramonti e lune piene in cui tintinnano le risate di una generazione di sopravvissuti – guerra e pandemia, tanto per restare attuali – decisa ad essere giovane per conto di tutti. Anni intensi di cui non riusciamo a immaginare nulla, come dimostrano certi film in cui per ricreare il divertimento ci affidiamo a eccessi grotteschi. Le descrizioni dei tempi parlano tutte di musica e di champagne, certo, ma anche e soprattutto di conversazioni brillanti, di energia, di giochi sociali e di attenzione dei padroni di casa a creare atmosfere e stati d'animo. Eccitazione, follia. Grazie anche alla presenza di una leva di donne diverse, a cui basta tagliarsi i capelli, accorciare le gonne e non reprimere più nessuna energia per rompere con il passato. E non è solo libertà sessuale quella che emerge, ma una rivoluzione più profonda, che però non ha ancora sostituito il matrimonio con altri obiettivi. «La *flapper* nasce già adulta, come Minerva, dalla testa di suo padre, Jazz, un tempo decaduto» racconta in un articolo Zelda, che di quell'esercito è stata generale e stratega, ideologa e ideale. Da ultimo è stata anche colei che, per la *flapper*, ha fatto tintinnare la campana a morto.

A questo punto vogliamo capire qualcosa di più di lei. La seconda immagine ci porta a Montgomery, Alabama, dov'è nata. Ai bagliori dei grattacieli dobbiamo sostituire una natura lussureggiante, i grandi fiori carnosi del Sud, i colori accesi di un giardino languido dove una ragazza sta tormentando alcuni corteggiatori: è più svelta di loro, più spigliata di loro e decide lei chi baciare (alla fine li bacia un po' tutti). La scena la conosciamo, l'abbiamo anzi già vista mille volte, perché ce l'ha raccontata Margaret Mitchell, nata pochi mesi dopo Zelda e appena poco più in là, quando con la sua Rossella O'Hara ha ridipinto il santino della *Southern belle*, donna dalle mille virtù tra cui una certa gagliarda ironia, anche se tutte al servizio della famiglia e del fortunato marito. Anche la mamma di Zelda, Minnie, era stata trattata con favore dalle muse – scriveva molto bene e i leggendari attori Barrymore la volevano sul palco con loro – ma alla fine si era sposata con il giudice Sayre, augusto fin da giovane, sviluppando una noncuranza civetta e sbadata verso i grandi dogmi sociali come l'educazione delle fanciulle: le sue figlie erano belle e malinconiche, una addirittura lavorava, tutte si erano comunque sposate. All'arrivo della piccola Zelda, quando Minnie e il giudice avevano più di quarant'anni, questo *penchant* per la distrazione era deflagrato: alla ragazza era stata data carta bianca.

La bimba nasce il 24 luglio del 1900 sotto il segno del Leone e dà al secolo appena il tempo di ambientarsi prima di diventarne la sfolgorante donna nuova, abbozzata e imperfetta come solo i miti sanno essere. È vano scorrere le foto e gli album per cercare di capire cosa sia stata la ragazza Zelda Sayre. Ci si può incantare sulla bellezza di una chioma troppo folta per essere tenuta lunga, si può notare con approvazione il delicato ricciolo della bocca sottile, riscontrare l'effettiva presenza di zigomi rocciosi, così tipici delle bellezze leggendarie. Sugli occhi tocca però fare un passo indietro, rivolgersi altrove per un istante, tornare a indagare: lo sguardo di Zelda non ci cerca, non si lascia incagliare nella nostra contemplazione. Senz'altro non implora, è tutto preso da un lavorio suo al quale siamo caldamente invitati a unirci. Se sia pericoloso o meno, Zelda non ce lo dice: è la vita e lei ne è piena, le regole sono le stesse.

Nel passaggio dal mondo piccolo del giardino di casa a quello enorme della metropoli d'argento si trova l'unica decisione che Zelda Sayre, reginetta spensierata, abbia preso nella sua vita: sposarsi con un artista, biondo e elegante. L'incontro, o meglio il riconoscimento tra i due, avviene a luglio 2018 a una festa al Country Club di Montgomery.

Lui è un ufficiale pronto ad andare in guerra, lei si sta esibendo con perizia nella *Danza delle ore*. Lui dice che lei è la più bella ragazza del mondo, lei osserva che lui sembra «godere in segreto della capacità di volare, pur camminando per compromesso con la convenzione». Non basterebbe definirli semplici ribelli, né ambiziosi o inquieti: sono due romantici con il culto della velocità e il terrore della noia, insofferenti rispetto alle solite regole sociali che non vogliono certo infrangere ma semmai dominare, guardare dall'alto. Egotisti, teorizza lui. Egoisti, lo correggerà con premura la figlia anni dopo. Sono entrambi dorati, lui parrebbe Apollo se non fosse per quella bocca troppo sottile, lei all'epoca è tutta un ricciolo. Si innamorano, si toccano, si fanno promesse, ma Zelda, la figlia del giudice, è una ragazza di solidi principi: continua a baciare anche tutti gli altri e non intende vivere in povertà. Quindi se lui è davvero uno scrittore come sostiene, si desse da fare, gli dice lei prima di lasciarlo. «Quando mi sento sicuro del tuo amore tutto è possibile, sono nel terreno dell'ambizione e del successo» sospira lui nel loro pimpantissimo epistolario.

Ogni ragazzo di Montgomery, Alabama, è rimasto impigliato nell'amo lucente e affilato degli occhi di Zelda, la ragazza se ne va sgusciando via da ogni controllo e ogni convenzione, tranne le sue. Zelda bacia tutti, ma a perdersi, al limite, sono gli altri: il rapporto causa-effetto che da sempre regge l'educazione delle ragazze con lei salta. I corteggiatori di Zelda, che le dedicano fan club e poesie, la definiscono una *kingmaker*: i re li sceglie e li incorona lei. E lo scrittore capisce subito che lei è il primo premio di quella gara feroce verso il successo che da sempre lo interessa, e ancora di più da quando il padre del primo amore Ginevra King – occhi scuri e imperiosi, fronte bombata come le bambole, figlia di fortune stellari della metropoli – gli ha fatto presente che i «ragazzi poveri non dovrebbero pensare di sposare le ragazze ricche». L'ereditiera rimane a fluttuare nell'eden malinconico delle cose mai colte, intrappolata per sempre nella pelle di Daisy Buchanan con la sua voce piena di soldi e il suo matrimonio infelice. Era stata battezzata con lo stesso nome della nonna e della madre, in onore della Ginevra de' Benci di Leonardo da Vinci, mentre Zelda prende il suo strepitoso nome dalla regina gitana di un romanzetto che la sua, di madre, andava leggendo nel periodo in cui era incinta di lei. Nella prima lui vede il raggio verde, nella seconda una fonte indispensabile di avventura, di vita e di creazione. Colei che lo costringerà a fare tutto con un'intensità forsennata, fino a morirne.

È a questo punto che la storia prende un ritmo travolgente e minaccioso: Zelda è un'adolescente, lui ha solo quattro anni di più. Lui sa che con lei deve acchiappare un ciclone e ha bisogno di una «rete abbastanza grande», lei in fondo sa che i cicloni da fermi non sono che una ventata di aria calda. E infatti lo rifiuta per un po' e lui per questo forse non la perdonerà mai. Rivede il romanzo che un grande editore gli aveva rifiutato e dopo aver ricalcato il personaggio di Rosalind su Zelda, aver cambiato il titolo – *Di qua dal paradiso* – e aver saccheggiato materiale dalle loro lettere, ne ottiene la pubblicazione con tanto di generoso anticipo. La tendenza a leggere la biografia di Zelda come una storia a bivi trova qui uno dei suoi momenti *clou*, uno di quei «se solo lei avesse» che ne costellano il mito. Nel periodo fatato prima del matrimonio, ci sono i dubbi di lui – che non vorrebbe sposarsi ma trova che lei sia troppo eccezionale per farla volare via – e quelli del padre di lei, così irritato dalla figlia che la prima volta che lo scrittore va a cena da loro la insegue intorno al tavolo con un coltello prima di risedersi come se niente fosse. Ma anche per una scintilla come Zelda il matrimonio è quello che è per tante ragazze del tempo: un modo per scappare di casa, per uscire dalla provincia oppressiva e moralista in cui intuisce di non poter furoreggiare in eterno. Prima di conoscere lo scrittore, aveva composto un raccontino grazioso e *naïf*, *L'iceberg*, la cui protagonista sceglie la strada dell'indipendenza imparando il lavoro da dattilografa e, tutta fiera di lavorare e di essere quindi nel mondo degli affari, finisce per sposare il suo capo. L'emancipazione, nella testa della diciannovenne Zelda Sayre, è questa: scegliere uno spazio più grande. Con *L'iceberg* aveva vinto un premio, ma lei d'altra parte in quegli anni vinceva sempre tutto.

A quel punto, il dado è tratto. A una settimana dall'uscita del romanzo, lei va a New York e si sposa, abbracciando un intero mondo nuovo, reso ancora più grande dal successo oceanico di lui. Un successo di cui lei è più che complice, in un intreccio ambiguo da cui nessuno dei due saprà né vorrà mai davvero districarsi. A New York oltre a Zelda e a suo marito, emerge quell'oggetto prismatico, struggente, distruttivo e da ultimo solidissimo che è la loro coppia.

La canzone dei due innamorati non fa pensare al dialogo tra un Barbablù e una principessa in pericolo. Piuttosto a due ragazzi brillanti con un'anima dolente – lui beve già moltissimo – e l'inizio lento dell'erosione della vitalità di una donna a cui le scelte sbagliate vengono allungate con disinvoltura manco fossero tartine: in questo caso, quella di sprecarsi, di restare con qualcosa di inespresso. «Senza di te sono solo la bambola che sarei dovuta nascere», gli scrive lei, e uno vorrebbe correre a dirle no, fermati, basta con queste maniere, non dirlo neppure per scherzo. Pian piano si va tratteggiando il più pericoloso degli scenari, quello in cui la persona benedetta dalle doti finisce col far da musa agli altri. Zelda, inconsapevole o forse solo leggera, ha rubato il lavoro a Clio, Euterpe e alle altre ragazze del gruppo, senza sapere che ci vuole talento per donarlo a qualcun altro senza curarsi del proprio. La tragedia di una musa imperfetta è quella di finire gelosa di quello che ha ispirato, aprendo una voragine distruttiva nella quale tutto si annulla. Lui più tardi descriverà il genio come «la capacità di mettere in pratica quello che uno ha nella mente», aggiungendo lapidario che «non esiste altra definizione». O almeno non esiste per quelli che hanno nella mente tutto ciò che aveva Zelda.

Naturalmente a lei non era sfuggito l'entusiasmo di lui per la sua straordinaria eloquenza. «Spero di non diventare mai abbastanza ambiziosa da tentare alcunché» spiega un giorno al fidanzato in una lettera. Lui, ingenuo o distratto, le crede. «È così più bello essere assolutamente certi di poter fare meglio rispetto agli altri» insiste lei, e la condizione per restare in questo stato di grazia è ovviamente quella di non mettersi mai alla prova, di non rischiare mai di fallire. Zelda omette di spiegare se ritiene di poter fare meglio proprio di tutti, anche di lui. «Non riuscirò mai a combinare niente perché sono decisamente troppo pigra per preoccuparmi che una cosa sia fatta o no», prosegue, e a questo punto viene da compatire l'ignaro destinatario, incapace di leggere la civetteria che c'è dietro un'affermazione così. «E non voglio essere famosa o celebrata, tutto quello che voglio è essere sempre molto giovane e molto irresponsabile e sentire che la vita è la mia e vivere ed essere felice e morire a modo mio per far piacere a me stessa». Qui la *pruderie* intellettuale cede il passo a qualcosa di più vero, e profetico: se questa è la misura, Zelda ha avuto più o meno la vita che voleva.

All'inizio la crepa non appare, i due sono tutti presi a dettare al mondo le loro nuove regole. Lei è ancora vestita da regina della provincia, un bonbon di tulle e fiori, e lui le suggerisce di racchiudersi tra le linee austere di Jean Patou. Lei si offende e festeggia quando le tarme le divorano il travestimento da sofisticata. Insieme vivono come gli ambasciatori pazzi di una repubblica folle: ricevono, sono al centro di tutto. E New York stravede per loro. Lui è un *novelist*, un romanziere, ma lei è una *novelty*, una novità, e la città vuole entrambi. Nella carneficina di giovani che c'era appena stata, lei e Scott sono i risorti, i figli di un'arcadia prepolitica in cui esistono solo ricchezza, bellezza e lotta contro la morte. Tutti erano trascinati da loro, travolti, innamorati, folli come due orfani adulti nel paese dei balocchi. Lui dice che lei ha un «fiammante rispetto di sé», un amico sostiene che lui abbia assorbito la personalità di lei, ben più forte, un insigne critico amico loro sostiene che lei fosse molto più intelligente di lui. Qualcuno la trova troppo sfrenata e moderna, si chiedono se il grande giovane talento non farebbe bene a trovarsi una compagna più mansueta. Lui dà una risposta vertiginosa alle osservazioni di un amico. «La amo ed è l'inizio e la fine di tutto. Tu sei ancora cattolico, ma Zelda è l'unico dio che mi sia ancora rimasto». Nulla di meno.

Solo due paia d'occhi, tra i più arguti di quel mondo, non riescono a unirsi alla folla ebbra. «Non ho mai pensato che fosse bella. Era molto bionda con la faccia come una scatola di caramelle e una piccola bocca a fiocchetto, tutto su piccola scala, e c'era qualcosa di petulante in lei. Se qualcosa non le piaceva, teneva il broncio; non lo trovavo un tratto attraente». La rasoiata viene da Dorothy Parker, secondo cui tutta quella sfrenata follia, quel girare per ore nelle porte rotanti degli alberghi e bollire i gioielli degli ospiti in un pentolone non era certo spontaneo, ma faceva crescere il mito sano e robusto. Però «sembra che siano appena venuti via dal sole; la loro giovinezza era impressionante» aggiunge la Parker con una definizione che potrebbe essere di Zelda. Abbagliavano. Per completezza di cronaca va detto che un pettegolezzo vecchio di un secolo, contenuto nelle memorie di una a cui nessuno dà credito, dice che Parker e lo scrittore furono amanti, per una notte. Lei gli rimase comunque amica per tutta la vita e al suo funerale pianse molto.

Rebecca West, meno incline al *mot d'esprit*, si spinge più in là. «Non so se troverai qualcuno per confermare la mia impressione che fosse molto ordinaria. Mi era stato detto che era molto bella, ma quando andai a una festa e la vidi rimasi sconvolta. Mi voltava le spalle e i suoi capelli erano decisamente stupendi, scintillavano come quelli di un bambino. Sono certa che fossero naturali. Poi si girò e mi sorprese. Arriverei a dire che avesse tratti marcati, grossolani. Era curiosamente irregolare, come quelle che si vedono nei ritratti dei matti di Géricault. Il suo profilo era su due piani diversi. Tutti mi dicevano quanto fosse bella, ma la mia impressione è sempre stata questa». La West va avanti nel descrivere il suo brivido. Zelda «non è affatto sgradevole», anzi, «c'era qualcosa di molto attraente in lei». Attraente ma «spaventoso», non dal punto di vista dell'osservatore, che non doveva certo sentirsi minacciato. Era spaventoso «dal punto di vista di lei», di Zelda. E poi, tornando su un piano più mondano, West definisce stupefacente che quell'Apollo stesse con qualcuno di «così poco elegante».

Dell'enorme talento di Zelda con le parole resta una minima parte, poco o niente. Le sue raffiche erano troppo rapide e continue perché qualcuno riuscisse a raccogliere i bossoli. Ma c'è anche un altro motivo. Dalle lettere e dagli scritti si vede che le sue uscite hanno sempre vari livelli di lettura, un primo brillante e un secondo pensoso, disperato. Un invito ai più attenti a fermarsi in una riflessione che fa perdere il filo, e la memoria. Nei suoi scritti, incantato dall'arguzia di ogni frase, il lettore si interrompe, rilegge, si smarrisce. Lui invece ha saputo modulare tutta questa verve, amalgamarla nel grande racconto di una generazione e di un'era, in una dialettica creativa indistricabile in cui lei esce perdente. Lui ascolta, seleziona e racconta, mentre lei, secondo le parole di lui, non ha amici «ma seguaci», rispetto ai quali «la sua posizione è di superiorità». Forse lo stesso vale per il marito: lui aveva un dubbio su un titolo, esitava tra *Trimalcione a West Egg* o qualche altro orrore, ma Zelda si è imposta, *Il grande Gatsby* doveva chiamarsi. Alla bella società editoriale newyorkese non sfugge tutto questo acume, e infatti le commissionano dei pezzi, spassosissimi, che però rendono meno di quelli di lui. Zelda la *columnist* brillante: un mondo così a sua portata che solo un metodico accanimento ne può giustificare il fallimento. Cosa si fa di un talento non cresciuto, mai coltivato? «Il plagio inizia a casa» scrive in una recensione Zelda, che riconosce tra le pagine di lui tante delle sue frasi ma chiede al lettore di comprare il libro cosicché lei possa avere un anello nuovo e lui un cappotto più bello. Il mito nasce dal condensarsi di un pulviscolo di eloquenza, fascino e di quel cinismo che fa sì che i sogni, anche i più favolosi, si possano vivere nel pieno disincanto. Sperare che una figlia sia una «*beautiful little fool*», «una splendida piccola sciocca», come poi Daisy Buchanan ripeterà, è una cosa curiosa da dire se si hanno ventun anni e il mondo ai propri piedi. Forse New York la osanna perché sa che cadrà.

Solo West, e in parte Parker, vedono Zelda al di là del sole che la avvolge. E West osserva qualcosa di molto preciso, una sorta di vuoto, uno smarrimento al centro del grande spettacolo che la coppia mette in scena ogni sera. Di cosa parla, questo spettacolo? Dell'uomo nuovo e della donna nuova che fondano una famiglia nuova – nel 1920 nasce Scottie, assennata come solo i figli delle meteore sanno essere – e che portano il nuovo sogno americano in Europa. Sono immorali? No, anzi, i loro eccessi non scardinano nessun tabù. Sono tendenzialmente monogami – lui ha un'avventura, lei se ne inventa una – sentimentali, mai libertini. Chiaramente innamorati, nonostante le scenate e i toni accesi. Veri romantici, con tutti i chiaroscuri che questo comporta.

In Francia incontrano tante persone, si abbronzano in spiaggia, si divertono. Arrivano Hemingway e la sua prima moglie, con Zelda si odiano, nel gioco di specchi tra machismo, omosessualità e androginia le antipatie si accendono. Premuroso, in *Festa mobile* Hemingway riporta una presunta confidenza del suo amico. «Zelda dice che il modo in cui sono fatto non potrà mai rendere nessuna donna felice ed è questo che l'ha infastidita inizialmente». Hemingway lo conduce in bagno per un sopralluogo, rassicurandolo sul fatto che è perfettamente normale, anzi con proporzioni classiche come quelle di una statua del Louvre. Da parte sua Zelda considerava Hemingway solo una «checca con il petto villoso». Non è la prima che lo dice, e di pettegolezzo in pettegolezzo restano aperti tanti capitoli in cerca di riscrittura, per la gioia dei posteri.

D'altra parte c'è qualcosa che manca alla vita di coppia, qualcosa che nei loro pallidi emuli contemporanei che vanno distruggendo camere d'albergo per guadagnarsi la fama di ribelli invece appare più presente. Lui afferma di essere la donna nel matrimonio e a Rosalind-Zelda, in *Di qua dal paradiso*, fa dire «io non sono femminile, veramente, nell'animo». Le carte parlano di una coppia sempre in bilico ma mai veramente in crisi – insieme lottano contro la noia e il tempo, bevono – anche quando ci sono gli amanti (pochi) e la malattia mentale. Mentre sono in Costa Azzurra, a un certo punto Zelda inizia ad annoiarsi molto – lui era impegnato nella stesura di *Belli e dannati* – e, donna in tutto superiore al suo secolo, desidera ardentemente Instagram o quantomeno un modo per far vedere al mondo l'impeccabile plasticità di quel momento disperato. Da quell'infelicità piena di salsedine hanno iniziato a innalzarsi le prime avvisaglie della malattia. Zelda si inventa una storia d'amore con un pilota francese, ogni volta che la racconta aggiunge un dettaglio, a un certo punto entra addirittura nel repertorio di coppia e i due ne narrano la morte con gli occhi colmi di lacrime. Una sera sono in Francia e lui parla con Isadora Duncan, già in là con gli anni. Lei reagisce buttandosi da un alto parapetto e riemergendo poco dopo, quasi illesa, per sempre folle.

Chissà se in Francia la sensibilità di Zelda, così europea e vicina al surrealismo sia nel gusto per una narrazione frammentaria che nell'immaginario visivo, non avrebbe potuto trovare altri spazi. Ma lei, pensando all'arte, non riesce a uscire dalla coppia, come d'altra parte neppure lui. E quindi al tavolo delle muse finisce col vincere Tersicore, senza motivo. La danza prevale tardi, quando la partita per lei dovrebbe essere finita e quando qualcun altro sarebbe tornato a scrittura e pittura, spazi di imperitura flessuosità. E invece a 27 anni, preoccupata dalla noia, o dal richiamo di quel vuoto che Rebecca West aveva intravisto, Zelda inizia a ballare. Non un po': inizia a ballare tutti i giorni, ad allenarsi, ad alzarsi dalle cene per fare due *pas de chat*, ad andare a lezione da Madame Egorova, una che aveva attirato l'attenzione di Djagilev e danzato con Nižinskij. E che aveva avuto tra le sue allieve anche Lucia Joyce, ballerina professionista e figlia di James, dal destino per molti versi così simile a quello di Zelda. Era brava? Non era brava? Intorno a Zelda crescono sempre opinioni estreme: sublime, negata, incapace, imbarazzante, divina, leggiadra. È ragionevole supporre che Egorova non andasse a perdere tempo con le dilettanti e che l'unico vero limite fosse la sua età, come le confermerà qualche anno dopo la stessa Madame. A Zelda arriva una proposta dal San Carlo di Napoli, vogliono che entri nel corpo di ballo – professionista, finalmente! – ma non va: la distruzione è ormai troppo avanzata.

E come una bambola caricata a molla, dopo troppi giri Zelda si esaurisce. È il 1929 e la nostra *enfant du siècle* è come sempre in perfetto sincrono con il Novecento. La crisi tocca tutto, anche la coppia dorata, con lei a inaugurare un turismo di sanatori che la accompagnerà per il resto della sua vita e lui inabissato per sempre nell'alcol. «Come tutti gli americani è per certi versi e fino a un certo punto una puritana e non può letteralmente sopravvivere senza un codice» dirà lo scrittore. Lei, che ha ribaltato i canoni ma non si è mai ribellata, implora il medico di curarla, anche se non si illude che la scienza possa «sostituire quella che era la mia canzone».

Forse Zelda non sarebbe diventata la *damsel in distress* della scena letteraria novecentesca, la creatura minacciata da una storiografia tutta machista che ne ha rimosso il talento e che chiama rappresaglie di desolante schematismo, se dell'immagine della moglie del grande scrittore non si fosse occupato, con lo zelo che gli conosciamo, Hemingway in persona. Dopo aver comunicato in mondovisione le insicurezze virili del suo amico, nel momento del bisogno gli ha scritto una lettera su *Tenera è la notte* con un tono da zia saccente. «Tra tutte le persone al mondo, tu avevi bisogno di disciplina nel tuo lavoro e invece hai sposato qualcuno che è geloso del tuo lavoro, vuole competere con te e ti rovina» osserva. «Ho pensato che Zelda fosse pazza la prima volta che l'ho incontrata». Ecco, te l'avevo detto. E in *Festa mobile* riferisce una conversazione con il figlioletto Bumby, che gli chiede se il suo amico stia male e abbia problemi con la moglie.

«Non rispetta il suo *métier*?» chiede il bimbetto.

«*Madame* sua moglie non lo rispetta o ne è invidiosa» risponde paterno Hemingway.

«Dovrebbe sgridarla» osserva, giudizioso, Bumby.

Come Dick e Nicole Diver, con quel cognome che evoca slancio e profondità marine, anche Zelda e il marito si tuffano. Gli anni Trenta li trovano cambiati per sempre, pronti a scendere per una china dalla quale nessuno dei due si salverà. Lui cerca di aiutarla a pubblicare le sue storie, ma gli editori gentilmente si rifiutano, pur riconoscendole una «sorprendente capacità di espressione» e una «qualità curiosamente efficace e insolita». Sulla sua bella pelle compare un eczema, sentinella di una malattia della quale non vede la fine e chiede a lui di salvarla. È come se fosse passata dall'altra parte di un muro. «Devi venire qui e raccontarmi com'ero» lo implora. Sente che nella sua mente ha preso piede un'alterazione irreversibile, si aggrappa al passato usando un tono struggente nelle lettere a lui. Poi, piano piano, si abbandona a una rassegnazione narcotica e abbraccia un dio luminoso con cui inizia a riempire quadri.

Più di un osservatore dell'epoca ha descritto il volto di Zelda come «indiano». Gli occhi azzurri che solcano un viso largo e ossuto perdono rapidamente la dolcezza della giovinezza, tutta ripresa da quella miniatura sempre ridente che è la piccola Scottie, eternamente estasiata di essere accanto ai genitori e soprattutto al papà. La foto di famiglia più bella li ritrae davanti a un albero di Natale con la posa scherzosa di una gamba alzata. I volti accennano un sorriso, tradiscono una felicità traballante. Zelda è americana fino al midollo con la sua maestosa inespressività da cherokee – in un romanzo di lui si va a ballare al Club Minnehaha, chissà che non ci avesse pensato anche lui – sempre meno simile negli anni alle sospiranti attrici dell'epoca alle quali tutti la paragonavano, a partire da quella famosissima Marilyn Miller morta giovane il cui nome rimase abbandonato per qualche anno prima di essere indossato in maniera indimenticabile e definitiva da un'altra stella, in una sorta di staffetta tra dee di cui Zelda è la capofila, quella in cui si trova la matrice dei tratti di tutte le altre.

C'è un vuoto al centro della storia di Zelda che la rende particolarmente malleabile, inafferrabile, adatta alle rivisitazioni: ogni generazione l'ha voluta reinterpretare, insieme al marito ha catturato il lato nero del sogno americano, quella sfiga dorata che non riesce a impietosire del tutto ma fa invece sognare come avverrà decenni dopo con i Kennedy. Il suo è un femminismo languido e inconsapevole, non esteso alle altre – non amava le donne, Zelda. Ognuno vedrà in lei quello che vuole, è come un test di Rorschach, una ragazza troppo allegra o troppo disperata di cent'anni fa, ma mai una ragazza perduta secondo i parametri classici della morale. Si perde in quanto moglie, e attraverso gli elementi sfuggenti e ambigui della sua storia immaginiamo un finale alternativo di una storia femminile troppo segnata da mogli pazze in soffitta. Mogli alle quali per noi è diventata una missione dare una voce: Charlotte Brontë metteva Bertha Mason in soffitta e la sua morte – il fuoco si addice da sempre ai matti e alle donne incontrollabili – era necessaria perché l'amore di Jane Eyre per Rochester potesse fiorire. Fantasticando sul mito di Zelda si tenta di riscrivere un destino collettivo di silenzio e cure folli, di angeli alla nostra tavola che non hanno avuto giustizia. Negli stessi anni di Zelda, Virginia Woolf veniva curata a Londra e le si strappavano denti per ridarle equilibrio. Zelda è la paziente svenuta di Charcot che si alza dalle lezioni del martedì e parla, è Anna O. che racconta la sua versione e fa sdraiare Sigmund F. sul lettino per metterlo davanti alle sue nevrosi.

Lei la sua versione l'ha raccontata in un romanzo sincopato e di ruvida bellezza, scritto su incoraggiamento di una dottoressa, Mildred Squires, che per un breve periodo l'ha avuta in cura, unica donna dopo una serie di luminari, in una clinica di Baltimora. Nasce *Lasciami l'ultimo valzer*, una «favola per psicanalisti», come la definisce Zelda, scritto in un lampo e spedito direttamente alla casa editrice di lui, che si infuria come non mai: il materiale – la loro vita, il mistero della mente di lei – è lo stesso che lui stava addomesticando nel setoso, inarrivabile *Tenera è la notte*. Opera a cui affidava le sue ambizioni artistiche, certo, ma anche il compito di raccogliere abbastanza denaro per mantenere Scottie e i suoi studi, Zelda e le sue cure.

Le accuse di plagio si ribaltano, in un sistema di scatole cinesi in cui lei avrebbe copiato il romanzo di lui, usando il nome di uno dei personaggi del suo primo romanzo, in cui racconta la vita di entrambi e la malattia di lei. Lui non accetta l'invasione di campo, i toni sono accesi, lei si scusa per averlo offeso ma assicura che la sua revisione sarà solo «su basi estetiche» e, in tono fermo ma comunque conciliante, rivendica l'utilizzo di «roba legittima che mi è costato un enorme costo emotivo accumulare». E assicura che «il libro che voglio veramente scrivere» è «la storia di me contro me stessa». Firmato: «tua irritata Zelda».

A quel punto la povera dottoressa Squire, il tribunale degli amici e qualche altro sprovveduto non potevano che pensare all'inevitabile divorzio. E invece no, per niente. «L'ironia è che non siamo mai stati così innamorati l'uno dell'altra in vita nostra. L'alcol nella mia bocca è dolce per lei e io ho care le sue allucinazioni più stravaganti». Lo scrive lui, e sembra di leggere *Cime tempestose*: «Io sono Heathcliff! Lui è sempre sempre, sempre nella mia mente: non come una gioia, non più di quanto io lo sia per me stessa, ma come il mio stesso essere. Quindi non parlare più di separazione: non è possibile».

Romantici. E quindi imperfetti, illeggibili, sbilanciati. Con una musa troppo intelligente per starsene placida al suo posto e un artista cresciuto all'ombra di una figura enorme, eppure abbozzata. Le loro voci si mischiano, i loro lavori soffrono del confronto, il romanzo di lei è una successione di perle la cui somma è inferiore alle parti. Si riconoscono le schegge del mondo di Fitzgerald, ma le si ritrova ferme, mentre Nicole Diver continua a respirare davanti a noi. Quando nel 1970 uscì la magnifica biografia di Zelda scritta da Nancy Milford, piena di notizie e senza sensazionalismi, rimase per ventinove settimane in classifica. Oltre a tutte le doti, le stelle le hanno regalato «un tipo di intensità che va al di là di quello che la mente umana dovrebbe essere costretta a sopportare» dice la devota biografa nel descriverla, nel rendere giustizia al suo ruolo – quelle frasi le sono state rubate, quelle descrizioni erano sue, lei sapeva parlare, lui sapeva scrivere – e alla sua ambizione di essere una «donna eccezionale», ma anche una moglie, una che l'indipendenza economica non riesce a ottenerla, e si sa che senza la stanza tutta per sé che è coltivare i propri talenti il talento alla lunga avvizzisce. Zelda non appartiene a nessuno ma non appartiene ancora a sé stessa.

Il romanticismo prevede disperazione, mai tristezza. Le lettere di Zelda sono piene di affetto fino alla fine, anche quando lo scrittore abitava con una che di emancipazione femminile ne sapeva parecchio più di lei, essendosi inventata una vita, una gran vita, dal nulla. Le somigliava molto, dicono i testimoni, anche se dalle foto non si direbbe. Però alla fine la mente di Zelda ha vinto su tutto, sempre pronta a risorgere dalle ceneri dei suoi troppi fuochi, con una nuova frase più brillante da mettere in un cioccolatino o, più recentemente, in un *meme*, una nuova studiosa zelante pronta a giurare che lei era tutto e lui non era niente, un'attrice ancora più bella pronta a interpretarla, tutti decisi a salvarla ma senza mai farle lo sgarbo di impietosirsi, perché lei la pietà non l'hai mai voluta. Anche quando si è ammalata ed è tornata nel giardino lussureggiante dei suoi genitori, a decorare paralumi incantati e dipingere quadri che parlano di lei forse più dei suoi scritti, abbracciata alla mamma sotto il portico della vecchia casa, presa a scrivere lettere dolcissime alla figlia ormai a sua volta madre, ha trovato una sua pace. L'unico rimpianto, non aver usato meglio il suo talento, essersi costretta a tenere dentro tutti quei coriandoli. E condannando tutti noi, a partire da Francis Scott Fitzgerald, a portare in eterno il suo profumo dell'anno scorso.

Lorenza Pieri

Autoritratto della musa da morta 

Kiki de Montparnasse

> *[Kiki] dominò l'epoca di Montparnasse più di quanto la regina Vittoria non abbia dominato l'epoca vittoriana.*
>
> Ernest Hemingway

La cosa che mi fa più ridere è che oggi il mio nome è associato a una marca di lingerie di lusso. Io che neanche portavo le mutande. Avevo le tette piccole e un culo a prova di tutto. A che mi serviva la biancheria intima? Sono sempre stata più utile nuda. E il lusso, poi, chi l'ha mai conosciuto veramente. Con i mille dollari che oggi servono per comprare una di quelle vestaglie, cent'anni fa ci avrei saputo campare per mesi. Una volta ho detto «tutto quello di cui ho bisogno è una cipolla, un pezzo di pane e una bottiglia di rosso. E troverò sempre qualcuno che me li offrirà». Questa frase che ancora da qualche parte è scritta accanto al mio nome, potrebbe valere anche oggi. Non è detto che mi accontenterei ancora di così poco, ma di sicuro saprei come procurarmi ciò di cui ho bisogno. Non ho mai avuto bisogno di niente che non mi servisse davvero. Non me n'è mai fregato niente dei soldi, dei vestiti o delle case. Mi servivano per mangiare, essere bellissima, dormire al riparo, non certo per il gusto di averli e basta. Del resto sono un'artista oltre che musa e ne ho avuta anche io una che mi ha seguita e ispirata fin dalla nascita: la fame. È lei che ha dato la scintilla a ogni mio gesto creativo, a ognuna delle mie mosse migliori. La fame intesa in senso lato, fosse di cibo, di vino, di novità, di sesso o di droga, mi ha sempre spinta a creare, a muovermi, a superare ogni paura. È andata così.

Non che mi potessi aspettare chissà quali fate madrine da un ingresso in scena sfortunato come il mio. Sono nata a Châtillon-sur-Seine, in Borgogna, all'inizio del secolo scorso sotto il segno della bilancia (socievole, sempre in cerca di giustizia, amante del bello ma indifferente al lusso, incapace di scegliere e anche di rinunciare). Mia mamma aveva diciannove anni ed ero la sua terza figlia, ma l'unica sopravvissuta. Mi ha chiamata Alice (come il secondo nome di mia sorella che era morta a quattro mesi) e di secondo nome Ernestine (come lei, Marie Ernestine). Ha partorito mezza ubriaca, aiutata da quello che sarebbe diventato il mio padrino e primo compagno di sbronze, che era innamorato di lei, un gentile contrabbandiere di alcolici, che lei avrebbe sempre rifiutato. Così io, Alice Prin, ho conosciuto la luce e l'alcol contemporaneamente e fedele all'imprinting di famiglia ho sempre pensato che le migliori cure per tutto nella vita fossero il vino e il caldo. Mamma mi ha subito mollata ai miei nonni insieme ai miei cugini per andare a lavorare a Parigi. Eravamo sei bambini, tutti illegittimi, figli naturali, si dice, come se fosse un artificio innaturale per un padre, riconoscere un figlio. E in effetti dev'essere stato un bello sforzo se su sei tra noialtri, più quelli che erano morti, nessuno di noi aveva un padre. Fatto sta che il mio si sapeva chi fosse, un bel signore alto che viveva in una casa lussuosa poco distante da quella di nonna per la quale, «per una dote di mille franchi e un maiale» – diceva il mio padrino – aveva lasciato mia madre. Si chiamava Maxime Legros. Aveva questa moglie brutta ma benestante e anche una figlia legittima sempre vestita bene. Una volta li ho dipinti intorno a un tavolo. L'ho venduto anche abbastanza bene quel quadro, forse l'unica cosa che ho guadagnato da mio padre. A differenza della mia sorellastra che aveva i capelli lunghi e biondi, io e i miei cugini, sia maschi che femmine, eravamo sempre rapati a zero, per via dei pidocchi. E quando andavamo all'asilo o nonna ci mandava dalle suore a chiedere un piatto di zuppa ci trattavano malissimo e insinuavano cattiverie sulle nostre madri che da Parigi non mandavano abbastanza soldi. La vita in campagna era un vero schifo, anche se noi ci ingegnavamo in molti modi per mangiare, dopo la pioggia raccoglievamo lumache e fragole e funghi nei boschi e nonna era una tipa tosta, raccontava sempre di quella volta che nel 1870 prese a ceffoni un prussiano perché si era azzardato a darle un pizzicotto sulle chiappe. E ci rideva su. Non l'ho mai sentita lamentarsi per nulla. Nonna mi voleva tanto bene e sapevo farla ridere. Quando tornavo a trovarla da Parigi mi faceva sempre un sacco di complimenti, sei bella Alice, che buon profumo che hai, le tue cugine ti trattano così perché sono invidiose. Devo aver preso da lei la curiosità e il buon carattere. Sono stata sempre molto allegra nella vita e credo sia per questo che le cose sono andate meglio di quanto non promettessero all'inizio, quando ero ancora Alice, non Kiki. Certo, come dice Hemingway, sono stata lì lì per essere una regina, ma non sono mai stata una signora. E aveva ragione zio Ernest. Quando ho compiuto dodici anni mia madre mi ha chiamata a Parigi. È stato un vero strazio lasciare la nonna, ma lei diceva che avrei imparato bene a leggere e scrivere e restare al paese non mi avrebbe portato niente di buono.

Mia mamma era linotipista e mi avrebbe trovato un lavoro. Durante il viaggio ho pianto tutto il tempo e mi sono mangiata il salame all'aglio e scolata la bottiglia di vino che nonna mi aveva dato da portare a Parigi. Quando sono arrivata ero ubriaca, puzzavo e mia mamma si è arrabbiata perché non le avevo lasciato neanche un goccetto. Mi ha portato subito ai bagni pubblici a lavarmi.

A scuola sono andata per poco e dopo ho lavorato un po' dappertutto, c'era la guerra e mi hanno presa prima in una legatoria, poi in fabbrica, poi ho aggiustato gli scarponi dei soldati per rimandarli al fronte. A un certo punto mamma si è fidanzata con uno molto più giovane di lei e la camera in cui stavamo si è fatta troppo stretta per tutti e tre, così mi ha mandato a servizio da due panettieri, dove mi davano anche vitto e alloggio ma mi trattavano come una schiava. La mattina all'alba andavo a bottega, poi a fare le consegne, poi mi toccava pulire e cucinare per questi che si lamentavano sempre, poi di nuovo turni al negozio. Ero cresciuta, guardavo dalla finestra della mia *chambre de bonne* i fidanzati che si baciavano sotto i lampioni e sognavo di avere presto anch'io qualcuno da baciare. Un giorno la signora mi ha sgridata perché mi ritoccavo le sopracciglia con i fiammiferi già bruciati. Ci siamo azzuffate e io l'ho picchiata forte, ho fatto fagotto e me ne sono andata. Non che sapessi dove. Mi sono ricordata di un vecchio scultore che veniva ogni giorno a comprare il pane e mi aveva chiesto più volte di posare. È così che è iniziata la mia carriera di modella. E con mia madre che lo veniva a sapere e irrompeva nello studio dandomi della puttana. Sarei stata forse destinata a diventarlo, ma il mio incontro con l'arte ha trasformato il mio destino di prostituta in modella, poi in musa e poi in regina. Una carriera vera. Ho avuto molti amanti, ho mostrato il mio corpo in cambio di soldi o di cibo ma non sono mai stata a letto con qualcuno che non mi piacesse solo per denaro. Ero una puttana perché davo amore un po' a tutti e tutti me lo riconoscevano, ma non ho mai fatto sesso per venderlo. Per tutta la vita ho dovuto ribadire che facevo la modella e non la zoccola, ma poi non mi importava mica per chi non coglieva la differenza, a parte quella volta che in Costa Azzurra mi hanno arrestata, non avendo capito che andavo a rimorchiare i marinai perché mi piacevano, non per farmi pagare. Amavo gli artisti e sono stata così incredibilmente fortunata a trovarmi a Parigi negli anni in cui erano tutti scesi da Montmartre e si ritrovarono intorno a me, a Montparnasse. Ero così giovane, così piena di vita, così generosa con loro, così pronta per esprimere la mia vocazione: dare loro la linfa giusta per creare. Il mondo era un vero schifo, ma la guerra era finita e gli artisti erano lì apposta, per renderlo un posto migliore. Io li ho aiutati. Sono fiera di quello che è rimasto di me attraverso le loro opere. Dopo tutto l'orrore della Grande guerra, abbiamo lasciato tracce di passaggi che parlavano di vita, che hanno reso la morte impossibile, rimanendo per sempre.

Negli anni Venti venivano tutti a Montparnasse, da ogni parte del pianeta. Nei palazzi, nei bar, negli atelier tra boulevard Raspail e rue des Rennes, c'erano la Francia e l'Europa, c'erano l'America e l'Asia. Desnos, Breton, Utrillo, Cocteau, Duchamp, Léger francesi, Modigliani italiano, Mendjizky e Kisling polacchi, Tzara romeno, Picasso spagnolo, Foujita giapponese, Gertrude Stein, Man Ray, Hemingway, i Fitzgerald americani, Marie Vassilieff, Ejzenštejn, Mozžuchin e Soutine russi... Cubisti, surrealisti, dadaisti. Gli avanguardisti. Litigavano, si picchiavano ma io non riuscivo neanche bene a capire esattamente perché. Ogni idea era nuova, non per forza migliore o peggiore di quella precedente. Nessuno era da solo. Ogni manifestazione era un gioco di squadra, «movimento» era la parola. Erano tutti geniali, in un modo o nell'altro. E coraggiosi. Ci vuole fegato a credere sempre di poter vivere della propria arte, e soprattutto a credere nell'immortalità. Anche io sono stata coraggiosa.

Sono sempre io che ho deciso per me. A sedici anni avevo bisogno di capire il sesso. Sapevo che le prime volte poteva fare male, avevo bisogno di un'iniziazione delicata. L'amica con cui condividevo la stanza dopo essere scappata dai panettieri, Juliette, che era più grande di me, mi disse che se volevo farlo senza sentire troppo male, l'ideale era un vecchio. Così pedinammo un signore che sembrava elegante e appena uscito dal barbiere, avrà avuto cinquant'anni – fa ridere pensare oggi che lo considerassi veramente un vecchio – non era affatto male. Ci offrì del tè e dei panini in un bar e poi la mia amica gli chiese se gentilmente se la sentisse di farmi il grosso favore di liberarmi della verginità. Lui rimase stordito dalla proposta, ma accettò. Mi portò a casa sua al quinto piano di un bel palazzo a Ménilmontant, abbiamo mangiato bene, faceva l'attore insieme alla moglie (che in quei giorni era in tournée) e aveva tanti vestiti bellissimi e luccicanti. Mi ha anche cantato una canzone con la chitarra e io mi sono subito un po' innamorata di lui. Ero così felice di fare quella scoperta con lui, anche se nonostante abbiamo fatto tante cose carine a letto, la mattina dopo sono andata via ed ero ancora vergine.

Qualche giorno dopo io e Juliette abbiamo finito i soldi e il proprietario della camera ci ha cacciate in malo modo.

Faceva un freddo maledetto quella sera e fu lei, che aveva già posato per Chaïm Soutine, a pensare di provare a farci ospitare da lui. Il suo studio era un posto gelido e puzzolente. C'era un pollo morto e quasi decomposto che usava come modello. Soutine ha iniziato a bruciare nella stufa tutto quello che trovava nella stanza, era pazzo e siamo finiti a riscaldarci in tre sotto le coperte, senza niente da mangiare. Erano i primi tempi della mia vita bohémienne a Montparnasse e avevo già conosciuto i migliori. Qualche giorno dopo la serata da Soutine infatti mi ero ritrovata seduta da Chez Rosalie a un tavolo accanto a Modigliani e Utrillo. Amedeo era bellissimo e mi incuteva una certa soggezione. L'ostessa Rosalie, a cui ero simpatica e che era di origine italiana come Modì, decise di presentarci e che quel pranzo sarebbe stato pagato per tutti se Modigliani, che lei chiamava affettuosamente Dedo, mi avesse fatto un ritratto a matita da regalarle. E così, quella, fu la prima volta che posai per lui. Mi offrì dell'hashish e mi dipinse molto più bella di quanto non fossi. Anche Utrillo mi fece un ritratto, ma quando andai a guardarlo, sul foglio c'era un paesaggio.

Il primo di cui mi innamorai fu Maurice Mendjisky. Quando sono andata da lui per posare, lo studio era caldo ma mi ha fatto rimanere vestita. Mi ha sempre ritratta vestita, elegante, malinconica. Amava il mio viso. Ho dovuto insistere per spogliarmi e infilarmi nel suo letto. Non mi era mai successo. Quando ho chiesto se potevo restare mi ha detto, quanto vuoi Alice. Sono rimasta per quattro anni. È a lui che devo il mio nome d'arte, è lui che ha ucciso Alice Prin e fatto nascere Kiki. Dopo aver fatto l'amore la prima volta mi ha tenuta tra le sue braccia e ha cominciato a dire il mio nome. A dirlo anche in greco, Aliki... Kiki, Kiki de Montparnasse.

Oggi è praticamente un secolo da quel dicembre del 1921 e a dire tutta la verità, per quanto mi manchi moltissimo la vita dotata di un corpo, non credo proprio che vorrei recuperarlo proprio adesso che dovete cercare di non toccarvi, di non stare in troppi tutti insieme, che i bar di Parigi sono tutti chiusi e la notte non si può uscire. Neanche durante la guerra è mai stato così. Per noi sarebbe stato impossibile. Sono stata in prigione due volte e stare in cella è stata l'esperienza più brutta della mia vita. Noi non facevamo che ritrovarci. Nei ristoranti, nei nightclub, nei caffè, nelle terrazze, negli atelier, nelle stanze d'albergo. Cercavamo di sfangarla, giorno dopo giorno, stando insieme, creando e facendo l'amore. Quando la guerra è finita eravamo così eccitati di essere giovani e vivi. Era quello lo spirito delle avanguardie. Parigi in quegli anni era una festa mobile come avrebbe detto sempre lui, quello tra i miei amici scrittori che è diventato più famoso. Organizzavamo serate di beneficenza, balli in maschera e inaugurazioni di mostre, ogni sera ci trovavamo in locali talmente stipati che si faceva fatica a muoversi e ci passavamo bicchieri, posate e sigarette senza minimamente preoccuparci delle altre labbra che li avevano toccati. C'era sempre qualcuno che ti presentava qualcun altro, c'era sempre un'occasione nuova. Anche quando stavamo in coppia non dormivamo mai troppo a lungo nello stesso letto con la stessa persona o senza che sotto quelle coperte ci entrasse nel frattempo qualcun altro.

Sono stata una donna libera. Sempre. E anche se per lavoro ero capace di starmene immobile al freddo per ore intere, avevo qualcosa di sempre in movimento dentro. Un fuoco selvatico e sregolato, acceso dalla voglia di stare in mezzo al vortice di artisti che arrivavano da tutte le parti del mondo a Montparnasse, e che avevano eletto me come occhio del ciclone. Oggi forse mi accuserebbero di non essere stata una vera femminista, perché lasciavo che il mio corpo venisse sfruttato, guardato e usato come un oggetto, perché mi sono anche fatta maltrattare. Non è colpa mia se ho avuto un angelo guardone invece di un angelo custode. Eppure sento di non aver subito mai una situazione che non avevo scelto, ho usato tutto il potere che poteva avere una donna senza un soldo, a quei tempi. Era un potere che passava attraverso il desiderio degli uomini per il mio corpo, certo, ma l'ho saputo usare al meglio, per soddisfare desideri che erano soprattutto miei. Del resto sempre lui, zio Ernest, l'ha detto che ero una donna che non ha mai avuto *una stanza tutta per sé*.

Mentre stavo con Maurice posavo anche per altri, e frequentavo La Rotonde, dove un pomeriggio in cui per gioco ho chiesto dieci soldi a un amico per fagli vedere le tette mi sono imbattuta in Kisling che ha detto «chi è questa puttana?» e quando il mio amico gli ha risposto, non è una puttana, è una modella e si chiama Kiki, lui ha rivendicato di essere l'unico Kiki di Montparnasse. L'indomani ero già a posare per lui. E c'era caldo e si mangiava bene da Kiki e ci divertivamo un mondo, e ci siamo anche un po' innamorati anche se la nostra amicizia è iniziata così, con un litigio, degli insulti, e io poi gli ho rubato il nome per sempre.

Nello stesso periodo ho iniziato a posare anche per Foujita, che se n'era scappato dal Giappone. La prima volta da lui abbiamo invertito i ruoli e sono stata io a ritrarlo. Mi sono spogliata ma poi mi sono messa dalla parte del cavalletto, gli ho morso tutte le matite, gli ho perso la gomma, dopo quattro ore mi sono fatta pagare e mi sono portata via il ritratto di lui che, una volta fuori, ho pure venduto a Roché per una bella somma, ed è stato grazie a quest'ultimo che poi anche io ho iniziato a dipingere e realizzare la mia personale. Al contrario di Maurice, Foujita mi ritraeva sempre nuda, amava il mio corpo e fu un vero colpaccio per lui quando al Salon d'Automne del '22 ha venduto il mio ritratto *Nudo sdraiato di Kiki* per ottomila franchi. Per ringraziarmi mi ha pure regalato un sacco di soldi, che mi potevano bastare per camparci tre anni, ma che ho speso immediatamente in vestiti meravigliosi e cene luculliane. Nel quadro il mio corpo bianchissimo ha due soli punti scuri di contrasto, il caschetto nero e un minuscolo triangolo di peli sul pube. Girava una voce sulla mia fica che mi divertiva non smentire. Si diceva che io non avessi peli, e che per posare me ne disegnassi un po' con un carboncino, come facevo con le sopracciglia. Si disse anche che i peli mi crescevano davvero quando mi innamoravo, infatti nelle foto di Man Ray c'erano. Non era una leggenda bellissima?

Io e Man ci eravamo incontrati un anno prima del successo di Foujita, mentre Mendjisky si era trasferito in Costa Azzurra perché diceva che gli serviva più luce per dipingere e Parigi aveva cieli troppo plumbei. Io non l'avevo seguito.

L'incontro con Ray avvenne una sera in un nuovo locale in cui andai con Juliette e si rifiutarono di servirci perché eravamo due donne sole. Feci una scenata in piedi sul tavolo e Ray che era lì a bere con Marie Vassilieff le chiese chi ero. Marie mi presentò come la top model di Montparnasse e ci invitò al suo tavolo prima che ci cacciassero. Un uomo bastava per tre, per rimanere sedute e servite, ma io ero indignata. Insistetti per uscire e andare da Rosalie a mangiare, Man offrì la cena e il cinema dopo. Andammo a vedere *Femmine folli* di Erich von Stroheim. Nel buio della sala ci prendemmo la mano e facemmo l'amore con le dita. Ero già diventata la sua femmina folle. Il giorno dopo avrei posato per lui e mi sarei trasferita nel suo studio. Restammo insieme per sei anni, è stato il mio amore più duraturo, il mio compagno più vicino.

Sono stata la sua prima modella, per questo ho la presunzione di dichiararmi la più importante. È molto buffo che oggi io sono ricordata principalmente per essere stata la «sua» musa, quando lo sono stata per quasi tutti i più grandi pittori degli anni Venti. Però quando parlano di Man Ray dicono che la sua musa-amante è stata Lee Miller. Quando parlano di Ray e le sue donne, ricordano Lee o Berenice Abbott, Meret Oppenheim, Dora Maar. Muse che erano anche fotografe, che meritano di essere ricordate perché erano anche artiste. Di cui si ricordano i volti perché li ha fotografati lui. E poi Juliet Browner, sua moglie. A cui ha dedicato decine di ritratti. Io no. Eppure ero artista anche io. Eppure sono stata ritratta nelle sue opere più note. Ma io sono famosa per i pezzi del mio corpo che ha fotografato, non per il mio viso. La mia schiena-violoncello, il mio busto ricamato di luce.

Quella che avete visto tutti o nell'originale o riprodotta o disegnata, che è stata imitata in mille modi è la foto di me di spalle con un turbante e un orecchino, le braccia invisibili, la schiena nuda e pallida sulla quale, nel punto più stretto, Man ha sovrastampato le fessure a forma di *f* che sono sui violoncelli. Quasi nessuno sa che sono io in quella foto. Potrebbe essere un'altra donna, non c'è neanche il mio nome nel titolo. Si chiama *Le violon d'Ingres*,

Il violino di Ingres. È un titolo-citazione: richiama *La Baigneuse* di Dominique Ingres, pittore che Man amava, che ritrae appunto una donna nuda di spalle con un turbante, ma è anche un gioco di parole. In francese *violon d'Ingres* è un'espressione che usiamo per parlare di un passatempo o una attività secondaria che si affianca alla prima: Ingres infatti era famoso per suonare molto bene il violino oltre a dipingere magnificamente. E così ero io per Man Ray, come il violino per Ingres, la sua seconda passione dopo l'arte. Non io, Kiki, ma il mio corpo, anche a pezzi, un oggetto con cui divertirsi nel tempo libero.

L'altra opera in cui figura un pezzo di me che è rimasto iconico è la scena finale del corto *Le retour à la raison*, che fu proiettato alla serata Dada nel '23 per un'unica volta e poi bandito. Lo scandalo fu così grande che la successiva proiezione pubblica è avvenuta ventisei anni dopo. Adesso lo possono vedere tutti, in tutto il mondo, dai loro computer. Che cose miracolose sono successe in meno di un secolo. Nel film ci sono chiodi, fumo, una giostra, una molla, mille frammenti di oggetti non identificabili che fluttuano e, nel finale, le mie piccole tette perfette, sovraesposte, il mio busto bianco accanto a una finestra, rigato da spirali di ombre, un vestito di pizzo fatto di luce.

Sono pezzi di me che hanno fatto da musa a Man Ray.

Eppure la foto più bella che mi ritrae, anzi, quella che secondo me è la foto più bella che Man Ray abbia mai fatto, anche se non è la più famosa, è *Noire et blanche*. Il mio viso appoggiato su un tavolo a occhi chiusi, la pelle bianca e le linee nere geometriche dei tratti, i capelli lucidi pettinati di lato, le linee sottili delle sopracciglia, delle labbra. Con la mano reggo in verticale una maschera africana di ebano, che è un volto stilizzato simile al mio in orizzontale, solo più scuro e più sottile, le ombre dei due ovali che si accoppiano specularmente sul piano. La mia foto preferita tra quelle di Man. Quella in cui mi ha chiuso gli occhi, e non era la prima volta. Anche nel film *Emak Bakia*, mi ha dipinto degli occhi finti sulle palpebre, e l'occhio aperto, con le lacrime di vetro, *Larmes de verre*, non è il mio. E so perché. Raramente Man Ray ha fotografato i miei occhi, perché la scintilla che avevano dentro lo ha sempre turbato. Era più facile per lui lavorare con la mia pelle.

Le curve dei fianchi e del culo, degli zigomi, delle sopracciglia, le sagome appuntite delle labbra, sempre sottolineate dal rossetto, quelle a gomito del mio naso sono state la mia ricchezza. Il mio naso in effetti era lungo: quando sono andata a fare un provino come ballerina al Concert Mayol, il selezionatore ha fatto mettere me e Juliette nude in fila insieme alle altre con le braccia dietro la schiena per guardarci bene le tette. Ci scartava con disprezzo, tu sei troppo bassa, tu troppo magra, tu hai le gambe storte e a me ha detto, di te si vede solo il naso. Gli ho risposto se tu avessi un cazzo lungo come il mio naso, tua moglie sarebbe più contenta. E me ne sono andata. Sono sempre stata sfrontata, ma mai cattiva. Devo tutto alle mie curve certo, ma al cuore puro, anche. Devo tutto al corpo, ma moltissimo anche all'audacia e all'allegria. Non erano un patrimonio da poco per quei tempi, a ripensarci. Certo, sono anche stata in difficoltà in tanti momenti, ma adesso posso confermarlo con cognizione di causa, come ho scritto nella mia autobiografia, i primi cent'anni della vita sono sempre i più duri.

Adesso che un secolo è passato è tutto più semplice. È incredibile quanto è comoda la vita adesso, quanto cibo c'è in giro, quante stanze ben riscaldate. Quanto facile è viaggiare, guarire dalle malattie, mandare un messaggio. Quanto è facile catturare un'immagine. Quanto è più libera la vita delle donne. Quanto vi trattano meglio gli uomini. Quanto sono bravi come padri (riconoscono i figli!). Quanto sono belli i vostri bambini. Io che a un certo punto avrei voluto ma non ne ho mai avuti. Juliette che invece è morta di parto. Oggi l'avrebbero salvata di sicuro. Se non madre, sarei stata almeno madrina. Certo, poveretti, siete più tristi. E state sempre a lamentarvi. Vi sembra tutto difficile, deprimente. Fate una fatica a prendere iniziative e reagire che non vi capisco. Quando Juliette ci comunicò di essere rimasta incinta, senza sapere di chi fosse il bambino, io, lei e Thérèse Maure, detta Treize, che era l'altra mia migliore amica ballerina, decidemmo che avrebbe dovuto tenerlo, che la avremmo aiutata. Quella stessa sera mi ritrovai al bar con Man Ray e Duchamp che giocavano a scacchi. Io li guardavo senza capire niente del gioco. Mi tenevano lì ad assistere, senza dirmi una parola. A un certo punto ruppi il silenzio della loro concentrazione dicendo a Man che ci avevo pensato e volevo fare un figlio con lui. Lui non rispose. Io mi alzai e me ne andai. Uscendo dal locale sentii Duchamp che diceva «Scacco». A casa litigammo, la mia richiesta, che era la più grande dichiarazione d'amore che avessi mai fatto, era stata umiliata e lui in tutta risposta mi rinfacciò di averlo fatto perdere al gioco!

Non sono mai rimasta incinta. Forse il mio corpo lo sapeva che era meglio così. Che non sarei stata una brava madre. E credo che sia andata bene lo stesso, in fondo il mio compito creativo l'ho portato a termine. Ho procreato come un uomo, essendo io quella che feconda chi poi dà alla luce qualcosa che ti sopravvive, e non ti appartiene più, ma porta tracce di te. Ogni opera d'arte per cui ho posato, ogni quadro, ogni foto, ogni film, ogni canzone è una figlia che mi somiglia molto e che ho lasciato al mondo.

Poco tempo dopo la mia proposta davanti alla scacchiera partii alla volta di New York con Mike, un giornalista americano. Il viaggio in transatlantico fu fantastico, eravamo sempre su di giri, più le onde erano alte più ci divertivamo a bere e scopare. La mia ricerca di sfondare nel cinema americano però non andò a buon fine. Mi ritrovai a fare dei provini assurdi, in mezzo a centinaia di altre donne. Ma io ero Kiki! Man mi ha comprato il biglietto di ritorno e sono tornata a vivere con lui, ci siamo trasferiti in una stanza d'albergo in rue Bréa, che abbiamo quasi distrutto tirandoci qualsiasi cosa durante i nostri litigi violenti. Man mi aveva tradito con la mia amica Treize mentre ero in America! Almeno il mio Mike era per lui uno sconosciuto. Quell'autunno, era il 1923, aprì il Jockey. Nel giro di poco tempo cominciammo a frequentarlo tutte le notti e in breve diventò il locale notturno più divertente della città. A turno ognuno di noi si esibiva in una performance e una sera in cui ero brilla sono salita su un tavolo e ho cantato una canzone un po' zozza. Da quella notte sono diventata l'attrazione numero uno del locale. Raccoglievo così tanti soldi nel mio cappello che il proprietario ha preteso di dividerli con me. Fu sempre al Jockey che conobbi un attore vero, Ivan Mozžuchin, che è diventato presto il mio amante, era così bello. Eppure di lui, che allora era famosissimo, non ricorda quasi niente nessuno, mentre la mia performance in *Ballet mécanique* di Fernand Léger e Dudley Murphy, con la mia trasformazione moltiplicata grazie al sistema di lenti messe a punto nientemeno che da Ezra Pound, è ancora proiettata dappertutto, è nei musei.

Come ho già detto avevo una passione per i marinai americani, e a Parigi se ne trovavano ben pochi, ma tutti gli americani venivano a Le Dingo. È lì che ho conosciuto Hemingway e i Fitzgerald. Zelda aveva gli stessi miei capelli, il caschetto corto da *flapper* che cercavamo di stirare da una base di ricci neri indomabili e un'attitudine alla vita molto simile. Non abbiamo fatto in tempo a diventare amiche, forse non ci saremmo sopportate perché eravamo troppo simili nelle nostre contraddizioni, emancipate e sessualmente libere ma troppo propense a perdonare gli abusi dei nostri uomini, gioiose ma autodistruttive, creative ma troppo generose (o pigre?) per imporci come artiste. Comode nel nostro ruolo di muse. Eravamo coetanee e abbiamo vissuto gli stessi e pochi intensi anni. K e Z, due incognite, due grandezze non note, in un problema simile, la cui determinazione ha avuto praticamente lo stesso esito.

I marinai sono andata a cercarmeli a Villefranche-sur-Mer in Costa Azzurra, su suggerimento di Jean Cocteau, nella primavera del 1925. Evidentemente sono stata troppo spavalda e dopo un alterco con due poliziotti mi hanno arrestata e messa in prigione per prostituzione. Che assurdo, a quei tempi non poteva essere comprensibile che una donna volesse fare sesso con un bel ragazzo per il puro gusto di farlo. In prigione avrei voluto uccidermi. Per fortuna Man Ray e i miei amici hanno fatto di tutto per liberarmi, cercando di giustificare i miei atteggiamenti in quanto «artista». Di fatto ha funzionato solo l'accezione «artistica» della malata di mente, ma ne sono uscita presto. Che poi, artista lo ero davvero, ma in realtà non sapevo fare niente molto bene. Non avevo coltivato un talento particolare, dipingevo senza aver imparato da nessuno, avevo successo cantando ma più per le canzonacce sboccate che per la voce, ho sempre ballato da schifo ma tutti adoravano il mio cancan perché potevano vedermi il culo, scrivevo senza saperlo fare. Eppure ho fatto una mia esposizione alla fiera Sacre du Printemps dove ho venduto tutti e ventisette i quadri esposti, ho avuto un mio cabaret personale, il Babel, ho registrato tre dischi, portato i miei spettacoli a Berlino, ho scritto una mia autobiografia che ha avuto diverse edizioni, una prefazione di Foujita prima e di Ernest Hemingway poi. Una prefazione di Hemingway! Che non l'ha scritta mai per nessuno e ha detto che il mio libro era il più bello che avesse letto dopo quello di E.E. Cummings. Un libro che in America è stato bandito e che proprio per questo è diventato poi un best seller assoluto, in un'edizione pirata di Samuel Roth che vendeva roba pornografica per corrispondenza e lo ha pubblicato con un capitolo apocrifo in cui si finge me, pareggia i conti con Hemingway e Joyce passando da grande editore illuminato e mi fa passare per una pazza che va in giro con uno stoccafisso puzzolente che ha eletto a suo guru personale, una che insegue le giovani ballerine scambiandole per puttane e che tratta Hemingway come uno *sugar daddy*. Ne avessi almeno ricavato qualcosa da queste calunnie. Invece sono morta in povertà. Ero famosa per essere famosa. Una cosa che succede spesso nei vostri tempi, no? Mi sarei trovata bene al giorno d'oggi. Può darsi che sarei stata facilmente una star assoluta dei social media. Ma è più facile che li avrei detestati.

Non che pane e vino non me li sia guadagnati sempre, di certo ogni volta che qualcuno mi ha offerto qualcosa me lo sono meritato, ci ha preso in cambio qualcosa in più lui.

O lei. Ma lavorare mi è sempre piaciuto meno di scroccare, mi è sempre riuscito peggio.

Gli anni Venti sono stati il mio decennio e il 1929 il mio anno d'oro, forse l'ultimo: prima c'è stato il mitico Bal Ubu, che in molti ritengono l'ultimo grande ballo di Montparnasse, in cui abbiamo bevuto champagne e ballato fino a che non si è fatto giorno. Ma l'apoteosi dei festeggiamenti per me fu il Gala del Bobino Music Hall per un fondo alimentare a favore degli artisti. C'eravamo tutti. Ognuno si è esibito, io ho cantato i pezzi di repertorio per cui ero famosa. Fui incoronata all'unanimità Regina di Montparnasse. C'è una foto bellissima della mia «incoronazione», io ubriaca, i capelli ricci con un fiocco sfatto, le sopracciglia rasate e disegnate a filo, una rosa tra i denti. Di quella foto fecero una cartolina di cui sono state vendute migliaia di copie. Per celebrare il mio trionfo mi accompagnarono in cento a La Coupole.

Non che fossi amata da tutti, so che qualche settimana dopo il Gala, a una festa a casa di Coco Chanel per la fine della stagione dei Balletti russi, una serata come dite oggi *all you can eat* a base di solo caviale, qualcuno scrisse male di me, che avevo bevuto troppo e cantato canzoni oscene. Eppure le canzoni oscene furono il mio pane per gli anni Trenta.

A Parigi era arrivata Lee Miller. La sera della presentazione del mio libro, *Souvenirs de Kiki*, organizzammo una serata in libreria in cui con trenta franchi si aveva una copia, un autografo e un mio bacio. La libreria era piena, c'era la coda fuori, un firma-copie meraviglioso come quello è da invidiare veramente, oggi non si può più fare. Era tutto molto divertente ma Man Ray si presentò al mio tavolino con lei. Trovai così di cattivo gusto che non fosse venuto da solo a prendere il libro e un bacio. Glielo rinfacciai, lui mi rinfacciò che neanche io ero sola, gli risposi che era una questione professionale (a quei tempi stavo con il mio editore Henri Broca), a sua volta mi disse che anche nel suo caso lo era, visto che Lee era la sua assistente. Gli chiesi davanti a lei se glielo succhiava bene, lei sgranò gli occhi. Aggiunsi, ah già, le americane non fanno queste cose, e quando Man mi rimproverò una gelosia fuori luogo, gli risposi che non potevo essere gelosa di quel mucchietto di ossa. La verità era che quella giovane bionda eterea dagli occhi chiari aveva preso il mio posto, e avevo capito subito che lo aveva occupato tutto, con la sua bellezza, l'intelligenza, la raffinatezza. Contro ogni luogo comune lei era americana ma colta, sofisticata e sobria. Io ero la francese ma ero sempliciotta, volgare, irruenta. E stavo invecchiando senza grazia. Non fui mai più gelosa di lei. Capii subito che dovevo sottrarmi a ogni forma di competizione. Diventammo amiche.

Dopo Broca era finita per me l'epoca dei compagni importanti. Era come se non mi sentissi più all'altezza dell'arte, come se il mio corpo, incapace ormai di ispirare granché, avesse spento come una candela consumata anche la luce intorno agli artisti di Montparnasse. Il mondo aveva avuto tre età dell'oro, una ad Atene, una a Firenze e una a Parigi, nel mio quartiere, e l'ultima è finita quando io ho smesso di splendere.

Mi fidanzai con André «Dédé» Laroque, lo rimorchiai in un locale perché mi ricordava molto l'attore Jean Gabin e lo trovavo irresistibile. Ma era un esattore delle tasse. La cosa bella era che suonava magnificamente la fisarmonica. Così creammo un duo e girammo un bel po'. Abbiamo registrato dischi e siamo arrivati fino a Berlino. Con i soldi delle serate tedesche dovevo pagare l'ospedale a mia madre, che nel frattempo era stata mollata dal marito per una donna più giovane ed era finita in ospedale con la cirrosi. Purtroppo nonostante i soldi che le mandavo non riuscii a tornare in tempo per rivederla viva. Non che io non avessi problemi simili ai suoi. Bevevo e ingrassavo e per dimagrire sniffavo cocaina. Mi innamorai di una ballerina, Margot Vega, che aveva 22 anni. Era così bella e così dolce. Stare a letto con lei mi faceva sentire in paradiso. Mi feci anche bionda per mettere su un duo con lei, su idea di suo marito, «Les Vega Sisters». Ci divertivamo, ma Dédé era sempre preoccupato per la mia salute. Ho provato diverse volte a disintossicarmi. Anche se poi ci siamo lasciati lui ha sempre voluto accompagnarmi. Del mio ultimo amore non ho molto da dire se non che era un idraulico che si chiamava Marcel, tanto bello e bravo a letto quanto manesco. La guerra era scoppiata di nuovo e io mi ero allontanata da Parigi, ma in provincia la mia libertà era vissuta molto male dagli uomini.

Anche Man Ray se n'era tornato in America quando Parigi era stata occupata. Aveva fatto bene. Ci rivedemmo nel '51 per caso, a Montparnasse. La guerra era finita ma niente era più come prima. Noi non eravamo più i giovani sopravvissuti pieni di vita. Io ero ormai una grassa alcolizzata che viveva di aiuti. Il trucco a cui non riuscivo a rinunciare mi dava un'aria disperata, il mio corpo, che ormai aveva superato gli ottanta chili, aveva perso tutte le curve gentili che avevano ispirato così tanti dipinti. Ho visto nel suo sguardo il riflesso di quello che ero diventata, quello che di sicuro non ero più. Mi dette dei soldi, che accettai, ma una volta fuori dal bar li regalai a un clochard. Mi lasciai andare perché volevo che la bilancia della mia esistenza restasse sempre più pesante dal lato giusto, e il bello era passato e non tornava più. Sono morta il 23 marzo del 1953 a 52 anni, ubriaca fradicia, come mia madre. Sono morta cantando. Al funerale, delle centinaia di amici artisti di Montparnasse c'erano solo Treize e Foujita. È stato meglio così, per quelli che non mi hanno vista morta non sono mai morta. Del resto ero una musa e il mio lavoro è stato esserci. Essere retribuita per la mia presenza, per rimanere. Ed è quello che ho fatto, sono rimasta.

È stato bello vivere. È bello anche vedere cosa la morte fa di te quando hai vissuto alla grande. Le tracce che restano. Un quartiere dove neanche sono nata è stato il mio regno, le persone che lo hanno popolato insieme a me, cento anni fa, mi hanno resa regina, Alice Prin, incoronata per sempre Kiki de Montparnasse. Mi è piaciuto così tanto vivere, che sono ancora viva.

Laura Pugno

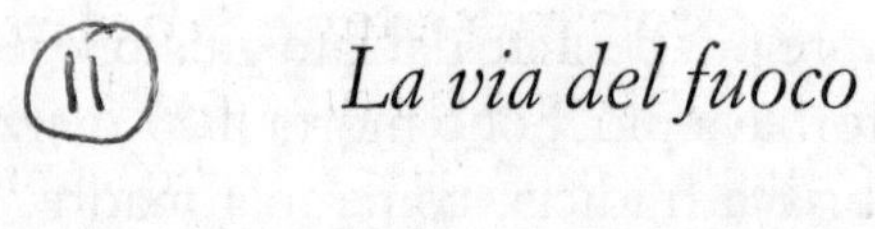

La via del fuoco

Sabina Spielrein

1. Uno spazio che ci sembra un teatro

Siamo in uno spazio che ci sembra un teatro, ma come ci sembrano le cose dei sogni. Tutto è buio, con delle piccole luci in fondo. Vediamo appena, ma a poco a poco i nostri occhi si abituano, cominciamo a scorgere qualcosa. Il buio, la situazione inconsueta, dovrebbero darci affanno, angoscia, e invece.

Intravediamo una scena, forse un palcoscenico, ma subito dopo ci sembra che sotto i nostri piedi la terra sia terra battuta.

Una figura viene avanti, verso di noi.

È una ragazza, ci fa segno di avvicinarci, sembra che voglia sfiorarci la mano. È così giovane, avrà non più di diciannove anni. Ubbidiamo. Sentiamo la sua voce. Chiudiamo gli occhi. Lei ci invita a sederci, a rannicchiarci accanto a lei, accanto alle piccole luci, e dice:

2. La stanza

Pensa, ora, a una stanza completamente chiusa, senza finestre, nel mezzo di una grande casa. Così era la stanza d'analisi di Sabina Spielrein a Rostov-sul-Don, in Russia, nella casa in cui visse e lavorò dal 1924.

È ancora possibile vedere la casa, e quindi la stanza.

Perché Sabina ha scelto proprio quella stanza?

Cosa cercava, Sabina?

(E quindi, la vera domanda è, chi era?)

Un luogo dove è possibile chiudersi completamente,
dove è possibile perdersi,
dove è possibile curare?

Scrive di lei Coline Covington:[1]

> Durante questo periodo della sua vita la Spielrein fu descritta dai parenti come una figura solitaria, intensa, seria, che lavorava molte ore, puritana nel vestire, solita a indossare vestiti vecchi e anche logori, così da non dovere spendere soldi per sé. [...] L'ultima notizia di lei risale all'estate del 1942 quando fu vista con le sue due figlie in una colonna di ebrei intruppati dai nazisti verso la forra di Zmeyevsky.

Sabina ha 57 anni.

Muore la morte di milioni di altri, di infiniti altri.

Muore quella che è sempre stata, nella stanza chiusa all'interno di sé, una mistica.

Qualcuno che cerca la via del fuoco, l'amore di dio.

3. Figure

Mentre sentiamo queste parole, un'altra figura femminile avanza dal fondo e viene verso di noi. Si siede per terra accanto alla ragazza che abbiamo già visto, quella che ci sta parlando. È una donna anziana, eppure lei e la ragazza si somigliano, hanno i capelli lunghi, lunghissimi, il volto troppo distante e in ombra perché possiamo vederlo. Sono un doppio e uno specchio.

La donna e la ragazza si prendono per mano. Prendono per mano anche noi. Formiamo un cerchio. Percepiamo, nello spazio-teatro, la presenza di altre persone, spettatori? Dietro di noi, intorno a noi.

Sogniamo che questo non sia un teatro ma un cerchio di corpi intorno a un fuoco, a un giro di luci led che illumina e non brucia, a un fuoco che brucia.

4. Le lettere

Nel 1977, a Ginevra, un fascio di lettere di Sabina Spielrein a Carl Gustav Jung e Sigmund Freud viene ritrovato nei sotterranei del Palais Wilson, che era stato la sede dell'Istituto di Psicologia.

A questo ritrovamento, ne seguiranno altri, di altri documenti, in particolare del fondo Édouard Claparède.

È l'apparizione di Sabina Spielrein.

(Prima, quindi, Sabina era scomparsa).

Diventata una nota a piè di pagina nei manuali, nei libri di storia della psicoanalisi.

Il «caso difficile» di cui Carl Jung scrive a Sigmund Freud, dicendogli che sta applicando il suo nuovo metodo.

Ci si dovrà quindi chiedere se la scomparsa faccia necessariamente di lei (di noi) una vittima, se non renda invece più liberi, o anche solo liberi.

Scrive Nicolle Kress-Rosen: «Coloro che scoprirono Sabina la inventarono anche, e da allora abbiamo continuato a farlo».[2]

Scomparire nello spazio della Russia e nel tempo della storia. Scomparire da cosa. Per fare cosa?

Portare la psicoanalisi in Russia.

Creare un asilo, l'Asilo Bianco, un luogo di educazione e di istruzione nuovo, per bambini come la bambina che era stata.

L'Asilo Bianco fu chiuso da Stalin.

Sabina Spielrein fu uccisa dai nazisti. Con le sue due figlie.

Conosciamo la Storia.

Continuiamo a sorprenderci di queste morti atroci.

Pensiamo ora indietro, verso l'apparizione.

5. *Giocare pulito*

È il 1977 quando le lettere vengono ritrovate. Sabina, nel 1924, partendo per la Russia, non le ha portate con sé.

Ha lasciato indietro ciò che in quelle lettere era?

È il 1980 quando Aldo Carotenuto, psicoanalista junghiano, pubblica *Diario di una segreta simmetria*, in cui racconta per la prima volta al pubblico la storia di Sabina, la ragazza che si trovò tra Jung e Freud. La paziente, l'allieva, l'amante di Jung. Poi l'allieva, la collega, la corrispondente di Freud.

Spiel-rein, in tedesco, significa «giocare pulito».

Giocare pulito.

È proprio intorno al «caso Spielrein» che l'amicizia tra i due uomini per la prima volta s'incrina, per il comportamento di Jung con la ragazza quando, temendo uno scandalo, rompe con lei. Il resto avverrà – per motivi dottrinali, per successione mancata, per ambizione e rivalità – due anni dopo. La psicoanalisi nascente ha il suo scisma.

Da paziente diventata medico, Sabina lo rifiuterà.

Ma andiamo con ordine.

6. *Il manicomio e l'hotel*

L'hotel Baur en Ville, sulla Paradeplatz di Zurigo. Esiste ancora, potreste dormirci, volendo. Oggi è un cinque stelle, nel cuore della città, con i bagni di marmo.

Un alto edificio bianco, una scala a chiocciola art déco, tovaglie bianche e bicchieri di cristallo.

Intorno i tetti scuri, i campanili, le piazze della città svizzera.

Possiamo immaginarlo senza fatica più di cento anni fa, nel 1904, con la luce del cielo d'estate.

È il 17 agosto. Aspettiamo che scenda la notte. Aspettiamo Sabina.

Eccola.

Entra in scena con furia.

Sono le dieci e trenta di sera.

Scrive Sabine Richebächer: «La figlia del ricco commerciante ebreo Naphtul Spielrein di Rostov-sul-Don fa una tale scenata che deve essere ricoverata nella clinica psichiatrica Burghölzli».[3]

Abbiamo le sue cartelle cliniche, abbiamo la diagnosi di Jung, il giovane medico di Basilea che l'ammette in reparto.

Isteria. C'è chi parlerà di isteria psicotica, chi addirittura di schizofrenia.

Isteria: tutto il corpo diventa un sintomo.

Tutto il corpo dice.

Quella notte, Sabina è accompagnata da uno zio medico, il fratello di sua madre Eva, e da una guardia. L'hanno dovuta portare via dall'hotel. Grida, ride, contrae le gambe, fa smorfie, ha dei tic.

Urla di avere mal di testa.

Urla di non essere pazza. All'hotel c'era troppa gente, la luce, il rumore.

Avrà un'infermiera privata e una stanza tutta per sé. La famiglia Spielrein pagherà, di retta, 1250 franchi a trimestre, la tariffa privata, perché in Svizzera Sabina è straniera. Esattamente quello che il suo medico, Carl Gustav Jung, scrive Angela Graf-Nolde, guadagna in un mese.[4]

7. Non per la prima volta

Sabina non è al suo primo ricovero. È già stata per un mese a Interlaken, presso la Clinica e Terme dottor Heller, specializzata per malati di nervi. Trattamento clinico. A Zurigo, doveva essere ricoverata presso la clinica privata del dottor Constantin von Monakov, emigrato russo. In città c'è una vera e propria colonia russa. Lì in Svizzera, l'università è aperta alle donne, in Russia no.

A Zurigo, le donne possono studiare Medicina.

Il dottor Monakov è uno specialista di anatomia cerebrale. Ma come Jung scriverà nella cartella clinica di Sabina, rifiuta la nuova giovane paziente perché «troppo agitata».

La scenata all'hotel Baur non avrà aiutato di certo.

Così, Sabina arriva al Burghölzli.

Presso il Centro diretto dal professor Eugen Bleuler, le isteriche sono poche. Pazienti meno gravi rispetto agli schizofrenici – allora classificati come affetti da *dementia praecox* – possono essere, forse, trattate con successo con il nuovo metodo del professor Freud di Vienna.

L'interpretazione dei sogni, di Freud, è uscito nel 1899. Anche se non è ancora molto chiaro in che cosa la «psicoanalisi» consista.

Ma Vienna non può ancora rivaleggiare con Zurigo: il Burghölzli è una clinica di fama, che Eugen Bleuler – «il tipo d'uomo che riuscirebbe a dare un buon nome al patriarcato» scrive John Kerr,[5] gestisce come una comunità terapeutica. O un monastero psichiatrico.

I medici, con le loro famiglie – e tra loro anche Jung con la moglie Emma, incinta del primo figlio – vivono presso il Centro, in appartamenti privati. Medici e pazienti pranzano insieme, e i pazienti possono anche collaborare, come assistenti, alle attività. Sarà il caso di Sabina. Suo zio è medico, sua madre è dentista, anche se esercita più per piacere che per denaro, dato che la famiglia Spielrein è ricca.

E proprio dalla sua famiglia il Burghölzli riesce a tenere Sabina lontana, perché solo quella lontananza, insieme alle cure, potrà guarirla. Ancora più di Jung, Bleuler sarà fermo su questo, fino a vietare al padre di Sabina di farle visita «per prenderle le misure di un vestito». Potrà, scrive Bleuler, mandare dalla figlia la sua sarta. Quando uno dei fratelli di Sabina si trasferisce a Zurigo, di nuovo Bleuler scrive a Naphtul/Nikolaj Spielrein che questo è male per la sua paziente, e che sarebbe meglio evitare ogni richiesta e ogni contatto.

Solo in solitudine Sabina potrà avere libertà.

Se Sabina è ricca, Emma Rauschenbach, la moglie di Jung, figlia di industriali, è ricchissima. Carl Gustav no, la sua famiglia, pur di alta estrazione sociale – pastori protestanti e rettori di università – negli anni si è impoverita. Si favoleggia in casa di una lontana, illegittima, discendenza da Goethe.

Quando Jung ha tre anni, nel 1978, sua madre, Emilie Preiswerk, entra in depressione. Viene ricoverata, lontana da casa. A occuparsi del piccolo Carl, in quei lunghissimi mesi, sarà una giovane domestica, una ragazza bruna. Il secondo amore, la seconda madre.

Il doppio sarà ovunque, nella vita di Jung. Perché anche sua madre Emilie non è una, è due. La donna che regge la casa, pratica, raziocinante. E un'altra donna che di notte parla con gli spiriti, o a sé stessa con un'altra voce, una seconda personalità che appare solo a tratti, o quando si spengono le luci. Che diventa parte, come lo diventano queste cose inspiegabili, della vita della casa.

Il corpo parla attraverso gli spiriti. Attraverso i sintomi.

Anche la cugina di Jung, Helene Preiswerk, diventata adolescente, si crederà una medium. Su di lei Carl condurrà i primi esperimenti psicologici. Di lei si innamorerà, su di lei scriverà la sua tesi di Medicina.

Poi partirà per Parigi.

Sono passati molti anni da allora. Ora Carl Gustav Jung è un giovane psichiatra in ascesa, il numero due della famosa clinica Burghölzli, qualcuno che cerca il modo di dimostrarsi al mondo.

Ed ecco Sabina, il suo corpo un groviglio di nervi, un non detto che pervade.

Il corpo che parla selvaggiamente, che sente tutto ciò che la mente dice.

Che la mente non dice.

L'infanzia, la primissima infanzia in Russia. L'educazione con violenza. L'umiliazione di mano di suo padre, davanti ai fratelli. Il dilagare di sua madre. Il masochismo che ne deriva. Le fantasie fecali, l'eccitazione, il turbamento. La convinzione – lei discendente di grandi rabbini, come Jung lo è di sacerdoti e pastori – di essere chiamata a grandi cose, in un tempo e un Paese che non lo rende possibile a una giovane donna.

La perdita di dio, il desiderio di dio.

La morte per tifo a quattro anni, di sua sorella, la sua sorellina Emilia, che la manda in pezzi. Le difese crollano, l'Io non regge più.

Sabina diventa un corpo che urla e si contorce, una bambina in apparenza demente che minaccia il suicidio, che aggredisce le infermiere, che si tocca in continuazione, freneticamente, non appena qualcuno la costringe, le fa del male. Sabina desidera che le si faccia del male. Niente di più facile.

Una giovane russa, ricca, colta. Jung intravede la sua opportunità. Sarà il suo primo caso da trattare con il nuovo metodo dell'*Interpretazione dei sogni*, e con il test, che Jung stesso ha sviluppato, della libera associazione di idee.

Freud commenterà: «È qualcosa di positivo che la sua russa sia una studentessa. Le persone non colte sono per il momento per noi troppo impenetrabili».[6]

E Sabina stessa, nella prima lettera che abbiamo per Jung – solo un frammento, di prima del 1911 – scriverà:

> Nella mia anima si è fatta luce e così dovrebbe avvenire anche nella Sua. Il mio scopo principale è sempre di coltivare in Lei tutte le cose meravigliose, ma per fare ciò è necessario che mi ami. I Suoi stati d'animo idealistici coincidono con l'amore per me: io sono il Suo «primo successo»; i dubbi che Lei ha sulle proprie forze si manifestano anche nella Sua resistenza nei miei confronti; se ha dei dubbi, Lei per me diventa soltanto il dottore. Io voglio vederLa grande![7]

Solo poco tempo prima, Jung ha annotato nel suo taccuino un caso immaginario, una certa Sabine S. Forse, quando prende in cura Sabina, l'immaginazione che si trasforma in realtà, il giovane Jung ha già l'intenzione di scrivere a Freud.

In certo senso, Sabina è una strana, misteriosa esca.

Già il 25 settembre 1905, su richiesta della madre di Sabina, Eva, Jung prepara una «relazione» per il professor Sigmund Freud di Vienna, in cui descrive il caso di Sabina e per così dire gliela affida, perché la paziente ha avuto la sventura di innamorarsi di lui.

Sull'intestazione c'è scritto: «Relazione sulla signorina Spielrein per il professore Freud in Vienna, recapitata alla signora Spielrein, da usarsi nel caso se ne presenti l'opportunità».

Poi non accade nulla.

L'amore non pone problema, per ora.

Sabina continua la cura con Jung.

Non c'è nessuno scandalo, nel 1905. Nessuna crisi, nessuna rottura. Tarderà ancora anni, perché?

Amore di traslazione, transfert: non c'è ancora il nome, ma già si conosce la cosa.

Jung la conosce. Non è la prima volta che le sue pazienti si innamorano di lui. Ancora tutto è molto oscuro, presentito più che pensato: che sia l'amore, insieme alla parola, la materia della cura.

Ma stavolta, misteriosamente, anche Jung si innamora. Ricambia, brevemente, la passione di quella ragazza bruna. Perché accada ci vorranno anni. Dovrà arrivare il 1908.

Il 20 giugno, nella prima lettera d'amore e non d'amore, Jung scrive a Sabina:

> Mia cara Sig.na Spielrein,
>
> Lei è davvero riuscita a toccare il mio inconscio con la Sua lettera mordace. Una cosa così poteva succedere solo a me.
> Lunedì sono impegnato tutto il giorno con il dottor Jones. Tuttavia verrò in città martedì mattina e mi piacerebbe incontrarLa alle 11.00 al pontile di attracco del vaporetto nella Bahnhofstrasse. Per poter essere soli e parlare indisturbati, prenderemo una barca e usciremo sul lago. Nella luce del sole, e sulle acque aperte, sarà più facile trovare un orientamento chiaro per uscire dal tumulto di questi sentimenti.[8]

Lì, sulle acque del lago, per Jung, come le scriverà, l'immagine di Sabina cambia completamente. Lei diventa per lui *qualcun altro*.

Sabina scriverà a Freud: «Il mondo intero era per me come una melodia: cantava la terra, cantava il lago, cantavano gli alberi, ramo per ramo».[9]

9. Cosa resta

Controtransfert, Anima, Ombra.

Tutte queste parole-idee, che prima Jung scambierà con Freud, e poi, quando tra loro sarà finita, quando tutto sarà silenzio, coltiverà da solo – nascono intorno a Sabina, con Sabina.

Queste parole, e l'idea di distruzione.

La distruzione come causa della nascita, sarà il titolo del primo saggio di Sabina.

Freud lo rifiuterà per anni, fino, a suo modo, a convincersene.

Controtransfert, Anima, Ombra, pulsione di morte.

Sabina diventa un luogo in cui si pensa.

Sabina pensa, scrive. Diventerà medico. Una donna medico, nell'Europa del primo Novecento.

10. Il corpo dovrà essere cremato

Sabina Spielrein entra al Burghölzli, Istituto di cura e terapia, il 17 agosto 1904. È la paziente n. 8793. Viene dimessa il 1° giugno del 1905. Le sue condizioni sono migliorate, tanto che si iscrive alla facoltà di Medicina. Jung le scrive delle referenze, ma non basta. È un'ex paziente psichiatrica, e questo le getta un'ombra addosso. Dovrà intervenire il Direttore, Bleuler. Il 27 aprile del 1905, su richiesta di Sabina, scrive:

> La signorina Sabina Spielrein di Rostov-sul-Don, che risiede in questo Istituto e che intende immatricolarsi nel semestre estivo presso la facoltà di Medicina, non è

malata mentale. È stata qui per un disturbo nervoso con sintomi isterici. Pertanto la raccomandiamo per l'immatricolazione.[10]

Potrà proseguire gli studi.

Prima di lasciare la clinica, Sabina fa testamento. Il suo corpo dovrà essere cremato in segreto, nessuno potrà assistere, le ceneri divise in tre parti. Una parte dovrà essere inviata a casa e sparsa sulla terra del campo più grande della famiglia. Lì dovrà essere piantata una quercia con la scritta: «Anch'io fui una volta un essere umano. Il mio nome era Sabina Spielrein».

11. *L'uno e il due*

Nelle dimissioni dal Burghölzli, Sabina è detta curata. Non guarita?

Cos'è guarire?

Diventare medico.

Guaritrice ferita.

Tutti i guaritori sono feriti.

La storia di Sabina e di Jung è una storia d'amore, una storia del due?

(Per quello che accade tra loro, Sabina usa la parola *poesia*).

In realtà, la storia di Sabina non ha a che vedere col due. Né con amore ricambiato, né con carnefici e vittime.

Come la poesia, ha a che vedere con l'uno.

Con – ironia della sorte, o giustizia poetica – il diventare sé. Quell'individuazione, quella cura come fine e non come causa, che sarà la ragione interna della teoria di Jung.

La teoria per cui romperà con Freud, che lo ha scelto come erede. Per le sue qualità intellettuali, per il suo prestigio, e perché è *ariano*, nell'Europa antisemita che cova in sé il nazismo senza ancora saperlo, e che potrebbe fare della psicoanalisi *una scienza ebraica.*

Quando le cose d'amore andranno come è facile immaginare che sarebbero andate – la moglie di Jung, Emma, che scrive alla madre di Sabina una lettera anonima; Eva che minaccia lo scandalo; Jung che reagisce gettando fango, scrivendo lettere che poi i suoi eredi tarderanno anni a pubblicare, per proteggere il suo nome – Sabina fa una cosa.

Scrive a Freud.

Non chiede un prezzo per il suo silenzio, chiede di continuare a cercare un destino.

Nella psicoanalisi nascente, oltre a Jung, prima di Jung, c'è solo Freud, che possa portarla verso quel destino. L'unica sostituzione possibile, l'unico rimedio per non scomparire nel corpo, di nuovo, per sempre.

E Jung racconta a Freud mezze verità.

All'inizio, Freud difende Jung. I due giocano tra loro il gioco più pericoloso, padre e figlio, re e principe, fondatore ed erede. Non potrà funzionare, ma ancora non lo sanno.

Quando s'incontreranno per la prima volta a Vienna, il 3 marzo del 1907, parleranno per tredici ore.

Tra loro, Sabina crea una complicità. Anche Freud ha rischiato di scottarsi, con altre incandescenze, e lo scrive a Jung. Il 18 giugno del 1909:

> Si ricordi del bel paragone di Lassalle a proposito dell'alambicco spezzato in mano al chimico «Un leggero corrugare della fronte per la resistenza della materia, e poi

il ricercatore prosegue il suo lavoro». Data la natura del materiale con cui lavoriamo, piccole esplosioni di laboratorio non potranno mai essere evitate.[11]

Sabina, la materia alchemica. Ma presto le cose cambiano. Come sempre nell'alchimia, come Jung imparerà a sue spese, ogni cosa si rovescia nel suo contrario.

Il 4 dicembre del 1908, Jung le scrive:

La mia mente ha raggiunto il fondo. Io, che ho dovuto rappresentare una salda torre per molte persone deboli, sono il più debole di tutti. Lei mi perdonerà se sono come sono? Mi perdonerà se La offendo nell'essere così e nel dimenticare i miei doveri di medico nei Suoi confronti? Comprenderà che io sono uno dei più deboli e dei più instabili tra gli esseri umani? E non si vendicherà mai su di me per tutto questo, con le parole, i pensieri o i sentimenti? Sono alla ricerca di qualcuno che capisca come amare, senza penalizzare l'altro, renderlo prigioniero o dissanguarlo completamente; cerco questa persona non ancora realizzata che renda possibile un amore indipendente da vantaggi o svantaggi sociali, così che l'amore possa essere sempre un fine in sé, e non solo un mezzo teso a uno scopo. Per mia sfortuna io non posso vivere senza che nella mia vita vi sia la gioia dell'amore, dell'amore impetuoso e sempre in trasformazione [...] Qual è la cosa migliore da fare? Non lo so e non me la sento di dirlo, perché non so che cosa Lei farà delle mie parole e dei miei sentimenti. [...] Ora mi restituisca qualcosa dell'amore, della pazienza e dell'altruismo che io riuscii a darle nel momento della sua malattia. Ora sono io il malato.[12]

12. *Adesso guarda*

Alza per un momento gli occhi da quello che stai leggendo. Smetti, ora, di ascoltare questa voce. Per un momento. Accendi il computer, se non è già acceso, o prendi il telefono. Voglio farti vedere una cosa.

Un video.

https://www.youtube.com/watch?v=l3QQQu7QLoM

La donna più giovane si alza, va verso un enorme schermo e con un telecomando l'accende. Il Sole invade la stanza. È qualcosa di ipnotico e di enorme. Il suo colore è il colore oro, il suo lento movimento su sé stesso rende impossibile distogliere gli occhi. Il video è un time-lapse, dal 1º giugno 2010 al 1º giugno 2020, ogni secondo un giorno. Sono le osservazioni del Sole raccolte da un telescopio spaziale della Nasa, il Solar Dynamics Observatory, che da dieci anni orbita intorno alla Terra. La giovane donna torna a sedersi vicino a noi, e alla sua compagna.

L'altra donna, che avrà poco meno di sessant'anni, si accarezza le spalle, le braccia. Sembra percepire, come lo percepiamo noi, il calore del sole sul suo corpo. Abbiamo la sensazione di assistere a un rito, ai gesti di una religione. La ragazza riprende a parlare.

Questa è la forma che prende l'amore di Sabina. Crede a Jung come a un dio solare, sogna – per anni, per anni – di avere da lui un figlio, Sigfrido, destinato a un grande destino, a ricongiungere i mondi. Sigfrido, l'eroe delle saghe, l'uccisore di draghi. La musica di Wagner la incanta,

Sabina stessa desidera, per anni, diventare musicista. Nei suoi sogni, Sigfrido è una luce, una candela, un libro, una crisalide, qualcosa, qualcuno che va amato in altro modo, perché così vuole la vita.

Una scintilla.

Ma Sabina stessa è il suo Sigfrido. O deve diventarlo, se vuole continuare a vivere.

Tra Jung e Freud, non sceglierà, non si farà costringere a scegliere.

Il 3 dicembre 1917, quando già l'amore è finito da tempo e la distanza consumata, Sabina Spielrein scrive a Jung:

> Caro Dottore,
>
> Rileggendo la sua lettera, mi rendo conto che forse non ho capito bene ciò che Lei intende dire. La prego di avere la pazienza di leggere la lettera acclusa, che avevo già scritto, e le 4 domande che desidero farLe.
>
> 1) Che cosa significa per Lei «vivere qualcosa simbolicamente», visto che Lei concepisce il simbolo come qualcosa di reale?
>
> 2) Come si fa a vivere qualcosa simbolicamente?
>
> 3) A cosa ci serve una vita simbolica?
>
> 4) Se, per esempio, il simbolo mi dice che ho un «atteggiamento eroico», questo lo so anche senza simbolo. Che cosa rivela l'analisi di questo simbolo?[13]

La quinta domanda, aggiunge Sabina, l'ho dimenticata.

Cinque anni dopo, nel '23, torna in Russia. Prima di partire, chiede consiglio a Freud, che approva. Il 9 febbraio, nell'ultima lettera tra loro, le scrive: «Lì può fare cose eccellenti. Questi sono tempi difficili per tutti noi».[14]

13. Tutte le altre

L'artista Alessandra Calò, nel suo progetto *Secret Garden*, raccoglie lastre negative dei primi del secolo, ritratti di donne, ragazze, bambine. I loro nomi sono perduti, e così sono altre donne, artiste, scrittrici, a inventare una nuova vicenda per queste figure. Ogni lastra è poi inserita in una scatola nera che contiene anche un piccolo erbario, un *hortus siccus*, e costituisce un'installazione, un giardino buio, appena illuminato da luci che si levano da terra. Ada, Adelina, Amelia, Antonietta, Bruna, Caterina, Constance, Egle, Elisa, Faezeh, Fedora, Fernanda, Irma, Jana, Lucia, Maria, Nora, Ruth – non c'è, o non c'è ancora, una Sabina, eppure in qualche modo sono Sabina, tutte loro.

14. Andare via

Il 2 settembre 1911, Sabina Spielrein si laurea in Medicina all'Università di Zurigo, con una tesi dal titolo *Sul contenuto psicologico di un caso di* dementia praecox – il nome che allora si dava alla schizofrenia. Poi, lascia Zurigo. Parte per Monaco, poi Vienna, dov'è Freud. Diventerà psicoanalista, ammessa alla cerchia interna, ai «seminari del mercoledì».

Inquieta, inquieta sempre, viaggerà moltissimo. Berlino, Rostov-sul-Don, Losanna, Château d'Oex, Ginevra – dove nel '21 sarà l'analista di Jean Piaget – Mosca, poi di nuovo Rostov-sul-Don, per restare.

Il 1° giugno 1912, Sabina improvvisamente si sposa. Con un medico russo, Pavel Scheftel, che ha conosciuto a Rostov. Ma ancora nel maggio del '13, incinta, scrive a Freud, che intanto ha rotto del tutto i rapporti con Jung, di consumarsi di nostalgia per il suo antico amore. Freud le consiglia di aggrapparsi al presente e alla vita, «almeno per metà del suo tempo». E Sabina chiamerà la sua prima figlia Renata, rinata. Renata non è Sigfrido, Renata è una bambina, Renata, nella realtà, è il sopravvivere al sogno. Il matrimonio non durerà a lungo, anche se la separazione sarà seguita da una riconciliazione, e nel 1926 nascerà la seconda figlia di Sabina e Pavel, Eva. Ancora un nome che significa un inizio.

Il nome di sua madre.

15. Whiteout

L'Asilo Bianco, un foglio bianco, bianco all'interno e all'esterno. Cercare la chiarezza, trovarla.

Nei primi anni Venti del Novecento Sabina è a Mosca. Nel suo diario, nel 1909, scriveva:

> Non potrei mai dedicarmi a una vita tranquilla in seno alla famiglia. Io temo la tranquillità assoluta. Devo avere intorno a me delle persone con grandi aspirazioni, devo calarmi [*erleben*] nella vita di molti individui, devo riempirmi l'anima di sentimenti forti e profondi, devo essere circondata di musica e di arte. È vero, non potrei mai accontentarmi. Il mio ideale giovanile, come quello degli antichi filosofi greci, era di andare in giro per il mondo, circondati da un gruppo di studenti, e insegnare loro all'aperto, immersi nella natura. Vorrei insegnare loro un amore non artificiale, ma sincero per tutto ciò che è nella natura.[15]

Quando, nel '24, Stalin decide di vietare la psicoanalisi, Sabina ritorna a Rostov.

Continua a praticare la cura che le ha salvato la vita, diventa fuorilegge.

In una stanza chiusa.

In una stanza invisibile al Novecento lì fuori, in un luogo segreto dove può compiersi l'opera al nero.

Ma il dentro non può vincere, il fuori, lo sappiamo, *è armato fino ai denti.*

Nel '36, Stalin dà inizio al Grande Terrore.

I tre fratelli di Sabina, Ian, Emil e Isaac, i bambini che insieme a lei venivano battuti dal padre, vengono giustiziati. L'accusa è di appartenenza a organizzazione controrivoluzionaria, spionaggio.

Altri intorno a Sabina muoiono di malattia o di crepacuore: Pavel Schleftel di infarto, Vera Schmidt, durante un intervento chirurgico per il tumore che l'ha colpita alla tiroide.

Sabina è ormai quasi sola. In quel quasi ci sono le sue figlie.

Improvvisamente ci rendiamo conto, anche noi, di essere rimasti soli. La donna e la ragazza sono scomparse, così silenziosamente che non l'abbiamo notato. Si leva un vento leggero che fa turbinare le foglie, abbiamo freddo, ci accorgiamo di stare tremando. Dietro di noi non c'è più nessuno, il fuoco – ma era un vero fuoco, o solo un bagliore? – comunque si spegne. Sappiamo che è ora di andare.

Abbandoniamo la scena.

16. Qualcosa che aveva solo vagamente intuito

Il 16 settembre 1919, in quella che sarà una delle ultime lettere scambiate tra loro, Jung scrive a Sabina:

> L'amore di S. per J. ha reso quest'ultimo consapevole di qualcosa che in precedenza aveva solo vagamente intuito, cioè di un potere dell'inconscio che decide il nostro destino. Un potere che in seguito l'ha portato verso cose della massima importanza. La relazione doveva essere «sublimata», perché altrimenti avrebbe condotto alla delusione e alla pazzia.
> Talvolta sembriamo del tutto indegni di vivere.[16]

La famiglia negherà per molti anni il permesso di pubblicare le lettere di Carl Gustav Jung a Sabina Spielrein. Usciranno, nell'edizione tedesca di *Una segreta simmetria*, solo nel 1986.

Nell'ultima lettera che abbiamo di Sabina a Jung, lei conclude: «Ancora molte domande sorgono in me, ma per ora basta».

17. Non riusciva a credere

C'è chi dice che, nell'agosto del '42, Sabina Spielrein si sia consegnata spontaneamente ai nazisti, insieme alle figlie, per essere rinchiusa nella sinagoga di Rostov, e da lì portata alla morte. Di certo, non ha tentato di fuggire.

Non riusciva a credere che la Germania potesse volerle fare del male.

Note

1. *Sabina Spielrein. Una pioniera dimenticata della psicoanalisi*, La Biblioteca di Vivarium, Milano, 2007, p. 46, a cura di Coline Covington e Barbara Wharton, traduzione di Luciano Paoli e Maria Irmgard Wuehl.
2. Ivi, p. 415.
3. Ivi, p. 377.
4. Ivi, p. 250.
5. John Kerr, *A Dangerous Method*, Alfred Knopf, New York, 1993, p. 43.
6. *Lettere tra Freud e Jung*, a cura di W. McGuire, Boringhieri, Torino, 1974, p. 8.
7. A. Carotenuto, *Diario di una segreta simmetria. Sabina Spielrein tra Jung e Freud*, Astrolabio, Roma, 1980, p. 180.
8. *Sabina Spielrein. Una pioniera dimenticata della psicoanalisi*, cit., p. 81.
9. Carotenuto, *Diario di una segreta simmetria*, cit., p. 245.
10. *Sabina Spielrein. Una pioniera dimenticata della psicoanalisi*, cit., p. 187.
11. *Lettere tra Freud e Jung*, cit., pp. 253-254.
12. *Sabina Spielrein. Una pioniera dimenticata della psicoanalisi*, cit., p. 89.
13. Carotenuto, *Diario di una segreta simmetria*, cit., p. 193.
14. Ivi, p. 283.
15. Ivi, p. 288.
16. *Sabina Spielrein. Una pioniera dimenticata della psicoanalisi*, cit., p. 116.

Veronica Raimo

Una ragazza di squisito sentire

Regine Olsen

Una volta morta, sono venuti a cercarmi.

Non subito, però. È passato più di un secolo.

Mi godevo l'oblio, di tanto in tanto giusto qualche adolescente tormentata mi rivolgeva un pensiero, una blanda gelosia che mi faceva intenerire: si portava a letto i libri del mio ex fidanzato e mi trovava dappertutto. Non doveva essere piacevole. Ma non è stato nemmeno piacevole finire su tutti quei libri a fare la figura della sedotta e abbandonata.

È vero, avevamo un accordo, lui era convinto che l'avrebbe aiutato a vendere di più: la vita privata che si mescola alla scrittura, le ambiguità dell'autofiction.

«Sarà vero?»

«Se lo è inventato?»

Insomma tutti quei cavilli epistemologici che vanno ancora di moda.

Quindi un giorno è venuto da me e mi ha detto: «Senti Regine, ho avuto un'idea».

Non che fosse una novità, figuriamoci, era sempre pieno di idee, una fucina di idee mortifere e deprimenti, un vulcano di angoscia per trastullare l'esistenza.

«Ah, ma tu pensa! Un'idea...»

L'avevo un po' preso in giro, era il nostro modo di stuzzicarci, io facevo la ragazzina svampita, lui il filosofo dal bavero alzato contro le intemperie del mondo, benché in realtà le intemperie gli uscissero dal bavero.

Quel giorno c'era qualcosa di ancora più tetro nel suo sguardo, gli occhi verdi che si facevano foschi, una cupezza nuova. Non la conoscevo quell'ansia, passeggiava su e giù come se avesse il timore di parlare.

Ricordo che aveva cominciato a fissarsi i piedi in un paio di stivaletti appena comprati. Era ossessionato dalle scarpe. A dire il vero era ossessionato un po' da tutto.

«Sono così piccoli» diceva.

«Gli stivaletti?» ho chiesto.

«Ma no! I piedi, Regine, i piedi! Sono tanto piccoli».

Non capivo doveva volesse andare a parare.

«Non lo so, Søren, a me sembrano *okay*».

Ha accostato il suo piede al mio. Sì, non era molto più lungo. Poi ha tirato fuori il taccuino e si è messo ad appuntare qualcosa.

Ella non amava l'elegante linea del mio naso, né la bellezza dei miei occhi – né i miei piccoli piedi, neppure la mia intelligenza: no, ella amava me soltanto... e tuttavia non mi comprese!

Mi ha fatto leggere l'appunto.

«Che ne dici?» mi ha chiesto.

«Non saprei» ho detto, «quei puntini di sospensione mi sembrano un po' dozzinali».

«Sì, vabbè, ma il concetto? Può funzionare?»

«Hm».

«Cos'è che non ti torna?»

«Non ho capito qual è il concetto»

«Non hai capito *qual* è il concetto o non hai capito *il* concetto?»

«Non lo so».

«Molto bene».

Ha sottolineato *E tuttavia non mi comprese* continuando a passeggiare su e giù mentre gli fissavo i piedi che ora mi sembravano due topolini intenti a rincorrersi.

Squit, faceva lo stivaletto.

Finalmente si è deciso a parlare e mi ha raccontato il piano. Una roba semplice: ci saremmo fidanzati e lui mi avrebbe mollato.

«Fico» ho detto. «Ma io che ci guadagno?»

Ha buttato giù un altro paio di righe.

È il mio voto supremo... ed io devo dire: no! Per agevolare la cosa cercherò di farle credere ch'ero un volgare impostore, un leggerone, affinché le riesca possibilmente di odiarmi.

«Come no: un leggerone. Comunque continua a infastidirmi quell'uso dei puntini di sospensione e non mi interessa odiarti».

«Ecco, lo sapevo, funziona. Sei già entrata in modalità passivo-aggressiva».

«Ma che stai dicendo?»

«Ah, l'hai rifatto».

Si è rimesso a scrivere.

Mi ero sempre fatto beffe di coloro che parlavano del potere della donna, e lo faccio ancora; ma una ragazza bella e di squisito sentire, che vi ama con tutto il cuore, con tutto il pensiero, in un abbandono assoluto, che vi supplica!...

«E basta con 'sti puntini! Senti Søren, qui non ti sta supplicando nessuno».

Ma niente, ormai era partito per la tangente e non mi ascoltava più.

Era in crisi vocazionale, cioè è sempre stato in crisi vocazionale, però in quel periodo gli era presa parecchio male, vedeva i colleghi che si facevano strada con un pessimismo d'accatto, uomini sempre chini sull'abisso o intenti a contemplare il mare infinito, e non si dava pace. Era anche lui un *poser*, e come tutti i *poser* disprezzava il compiacimento solo quando lo scorgeva negli altri. Neppure si definiva un filosofo, ma un poeta religioso, che di per sé poteva essere intrigante, ma se non ci costruisci intorno – come dire – un posizionamento, non vai da nessuna parte. Sarebbe bastato anche un decalogo, o un pentalogo, poche semplici regole da seguire se vuoi diventare un buon poeta religioso. Invece lui era sempre inquieto, sempre nervoso, sempre alla ricerca spasmodica di nuovi traumi, nuovi supplizi per tenersi vivo. Aveva un discreto fiuto per i titoli a effetto, e se ne rallegrava, come ci teneva a scrivere al suo amico Boesen (*Ho un titolo che spacca, al tempo stesso sagace e profondamente filosofico!*) eppure sentiva che gli mancava qualcosa.

«Che ti manca?» gli ho chiesto.

«Un *pitch*».

Ed è così che si è buttato sul rimpianto amoroso. Non originalissimo, ma eravamo in tempi di romanticismo spinto. O di squisito sentire, se preferite.

Comunque il mercato gli ha dato ragione. Da lì è stato il disastro. Ormai gli editori non cercavano altro. Provava a scrivere cose nuove e storcevano il naso.

«Søren, non è male, però...»

«Però?»

«Non puoi trovare il modo di ficcarci Regine?»

«In che senso?»

«Sai com'è, i lettori ormai sono affezionati al personaggio».

«Cioè, dobbiamo rimetterci insieme?»

«No, no, per carità! Ci piace moltissimo questa cosa dell'amore perduto».

A quel punto sono diventata il tormento di Søren, e anche il suo tormentone. Non avevo nemmeno il *physique du rôle*. Ero una ragazza carina, mi piacevano i bei vestiti, comunque nulla di stravagante. Avevo la carnagione chiara, ma eravamo pur sempre in Danimarca, la pelle di porcellana, com'è che si dice? Diafana, sì, ecco, l'incarnato diafano dalle mie parti non è che fosse una gran rarità. Comunque sì, quello ce l'avevo. E un bel sorriso, le labbra abbastanza carnose per essere una scandinava e, se aveste voluto usare l'aggettivo vermiglio, non sarebbe stato il più appropriato, ma neppure una forzatura enfatica. La forma del viso e le spalle erano arrotondate, la morbidezza lattiginosa dei nostri rinomati pascoli, e avevo un certo languore negli occhi messo a punto in anni di noia, ma anche lì avrei detto che c'era un non so che di bovino. Non pensate a una mucca, piuttosto a un giovane vitello smaliziato. Per il resto ero una ragazza graziosa, tuttavia dubito che a incrociarmi per strada vi avrei dato il tormento per i giorni a venire. Ma per Søren non aveva molta importanza, la faccenda ormai gli era sfuggita completamente di mano.

Un giorno un editore gli aveva detto: «Søren, qui bisogna che ti metti a scrivere un po' di opere postume».

«Postume nel senso?»

Era un uomo intelligente, eppure di fronte agli editori diventava ottuso.

«Per quando muori, no? Che cosa ci vorresti lasciare? Decidi te: un trattatello di filosofia, diari, lettere? Diari e lettere sono più facili da vendere, il pubblico è morboso. Se vuoi ti affianchiamo un *ghost*».

Era abituato a lavorare con gli eteronimi, incarnando decine di pose diverse, adesso gli veniva chiesto di non essere sé stesso per poter essere sé stesso fino in fondo.

«Magnifico paradosso!» esclamava lui. «Ma che vuol dire?»

«Vedi, Søren, a noi non interessa un filosofo per quello che pensa o che scrive».

«Ah no?»

«No. Cioè sì, ma dobbiamo conoscere l'uomo che c'è dietro, sotto, intorno».

«Davanti?»

«Pure. Dimmi, chi è che sta pensando quelle cose?»

«Io».

«E chi sei tu?»

«Søren Kierkegaard».

«Ecco, benissimo. Dobbiamo lavorare intorno a questo personaggio».

«Ma non è un personaggio, sono io».

«E chi sei tu?»

«Søren Kierkegaard».

«Che personaggio».

«Eh».

«Quindi?»

«Cosa?»

«Chi è Søren Kierkegaard?»

«Io».

Così non andavano molto lontani.

La sera è venuto da me che era distrutto. Ma anche questo era un vezzo; in fondo era contento che gli avessero già pianificato le opere postume e gli piaceva avere l'aria devastata, la portava come una bella redingote. Gli piaceva pure un po' di mascara sotto gli occhi che si metteva apposta già colato.

«Dicono che vogliono un personaggio *relatable*» mi ha detto, «maledetti anglicismi».

«O anglismi?»

«Non l'ho mai capito».

Lo faceva soffrire questa cosa dell'inglese, soprattutto perché io lo parlavo meglio di lui, ma ormai si sforzava di sfoggiare una certa disinvoltura.

Mi sono fatta pensosa. Chi mai avrebbe potuto identificarsi con un uomo sempre preso così male? E dai piedi così piccoli.

«Vogliono che avviamo un carteggio» ha detto.

«Ma io che c'entro? Mi hai mollato».

«Fa niente. Possiamo anche retrodatare le lettere. Scriverci un po' prima e un po' dopo, poi vediamo come funziona meglio l'editing».

«Non ci penso proprio» ho protestato.

«Ti pago».

Un risarcimento mi pareva giusto. E comunque non è vero che non mi interessavano i soldi. Søren ha voluto omettere questo aspetto dalle sue opere postume, perché gli sembrava poco dignitoso in una storia di amore perduto. Ma se vogliamo essere sinceri, ci vedevo del dolo; era una chiara forma di manipolazione, anzi di *gaslighting* come ci ho tenuto a specificargli perché mi divertiva da matti vederlo imprecare contro la dittatura anglofona.

In un altro appunto aveva scritto: *Se ella lo desiderasse metterei tutta la mia fortuna a sua disposizione e ringrazierei Iddio di avermi data questa occasione per darle un attestato del mio amore.*

Ecco, sapeva perfettamente come *ella lo desiderasse* e voleva farmi passare per una dolce sprovveduta persino con me stessa, persuadermi che non avessi mai ambito alle sue ricchezze, che mai mi fossi sollazzata con un simile pensiero – *gaslighting* da manuale – e poi, guarda caso, ha deciso di devolvermi tutti i suoi beni solo in punto di morte, dopo aver dilapidato una fortuna a forza di stivaletti, e comunque, parliamoci chiaro, non gli era rimasto manco un cane a cui lasciare quei due spicci. Ha voluto fare il suo *beau geste*, prontamente annotato dai biografi, in puro stile kierkegaardiano, un colpo al cerchio e uno alla botte, ovvero uno a Iddio e uno a Regine.

La verità è che quando eravamo fidanzati mi piaceva uscire con lui perché era ricco e offriva sempre da bere. Non è che a Copenaghen ci sia mai stato molto altro da fare. Gli era morta praticamente mezza famiglia, e lui era diventato un ereditiero. Per questo mio padre era tutto contento quando Søren mi aveva fatto la proposta di matrimonio. Neanche lo sapeva che era un filosofo, anzi un *poeta religioso,* per mio padre era soltanto il figlio di un commerciante pieno di soldi. Poi poteva anche sfoggiare quel suo fascino da bohème per come andava vestito, ma era tutta altissima sartoria. E comunque a me non sono mai interessati i bohémien veri, dopo Søren mi sono messa col mio ex precettore, che di sicuro non era uno spiantato, e quando ci siamo trasferiti nelle Antille danesi, non è stato certo per cercare fortuna, ma perché mio marito era diventato governatore.

Forse è per questo che ci hanno messo tanto a venirmi a cercare. Non sono quel genere di donna. Insomma, quando è partita la mobilitazione universale per fare il contropelo alla Storia e andare alla ricerca di fanciulle ingiustamente ignorate, non avevo i requisiti giusti: non ero stata una ribelle, figuriamoci una rivoluzionaria o una pasionaria o una suffragetta o una partigiana, né una scienziata, un'inventrice, una cosmonauta, ma nemmeno una folgorata, una strega, una visionaria, una semplicemente stramba, una mattocchia, una malafemmina, una *flapper*, un'avventuriera, un'oscura poeta di versi esoterici, una gattara che scriveva haiku, una fotografa con l'ossessione del mosso, oppure una pazza morta suicida o finita internata in manicomio, né tantomeno ero stata una stronza micidiale, una *femme fatale*, una psicopatica, una tossica, una ninfomane, una depressa cronica, un'infanticida o una matricida.

Ero una tipa tranquilla.

Un'educata ragazza borghese che era stata sedotta e abbandonata da un poeta religioso e poi si era sposata con il suo vecchio precettore. Ero l'amica non geniale, la sorella posata della bambina ribelle, la cognata pallosa dell'artista sbiellata, la compagna di banco della bombarola che fa i compiti al posto suo mentre quella prepara l'ordigno. E non solo, ero anche una timorata di Dio, nel vero senso della parola, perché ci credevo al Signore, e quando ho rivisto Søren l'ultima volta, mica ci siamo fatti una pomiciata sbattuti contro il muro: macché, gli ho dato la mia benedizione.

Ad ogni modo, quando Søren mi ha detto della corrispondenza epistolare, ho accettato la diaria, e dopo che lui aveva già sganciato i soldi, gliel'ho messa giù così:

«Senti qua, ma non è molto più struggente se le mie lettere sono andate perse?»

Søren ha fatto l'espressione di un bambino troppo sveglio per essere ingannato; mi piaceva tanto quando la faceva.

«Racconterò che dopo la rottura del fidanzamento, o che so io, in punto di morte, me le hai restituite» gli ho spiegato, «e io, presa dal dolore, le ho bruciate tutte».

«Sei una furbetta, Regine!» mi ha detto.

Ecco il massimo a cui potevo aspirare, una furbetta.

Godeva nel pronunciare il mio nome, come se fosse una pièce. Ridacchiava ma si vedeva che era ammirato, e a dirla tutta si scorgeva anche la sua erezione, benché la religione pietista che gli aveva inculcato il padre fosse sempre in agguato. Nel giro di un paio di secondi il cazzo si è ammosciato insieme al suo sorriso beffardo.

In compenso se l'era sempre cavata bene col sesso orale. Lì il pietismo non gli dava problemi, tutt'altro. Era come se a leccarmi espiasse qualcosa. Più si sentiva in colpa, più mi leccava. E più mi leccava e più si sentiva in colpa. Un circolo vizioso, o virtuoso, a seconda dei punti di vista. Poteva andare avanti per ore. Si prendeva interi pomeriggi. Infatti di solito se ne approfittava e mi mollava i suoi scritti da editare mentre se ne stava là sotto intento a seguire gli schiribizzi della lingua, poi si convinceva che l'orgasmo mi arrivasse per via di qualche folgorazione filosofica e a quel punto veniva anche lui.

Quando però scriveva al suo amico Boesen, si spacciava per un fenomeno: *Così come so di essere un amante formidabile, so che sarei un pessimo marito, ed è una sventura che le due cose siano sempre o spesso inversamente proporzionali.*

Lo so che faceva tutto parte dell'autofiction, ma a volte secondo me tirava troppo la corda.

«Søren, se ti definisci da solo un *amante formidabile* suona un po' patetico».

«Ah sì?»

«Eh già».

«Non lo dici solo perché ti senti ferita?»

«Veramente non mi sento ferita».

«Uffa, ma che ti costa ogni tanto reggermi il gioco?»

Purtroppo le lettere di Søren non sono mai diventate il best seller che si aspettavano gli editori. Peccato, perché ci si era impegnato tanto. Sperava anche in un adattamento cinematografico, ma nessuno si è comprato i diritti e c'è rimasto malissimo.

«Cribbio! Pure *Un viaggio chiamato amore* hanno fatto».

Non se ne capacitava. «Festival di Venezia, premio al migliore attore... Siamo all'assurdo».

Per consolarsi giocava un po' alla volpe e l'uva e diceva che lui un titolo così non l'avrebbe mai accettato, ma dentro al cuore soffriva molto.

Lui aveva in mente un'estetica più *indie*, o «alternativa» come gli piaceva dire. Nei suoi panni avrebbe visto bene Adam Driver, anche se ormai era diventato l'*indie* di regime.

«L'*indie* di Regine!» lo prendevo in giro.

«Sì, ma io lo seguo da quando recitava off-Broadway!»

A un certo punto ha cominciato a importunare Jarmusch. Gli mandava i pizzini in sogno.

La legge eterna dell'amore è che due esseri debbano sentirsi come venuti al mondo l'uno per l'altro nel primo istante in cui hanno cominciato ad amarsi.

Poi Jarmusch si svegliava, beveva un bel bicchiere tiepido di acqua e limone e buttava giù un film su due vampiri esistenzialisti.

Comunque la faccenda l'aveva talmente depresso che aveva cominciato a vagheggiare il suicidio, ma non lo avrebbe mai fatto: punto primo perché si sarebbe giocato ogni credibilità con il Signore, punto secondo perché era già morto.

Persino le traduzioni all'estero sono andate maluccio. Forse era per via del danese, non lo so. Forse avrebbe dovuto trovarsi una *penfriend* americana e sarebbe stato tutto più semplice. O forse non ha funzionato la mia idea delle lettere bruciate. Confesso che mi ero illusa di vedere orde di disperati lì a chiedersi: «Chissà che gli aveva risposto Regine!» Ma la verità è che nessuno si chiedeva niente. Mi sono anche domandata se avremmo dovuto puntare su un prodotto più *young adult*. Insomma un libro di Kierkegaard te lo infili nella tasca del cappotto per rimorchiare quando vai a fare i picchetti all'occupazione del liceo ma già all'università te lo sei lasciato alle spalle, così come sfido chiunque a ricordarsi il nome di chi ha scritto *Lo Zen e l'arte della manutenzione della motocicletta* superati i vent'anni.

Ecco, quell'operazione di romanticismo epistolare è stata un flop e basta. Io me sono fatta una ragione, Søren un po' meno. Quando si mette a googlare i carteggi famosi, va ancora fuori di testa.

Søren è sempre stato un narciso, e lo capisco. Era un bel ragazzo e aveva stile. Ci sono uomini che vanno dal barbiere e ancora si portano dietro la sua foto, cioè quello schizzo a carboncino che si è fatto mettere pure in copertina su svariati libri. Non è da tutti «il ciuffo sparato alla

Kierkegaard», devi avere dei bei capelli folti, vigorosi, però chi se lo può permettere ha risolto il problema a vita, perché sta bene anche col brizzolato, come insegna Lynch che da Søren non ha copiato solo il taglio di capelli ma pure quello dei pantaloni.

Tornando alle lettere, ironia della sorte, sono state proprio quelle ad aver solleticato la curiosità del primo avventuriero che è partito alla mia ricerca. Non faceva parte della delegazione universale di donne che passano la Storia al contropelo, ma era un altro «leggerone», un accademico e teologo che stava in fissa con l'opera di Kierkegaard. Aveva preso la questione del personaggio *relatable* piuttosto seriamente, e aveva anche provato a farsi i capelli come il suo beniamino ma, ahimè, ce li aveva troppo sottili, di quel biondo slavato e inconsistente che ha segnato generazioni di danesi, per cui il ciuffo gli restava su appena qualche secondo prima di afflosciarsi pigramente sulla fronte come un fiorellino reciso.

Dal momento che l'accademico e teologo era innamorato del mio ex fidanzato, nutriva nei miei confronti un sentimento ambivalente: era geloso ma anche intrigato dalla mia figura. Per quanto sedotta e abbandonata, ero pur sempre stata la «musa» dell'immenso filosofo e, se posso azzardare una congettura, credo che il leggerone si facesse delle fantasie da *cuckold* su di noi.

Comunque è stato grazie all'interessamento di questo signore che mi sono guadagnata la mia prima copertina. Il mio ritratto virato seppia tagliato all'altezza del mento da un riquadro color avorio col titolo: *MUSA*, i caratteri scritti a mano con un inchiostro sbiadito. Insomma, quell'idea di *cover design* accademica a metà strada tra l'editoria a pagamento e gli opuscoli di un museo di provincia.

La biografia del mio ex ovviamente l'aveva già scritta, così ha pensato bene di passare alla mia: *Il mistero di Regine Olsen*, recitava il sottotitolo, sempre vergato a mano con l'inchiostro sbiadito.

Io non voglio essere presuntuosa, non ho mai scritto un libro in vita mia, quindi figuriamoci se posso insegnare il mestiere agli altri: ma quale sarebbe esattamente questo mistero? Se una non ha fatto niente di rilevante, allora bisogna presupporre che la sua vita sia avvolta dal mistero? O bastava il mio patentino da musa per accordarmi un simile privilegio?

Mi spiace se ho deluso qualcuno, ma la mia esistenza non aveva né la trama né l'ambizione di un thriller, benché questo sia un modo lezioso di porre la questione dato che – nella migliore delle ipotesi – avrò deluso quattro gatti: se le lettere del mio ex non sono mai arrivate in classifica, *Musa. Il mistero di Regine Olsen* avrà venduto al massimo un paio di copie tra i cugini del suo autore.

Il mio povero biografo non sapeva davvero a che attaccarsi e, visto che delle mie lettere a Søren s'era perduta traccia, si è dovuto accontentare di quelle che scrivevo a mia sorella dalle Antille danesi. Erano così personali che le firmava pure mio marito. Non esattamente il modo migliore per inabissarsi negli oscuri meandri del mistero altrui. Ecco un tipico momento confessionale:

Ti sarò eternamente grata per la marmellata che ci hai mandato e di cui sentivamo un estremo bisogno. Stiamo pensando a come ricambiare.

Mi pare difficile azzardare una lettura tra le righe. Si potrebbe sempre incorrere nella tentazione di trasformare la gratitudine per un barattolo di marmellata in una metafora più vasta. I miei complimenti a chi vi è riuscito.

Di fatti, nei miei giorni come moglie del governatore delle Antille danesi, mi ero messa a fare delle ottime torte con la base di pan di Spagna, attività diligentemente annotata dal mio biografo che non si è lasciato sfuggire qualche stoccatina alla mia oculatezza.

Regine era indignata dai prezzi locali, per cui ha deciso di avviare un business di importazione.

Cioè, mi facevo spedire da mia sorella le teglie per fare il pan di Spagna.

Lo so che se fossi stata una scrittrice di talento avrei potuto riempire interi memoir con questo genere di osservazioni, avrei potuto descrivere l'oceano e la luce, un particolare tipo di fiore autoctono o di solitudine, i vestiti che portavo, uno scialle, un cappellino, un tessuto, una riflessione poetica sull'uncinetto, inframezzando il tutto con ricette di tartine e scampoli di dialoghi tra i bicchieri sorseggiati in terrazza insieme agli ospiti che venivano a farmi visita in quanto moglie del governatore. È tutto una questione di postura, e io non avevo quella postura.

Ma c'è una lettera, che più di ogni altra lettera, è rimasta infagottata nel mistero di Regine Olsen, ed è la lettera che Søren mi ha spedito poco prima di morire. Benché si spacciasse per uno spregiudicato Don Giovanni, restava un uomo che ci teneva all'educazione e alle buone maniere e, quando mi ha mandato quella lettera, l'ha indirizzata a mio marito, perché fosse lui ad accordarmi o meno il permesso di leggerla, come dire: un *gentlemen's agreement*. La cronaca vuole che la lettera gli sia tornata indietro ancora sigillata, gettandolo nel più cupo sconforto. Finché era lui a dettare le regole dell'amore perduto, riusciva a cavarsela, ma pensare che mi avesse perso davvero l'ha distrutto.

Era un uomo fragile, Søren, e so che nel profondo mi amava davvero. Anche io l'amavo. Mi è dispiaciuto infliggergli quel dolore, eppure credo fosse necessario affinché i posteri ricordassero la crudeltà dei suoi aut-aut morali e non il goffo pentimento degli ultimi giorni. La verità è che quella lettera io l'ho letta. Ma non potevo dirlo a Søren, non mi avrebbe capito.

Mio marito si è sempre sentito colui che aveva sposato la musa di Kierkegaard, l'uomo che aveva raccattato il cuore infranto della sedotta e abbandonata. Ero un trofeo difettoso, il cervo reale a cui aveva sparato un altro cacciatore. Poteva anche appendere la mia testa in salotto a beneficio degli ospiti ma ogni sguardo ammirato tradiva la reprimenda e lo scherno. Percepiva il compatimento della gente. Era un brav'uomo e gli è toccato sopportare tante cose, anche se faceva della sopportazione la sua statura morale. Fingeva di appassionarsi non appena usciva un nuovo libro di Søren, era lui stesso a comprarlo e a portarlo a casa, si accomodava in poltrona con la matitina per le sottolineature, mi leggiucchiava le frasi e faceva i suoi commenti eruditi da vecchio precettore. In realtà lo vedevo schiumare come un cane rabbioso. Anche lui scriveva libri, ma nessuno se l'è mai filato. Se solo gli editori sapessero a che gorghi di rancore e meschinità può portare la loro indifferenza. Ma in realtà lo sanno benissimo, senza la gratificazione del sadismo nessuno sarebbe mai disposto a leggersi quelle caterve di manoscritti. È un tenero equilibrio che si basa sulla reciproca tortura. Così quando è arrivata quella lettera, mio marito si è voluto prendere la sua rivincita. L'ha aperta e ha sbattuto i fogli sul suo scrittoio. Poi mi ha chinato contro lo scrittoio, si è messo dietro di me costringendomi a leggere ad alta voce.

Ho assecondato il suo desiderio visto che erano rari i momenti in cui si concedeva di esprimerlo, ma soprattutto erano praticamente inesistenti i momenti in cui elaborasse fantasie sessuali diverse dal teatrino dell'arcigno precettore alle prese con la giovincella da educare.

La lettera di Søren gli ha scatenato un impeto tutto nuovo, aveva un brillio negli occhi dolce e violento, persino il suo sorriso sempre così impostato e diplomatico, come si confà a un governatore delle Antille danesi, si è rovesciato in una smorfia di splendida crudeltà.

Non mi aveva mai posseduto con tanta foga, è stato uno dei nostri migliori amplessi. A ogni parola spinta di Søren sentivo affluirgli il sangue nel corpo, rinvigorire l'essere che non era mai stato, il mastino rabbioso che lacerava i panni del triste precettore. Ero felice che si fosse lasciato andare, amo sentire il godimento di un uomo, e in quel godimento c'era anche il mio. Il godimento di me che recitavo le parole di Søren, il rimpianto e la tenerezza, il nostro sesso, il nostro amore, l'occhiolino d'intesa nella beffa agli editori. Non mi aveva mai detto quelle cose, non me le aveva mai scritte, e ora erano lì, davanti a me, ogni parola, ogni sconcezza pronunciata dalla mia voce mi riempiva il cuore, e ripensavo ai nostri giorni di Copenaghen, la giovinezza e l'inganno, l'ambizione e l'abbandono, il presente castrato, il futuro che non sarebbe più stato nostro ma di ogni ragazzina che avrebbe portato a letto il diario del mio ex fidanzato, di ogni liceale che avrebbe provato a rimorchiare la fanciulla malinconica con i suoi aforismi, e sentivo di godere anche per loro, che erano lì insieme a me, sentivo che non si ama solo per sé stessi ma anche per chi verrà, e per chi non ci sarà più, e comunque in quel momento c'eravamo tutti, il mio vecchio precettore, il governatore delle Antille danesi, mio marito, lo scrittore fallito, il giovane poeta religioso, il filosofo, il protoesistenzialista, il Don Giovanni, il mio ex fidanzato, l'uomo dai piedi piccoli, la musa, la borghese di buona famiglia, la ragazza di squisito sentire, la sedotta e abbandonata, la moglie del governatore, l'imprenditrice di teglie da forno, l'accademico dal ciuffo floscio, gli editor, i revisori di bozze, i ragazzi e le ragazze infelici che avrebbero trascorso le ore a guardarsi di nascosto in biblioteca, a farsi un timido piedino, a incidere pensieri suicidi sui tronchi degli alberi, ad amare e scongiurare la malattia mortale, a desiderarsi nell'angoscia e nella disperazione, nel dubbio e nella fede, nella passione e nella rinuncia. Ne era valsa la pena – ho pensato – il nostro sacrificio, anche se c'era sembrato poco più di un gioco. Chissà, Søren forse sarebbe davvero diventato un pessimo marito. Mi ha fatto il dono di non doverlo mai scoprire, e io gli ho fatto il dono di farlo sentire un amante formidabile.

Quando abbiamo finito, ho rificcato i fogli nella busta, l'ho leccata e l'ho richiusa bene. Ho abbracciato forte mio marito e siamo scoppiati a ridere.

Tea Ranno

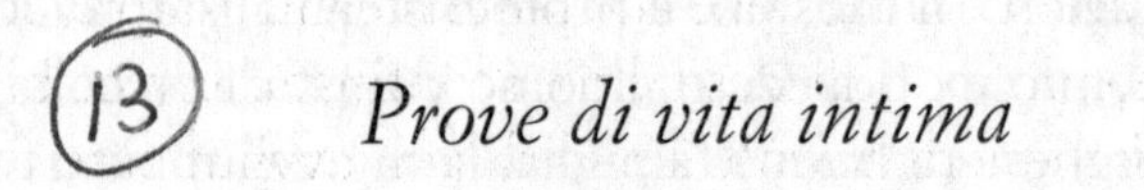

Prove di vita intima

Luisa Baccara

Non ti conoscevo, Luisa, quasi niente sapevo di te, eri nome tra i tanti che affollano le biografie dei letterati, esseri di cui nessuno si piglia la briga di raccontare la vita. Perché, poi? La storia cammina a grandi passi frettolosi lasciando integri solo i giganti, gli altri sono sabbia che riempie la misura del tempo, figure di cui ci si occupa solo per meglio definire quella di riferimento, il tuo Ariel, in questo caso, D'Annunzio per il resto del mondo.

Ariel, Gabri, Befano...

Lui ti chiamava Smikrà.

Tutto un corredo di nomignoli nel vostro *tu per tu* d'amore, quando l'amore svampò e inutilmente tentasti di sottrarti. Era un eroe che avevi mitizzato, la cui persona non volevi incontrare per timore ti crollasse il mito. Lui, però, prima incuriosito dalle lodi, poi toccato dalla forza della tua musica, prese ad assediarti: regali, complimenti, inviti, lettere, parole... T'incantò con le parole: «Quando apriva la bocca» confesserai un giorno «ero stregata, persa».

Del resto, era così che capitava con lui: «Attraverso i suoi gesti» affermò una delle sue tante amanti, «attraverso la sua voce, un'onda di desiderio, sconfinata, invincibile, sembra salire spietatamente verso di voi, avviluppare tutto il vostro essere in una irresistibile atmosfera d'amore, infrangere anche il vostro ultimo residuo di resistenza...»

E ancora: «Ciò che egli dice in simili momenti ha un'azione sullo spirito e sulla volontà femminile più paragonabile a quella dell'oppio e della cocaina che non a quella della più persuasiva parola umana».

Avresti potuto non capitolare, non abbandonarti alla malia?

Ti scriveva:

Le vostre mani terribili travagliano la tastiera.

Scriveva:

Grazie di tanto dono musicale, amica dalle mani robuste e sicure, tregua della mia tristezza.

Scriveva:

Quando ci rivedremo?

Quando faremo la serenata «a voci sole»?

E pure:

Bisogna che io vi ringrazi nuovamente per le belle profonde ore di musica che ci deste la notte scorsa, anche da parte dei miei compagni aviatori.

Avresti potuto restare indifferente?

Ventisette anni tu, cinquantasei lui... Che danno ti sarebbe potuto venire da un vecchio che complimentava la tua arte, che pareva pago, solamente, di ascoltarti, che dopo ogni ascolto era talmente turbato da dover posare sulla carta – intatto, palpitante, scintillante – quel turbamento in forma lirica?

Ho sete di musica, cioè ho sete di voi, di te, febbrilmente ti scriveva.

...Spero che siate contenta del vostro amico che partì non sazio della vostra musica...

...Perché non venite a cantare l'inno Fuori i barbari *ai miei soldati?*

Ma forse i troppi amici v'hanno fatto dimenticare il vostro sempre devoto amico.

Amico, si diceva, e intanto, però, ti rimproverava l'assenza, il tuo tenerti a distanza; sferzante quel suo riferimento ai troppi amici che t'avevano fatto dimenticare lui.

L'hai mai pensato di essere stata, soltanto, un pretesto creativo? Lo spunto erotico per trasformare in poesia la suggestione della tua musica?

È probabile, ma non credo tu l'abbia mai ammesso. *Vissi d'arte, vissi d'amore*, sarà stato il tuo motto, con la tua arte al servizio del tuo amore per dare ai suoi versi tessiture di suono capaci di farli volare. Paga di questo, solo di questo. Che peccato...

Comunque.

Tutto ciò l'ho scoperto dopo. Allora, quando mi fu chiesto se mi sarebbe piaciuto scrivere della Baccara, della Baccara sapevo quasi nulla.

Accettai d'istinto, contenta: avrei avuto la possibilità d'accostarmi a una sconosciuta, d'immergermi in un altro tempo, tentando una contiguità con un'anima che – m'illudevo – mi avrebbe rivelato un aspetto poco indagato dell'amore, quello che mischia arte, trasgressione, ardimento e patriottismo, disubbidienza, rischio, sesso, droga, scandalo, orge e... devozione. Ecco, il quasi niente che sapevo di te riguardava soprattutto la tua devozione, il tuo essergli rimasta fedele sempre, nonostante le millemila donne di cui diceva di non poter fare a meno, nonostante le umiliazioni subite pur di stargli accanto, le giornate trascorse nell'attesa d'un suo biglietto, d'una sua sporadica visita pur abitando la stessa casa; anche quando – ormai morto – avresti potuto riconcederti all'amore. Nulla invece.

«Chi ha vissuto quelle giornate» dirai riferendoti ai tempi di Fiume «non può chiedere nient'altro alla vita».

Per quarantasette anni, dunque, gli sei – in fedeltà – sopravvissuta.

Quarantasette anni di vita alla moviola, mi viene da pensare, un passato rivissuto con la lentezza che la mente sa imprimere al ricordo, focalizzando oggi due versi, domani una sonata, poi una conversazione, quel bicchiere da cui bevve, la volta che ti lasciò addosso i segni dei suoi denti, quel vestito che conserva l'impronta di una sua carezza... In fondo, amare non è anche vivere di finzioni in un teatrino mentale in cui gli amanti si amano soltanto, e tutto il resto non conta?

Scrivere di te, dunque.

Ma come?

In che maniera raccontare chi non conosci?

Come conoscere chi non può più parlarti?

Sapevo che, frammischiate alle pagine che minutamente lo celebrano, avrei trovato notizie che ti riguardano, informazioni sufficienti a imbastire un racconto che t'avesse a protagonista. Ma non volevo notizie di seconda mano, o meglio, a quelle notizie avrei attinto dopo: ciò che veramente volevo allora era incontrare te, e non certo a Venezia, dov'eri appassita tra lezioni di musica e sbronze di ricordi, piuttosto là dov'eri stata felice con lui.

Perciò sono venuta a cercarti a Gardone.

In quella mattina d'agosto, il Vittoriale si confermava sontuoso per come l'avevo immaginato: il lago in fondo che sembra un tratto di mare, il teatro in pietra rosata, la statua del cavallo che riporta alla mente certi cavalli di scena del teatro greco di Siracusa, poi la Prioria, lo Schifamondo e il resto del complesso monumentale che D'Annunzio donò agli italiani.

Lungo il viale poca gente: l'estate del Covid aveva reso caute le uscite, figuriamoci le visite ai monumenti. Ma non era certo in un mausoleo che stavo venendo a cercarti, Luisa. Volevo sentirti nell'aria, in un qualche sfilaccio di musica che mi sarebbe giunto come segno inconfutabile della tua presenza; volevo che «la signora del Vittoriale» mi venisse incontro, che mi offrisse un benvenuto caloroso, affettuoso; volevo scorgerti nel riflesso d'un vetro, nel baleno d'uno specchio.

Ero così contenta, quella mattina, Luisa, così ignara, felice, emozionata!

Tutta presa dall'enfasi di te, camminavo e ti parlavo. T'immaginavo al mio fianco: il viso stretto, olivigno di piccola greca – come lui ti descrisse –, la spruzzata di neve tra i capelli scuri, la veste lunga, uno scialle a bande più chiare intorno alle spalle... Se fossi stata viva, quello scialle sarebbe stato incongruo: non ci si copre di lana ad agosto. Ma il teatrino della mente, si sa, attinge a un guardaroba fotografico che prescinde dalle condizioni climatiche.

T'immaginavo disponibile alla conversazione, addirittura briosa: la tua veste s'impiglia in un rovo, ti chini a liberarla, in veneziano stretto riprendi scherzosamente uno dei cani, allunghi la mano per indicarmi un dettaglio, un particolare dello sfondo, e intanto non smetti di parlarmi.

Era facile immaginarti loquace: ero venuta a cercare una donna che pensavo amica, e con un'amica che fai? Chiacchieri!

«Troppo diverse siamo, Luisa» però ti dicevo, e cercavo in un frùscio di vento, in un trillo di passero la conferma alle mie supposizioni.

Troppo diverse siamo, sì, tra noi c'è una distanza – non solo di tempo, non solo di carattere – incolmabile. Quel giorno non me ne accorsi: cicalando con l'immaginaria Baccara giunsi alla piazzetta Dalmata dove una donna, alla testa d'un piccolissimo gruppo di turisti, stava per cominciare la visita guidata della Prioria.

Una visita subito rivelatasi inappagante, Luisa. Svelti, presto, avanti, veloci da una stanza all'altra: il tempo del Covid impedisce assembramenti, bisogna guardare e passare per permettere l'ingresso al gruppo successivo, distante dal nostro sette minuti appena. Sette minuti... E dopo altri sette un altro...

Che ti può rimanere di una visita così?

La guida parla, indica, brevemente disquisisce, mi sembra di assistere a un film in cui il video non è sincronizzato con l'audio: gli occhi ancora fermi sulla scritta che – nella sala del mascheraio – avverte: «Aggiusta le tue maschere al tuo viso / ma pensa che sei vetro contro acciaio» e la voce che invece dice: «Eccoci nella sala della musica». Non ci bado, gli occhi miei trascorrono lentissimi sugli innumerevoli oggetti di cui assorbono l'esagerata bellezza, s'impigliano su dettagli favolosi e lì, come mosche nel miele, restano.

All'improvviso, però: «Quello è il pianoforte suonato dalla Baccara».

Sussulto. Eccoti!

Nella penombra lo strumento mi pare fragile. I damaschi neri e argento di cui la stanza è tappezzata accrescono, nella penombra, il senso di fragilità. Mi pare di vederti di spalle, seduta che suoni, mi pare di vederti nella veste d'argento e lo scialle bianco e nero che lui ti chiese di indossare il giorno che t'invitò alla Casetta Rossa. Sto per sussurrare il tuo nome quando: «Qual è la finestra del famoso volo?» qualcuno chiede.

Corro con gli occhi alle finestre, alla ricerca del particolare ghiotto, ma la guida: «È stata murata» dice, e invita a passare nella stanza successiva.

«Il volo dell'arcangelo» (così lui definì quella caduta) l'approfondirò dopo, e saprò che dai suoi figli fosti accusata tu: lui stava seduto sul davanzale – si disse – tu suonavi; pare che lui avesse esagerato in *affettuosità* verso tua sorella Jole; pare che tu ti fossi infuriata, pare che l'avessi spinto con troppa foga. Altri dicono che fu Jole a spingerlo. Lui ha sempre negato ogni vostra responsabilità, ha cacciato i figli che gli chiedevano di cacciare te e ti ha considerata nel suo testamento.

Del volo, poi, c'è la versione politica: due giorni dopo lui avrebbe dovuto incontrare Mussolini e Nitti, cosa che non gli andava molto a genio visto che Nitti, nella sua personalissima visione, era un Cagojo. Si trattò di defenestrazione? Bah! Fu lui ad architettare il piano per non comparire al minuetto? Bah!

Poi c'è la versione romanzesca: nel *Libro segreto* se ne accenna come a un tentativo di suicidio. Un suicidio da un'altezza di cinque metri? Ma no. Il traduttore francese, che l'avrebbe incontrato qualche settimana più tardi, non avrebbe notato lividi sul capo perfettamente polito, né segno di ferita. Eppure, si disse, che aveva addirittura perso dal naso materia cerebrale.

Il mistero resta. L'unica cosa che pare certa è che da quel 13 agosto 1922, fino al giorno della sua morte, lui troncò ogni rapporto intimo con te.

In quel momento non mi soffermai sul volo: facevo incetta con ogni senso delle suggestioni che venivano dalle stanze colme di preziosità: una variegata bellezza che mi dava, adesso, un senso di soffocamento.

«Sarà il caldo» mi dissi, «la fretta. Ma Luisa... dov'è Luisa?»

A parte il cognome pronunciato con riferimento al pianoforte e poi all'armonium, non ti ho trovata, Luisa. La casa mi restituiva una verità non romanzata, una concretezza che è delle cose per come sono, degli oggetti per come appaiono: nessun'aura, nessuna vibrazione dell'aria, nessun'ombra a palesarsi in uno degli specchi, nel riflesso di un vetro, nessun sussurrio, mormorio, trillo, brezza, mano di vento che carezza il volto.

Non la intesi, quel giorno, l'anima tua, e fu delusione grande, ma non la disperazione che sopravvenne quando – finalmente dotata di informazioni sufficienti a imbastirti sulla carta – non fui capace di scriverti.

Non ne fui capace.

Abbozzavo un incipit e mi pareva falso.

Scrivevo, cancellavo.

Scioccamente provavo a metterti in bocca parole che ti esprimevano in prima persona: tu che dicevi *Io* e ti raccontavi a me. Ma erano parole mie, frasi connotate dalla mia cadenza sicula che con la tua veneziana niente avevano a che spartire: un *Io* adulterato dalla finzione letteraria che pretendeva di darti un'anima che non t'apparteneva, e pensieri che non t'appartenevano, e una visione della vita, delle cose, dell'orgoglio, del pudore e della dignità che non era la tua ma la mia. Un pasticcio, Luisa, un pasticcio...

Allora tentai la narrazione in terza persona: un narratore onnisciente che ti vede dall'alto, ti inserisce in un contesto spazio-temporale d'inizio Novecento, in una società percorsa da ardori futuristici con voli spericolati per cieli di città straniere solo per dimostrarne la violabilità, una società ammaliata da quel D'Annunzio buono a sollevare scandali, a calare nei suoi libri le storie più piccanti («gran porcate» le definì Carducci), ad accumulare debiti su debiti che qualcun altro avrebbe pagato. E tu lì, a guazzare in quel mare magnum, a ubriacare di musica te, lui, i suoi legionari, Fiume, i bambini di Fiume e tutta la sarabanda che vi girava intorno.

Scrivevo, rileggevo... pareva funzionasse. Proseguivo. E un poco mi quietavo.

Il giorno dopo tornavo a leggere e distruggevo: tutte morte le frasi appiccicate una appresso all'altra, un compitino per guadagnare la sufficienza semmai un qualche professore vi avesse buttato l'occhio.

Furiosa cancellavo, furiosa riscrivevo: furiosa con te e con me.

E intanto, non appena me ne capitava l'occasione, t'andavo raccontando agli amici. Il tuo nome figurava sempre più spesso nei miei discorsi, nelle mail di risposta a chi mi chiedeva cosa stessi facendo, a cosa stessi lavorando.

«Bàccaro» rispondevo.

Bàccaro... sto con la Baccara, la sfuggentissima Baccara: non la capisco, non la sento.

Parlandone, però, mi pareva di individuare meglio un qualche aspetto di te che avrebbe potuto più docilmente piegarsi alla narrazione, una sfumatura del tuo carattere che mi consonasse, che mi fosse riconoscibile, comprensibile e dunque traducibile in parole. E allora tornavo alla carta e mi mettevo a compitare.

Scrivevo come camminando dentro una palude: melmose e grasse le parole che si posavano sul foglio, tutte pregne di una ridondanza dannunziana che aborrivo, una cattedrale enfatica di cui mi vergognavo come di un tradimento e che subito abbattevo.

E intanto: «Lei com'era?» mi chiedevano gli amici.

A uno di loro lessi al telefono il tuo ritratto scritto da lui: «I lineamenti e i piani della faccia sono semplici e netti... Tra gli archi potenti dei sopraccigli il naso scende dritto ed esiguo come quello della Psiche di Napoli... La bocca ha una vita ambigua, tra il labbro di sopra disegnato secondo il modo dell'arco cretese e il labbro di sotto che contraddice col suo molle broncio a quell'armata fermezza. Ma tutto il vigore è nel collo... Si pensa al collo del cigno che fende l'acqua...»

«Bella descrizione» disse il mio amico, che di D'Annunzio è un estimatore.

«Se qualcuno usasse per descrivermi parole così» mi trovai ad ammettere, «me ne potrei innamorare». E mi sorpresi, perché già un'altra volta – ma solo fra me, leggendo un paio di lettere del Vate – mi era capitato di pensare che di uno che scrive così davvero mi sarei potuta innamorare.

«Perché gli ha perdonato tutto?» chiese allora lui.

«Perché era innamorata».

«L'amore... roba da donnette, da cameriere» disse.

Era una provocazione, lo sapevo, perciò mi limitai a ridere.

Donnetta, tu? Solo una gran femmina di temperamento può decidere di stare accanto al dongiovanni che si mette in tasca il suo cuore e non fa mossa per riprenderselo, perché pure stare nella tasca di lui è vicinanza, calore vitalissimo, e fùttisi le altre, fùttisi le chiacchiere, le amarezze e le lacrime ingoiate, le questioni, le fughe e i ritorni, le riappacificazioni. Alla fine hai avuto quello che volevi: stargli accanto. Chi c'era se non tu a tenergli la mano mentre moriva? A prendere in consegna quel suo ultimo fiato che ha acceso di vita i tuoi quarantasette anni di sopravvivenza?

Ormai ne sapevo abbastanza della vostra storia: avevo letto biografie di D'Annunzio, le innumerevoli lettere che vi eravate scambiati, articoli che ti definiscono «Cornuta ma regina dell'harem, Signora del Vittoriale, Eterna amante di Gabriele D'Annunzio, Musicista molto comprensiva, legata al Poeta da una fortissima complicità erotica ed intellettuale»... Avevo letto il tuo ritratto scritto da lui, le sue parole su di te, le tue parole a lui – quelle ardenti, quelle disperate, quelle stizzite – potevo ragionevolmente presumere di conoscerti, dunque avrei potuto scrivere della Musa di D'Annunzio, che D'Annunzio usò ma non riuscì a gettar via perché lei gliel'impedì.

Scrivevo, dunque. Ma continuavo a cancellare.

Adesso formulavo soprattutto domande aspettando che tu, come per magia di fata buona, finalmente mi rispondessi.

Muta, invece. Nessuna confidenza, nessuna concessione mentre mi saliva una febbre d'irritazione contro di te che ti negavi ma, soprattutto, contro di me che avevo avuto la presunzione d'accettare quell'invito a raccontarti.

E sfogliavo, rabbiosamente sfogliavo le pagine che ormai sapevo a memoria, m'appigliavo ai tuoi sfoghi – «Mi è impossibile sopportare l'idea di essere da te che amo ritenuta ipocrita vile; come chiaramente mi hai detto. Pianiste se ne trovano e io non posso accettare la carità di vivere dove la mia presenza è tollerata. Ti assicuro che non avrai noie; troppo mi hai dato e non pretendo che un po' d'indulgenza. Sii buono verso chi t'ha dato mille prove d'amore» –, enfatizzavo i suoi sbotti e successivi recuperi: «Cara Luisetta, credo che ieri ti sembrai aspro perché non comprendesti ch'ero in uno stato di estrema esasperazione per quel che m'accadeva...», e sempre di più i miei sentimenti non collimavano con i tuoi: laddove tu imploravi perdono, in me sorgeva immensa rabbia, laddove io me ne sarei andata sbattendomi alle spalle porte e portoni, tu restavi e andavi avanti.

Non c'era verso di capirti, Luisa. Guizzavi, sfuggivi, mi deridevi, eri come l'argento vivo che si parcellizza in mille minutissime sfere senza lasciarsi raccogliere.

E però continuavo a colmare il quaderno di domande:

– Quando hai capito che ti stavi innamorando?
– Quando hai sentito che l'ammirazione, la gratitudine, il trasporto non erano più trasporto, ammirazione, gratitudine ma qualcosa di più?
– Fu l'esperienza di Fiume a consacrarti a lui? Fu lì – vivendogli accanto – che capisti che nessun altro uomo sarebbe entrato nella tua vita?
– Fu lì che azzardasti la fantasia di una vita vostra, una casa vostra: pianoforti e libri, romanzi da scrivere, poe-

sie da declamare, concerti per pochi amici, nessun'altra dama a contenderti il letto?
– Fu lì che azzardasti quelle prove di una vita intima che mai t'è stata possibile?

Prove di vita intima... Mi piacque la frase, la pensai addirittura possibile come titolo. Ne parlai col mio amico.

«Perché prove?» mi chiese. «L'intimità l'ha condivisa eccome!»

«Non l'intimità fisica, figuriamoci. La sua carne l'offriva in pasto a tutte. Lei cercava altro, quello che lui non avrebbe mai potuto dare a nessuna».

«L'esclusività?»

«No... Ha provato a entrare nell'anima di lui, ma lui gliel'ha sempre impedito. Ci sono stanze segrete che nessuna chiave può aprire».

«Tu non hai stanze segrete, precluse a tutti?»

«Certo. Riguardo a loro due, però, intendo altro: la creatività, l'arte... musica e scrittura insieme, quella parte di te in cui fermenta il vigore creativo. Lei andava seminando di musica l'anima di lui, ma non le era concesso coglierne i frutti. Voglio dire: lei era un corpo sonoro, lui era uno che suggeva l'anima dai corpi – sonori e non – per nutrire la sua, che restava insondabile, inviolabile».

«Non a tutti sono date le chiavi per aprire l'intimità» affermò lui.

«L'unica chiave della sua anima era in mano a lui stesso. E lì rimase».

Comunque.

Tornai ai miei taccuini colmi di domande a cui non rispondevi, signora Baccara che per il Vate scordasti carriera e gloria, che suonavi a comando quando lui aveva bisogno d'eccitazione sonora, che tremavi intanto che suonavi, trasfondendo nella musica tutto il tuo amore, tutto l'ardore di cui lui aveva necessità.

«Ho sete di musica» t'aveva più volte scritto.

Dunque acqua continuavi a farti per lui, che ti beveva per infiammare le pagine in cui buttava – vive e palpitanti – quelle altre che lo soddisfacevano nella carne, esaltando, al contempo, il suo spirito lirico, esumando da lui parole che componevano sinfonie linguistiche, cattedrali narrative che appagavano il seguito sempre più folto di lettori, estimatori. A te, invece, che restava?

Mi riassaliva la frenesia delle domande:

– Quand'è che hai cominciato ad aspettare un suo cenno, il biglietto che ti dicesse: «*Venga, la prego, suoni ancora per me*»?
– Quand'è che hai passato le mani sul suo viso e lui le ha morsicate e da quel dolore – foriero di ben altro dolore – è nato quel qualcosa d'indissolubile che ha fatto di lui, per sempre, l'uomo tuo?
– Quando hai cominciato a sentire la mancanza tremenda, la gelosia atroce?
– Quando hai capito che senza di lui ti sarebbe stato impossibile vivere?
– E la musica? Hai pensato alla musica quando ti sei decisa per il gran salto: parti, vai con lui, canti e suoni per lui che s'inebria di te e tutto si vota a te e smania e sbrama fino a quando non possiede ogni millimetro del tuo corpo, ogni scampolo della tua anima, per subito immergersi in un'altra non appena ti volta le spalle.

Tornavo alle lettere:

Cara Luisella

Una così squisita fumatrice non può non avere una scatola di sigarette. Su questa, che le offro, è riprodotta la placca fissata sul motore che mi portò nel cielo di Vienna. Ibis redibis.
C'è un uccello egizio – un uccello sacro, distruttore di serpenti – che è snello come Lei. La proteggerà come protesse me.
Che fa stasera?
Arrivederci

Che avresti fatto quella sera se non fossi andata da lui?
Che valore simbolico attribuisti al dono?
Ibis, redibis... Andrai, tornerai. Come a dirti: Vieni bella figlia, vieni, mica ti mangio! Vieni... E poi, quando vorrai, quando ne avvertirai il bisogno, potrai volare via, nessuno ti tratterrà.
Come no! Andasti e restasti.
L'immaginavi che sarebbe finita così? Che sarebbe scattata la trappola emotiva che ti avrebbe per sempre incagliata a lui?
Mille volte me lo sono chiesta, Luisa, tutte quelle in cui ho cercato di configurare la tua vita accanto alla sua, la tua storia in quella di lui, tutte le volte in cui mi sono infuriata leggendo una tua lettera ardente e poi una amarissima, assistendo al suo defilarsi, al suo negarsi, al suo non domandarti che comprensione, pazienza, dedizione e musica, assicurandoti – sempre assicurandoti – il suo amore.

Cancellature, scarabocchi: il quaderno è un campo di battaglia, una guerra di punti interrogativi che scalzano gli esclamativi: ferite rosse, tacche blu a bucare il foglio.

Ma non è attraverso le domande che conosci una persona? Non è cercando risposte che avrai un quadro chiaro dell'essere di cui vuoi conoscere qualcosa della vita, forse del carattere, sicuramente dell'amore per cui visse, del bene di cui colmò quell'altro che invece riversava in sé l'intero suo patrimonio emotivo diventando il signore di sé stesso?

> Cara cara piccola, questa lettera di ardore velato mi giunge all'improvviso, mentre sotto la volontà splendente il cuore è triste.
> Come vi dirò grazie?
> Sorrido pensando al tuo timore che io dimentichi.
> Non c'è notte che io non accolga nel mio silenzio i ricordi, dal primo all'ultimo: dalla prima sera nel labirinto di funi all'ultima ora di febbre e di spasimo. Serbo il tuo odore, il tuo calore, la tua voluttà.
> Ti tengo fra le braccia come un fascio elettrico di nervi.
> E so dov'è la più gran dolcezza, nel tuo corpo vergine.
> Sei più bella?
> [...]
> Come fu male che tu te ne andassi quella mattina! E come ne soffersi! Conosci un sentimento che morde?
> Quanto mi morde il pensiero della tua vita lontana e sconosciuta, il pensiero, il pensiero di quel che tu chiami «stordimento».
> Ci rivedremo?
> Che diresti se mi vedessi arrivare a Roma come un punitore e un liberatore?
> L'avvenire è sulle ginocchia del dio di pietra.
> Piccola, quando alla fine – dopo una giornata di sforzo sovrumano – mi stendo sul mio letto solitario, che darei

per tenerti ignuda sopra di me, per sentirmi premere dal tuo corpo ardente, come allora!
Te ne ricordi?
Tra il primo bacio fuggevole in mezzo all'intrico delle funi e il lungo bacio senza respiro attraverso il letto d'ombra, quale preferisci?
Perdonami se questa lettera brucia.
Bruciala.

Bruciala!
Imperativo. Categorico nel suo esatto contrario: l'hai conservata in un baule insieme alle altre questa sua lettera che ha attraversato il lungo tempo dopo la sua morte, dopo la tua morte, finché qualcuno – rispettando la tua consegna di non aprire le missive per quindici anni dalla tua fine – non l'ha consegnata a noi.

Sorte diversa, invece, è spettata alle molte altre che tenevi per casa, a Venezia: «Sapesse quante ne abbiamo rotte» ha ammesso il cugino che ti è stato accanto nella vecchiaia, «per evitare che certe cose intime, solo di loro due andassero in giro, venissero lette da chissà chi. Comunicavano scrivendo, e lei lo chiamava quasi sempre Ariel. Si scrivevano per salutarsi, per dirsi anche solo buonanotte. Buonanotte, mio Ariel, Smikrà ti pensa teneramente, rispondeva lei».

Un po' come fanno gli innamorati oggi scambiandosi messaggi per WhatsApp.

Quelle che non furono distrutte sono le lettere conservate nel baule. E qui è ancora tuo cugino che fornisce dettagli preziosi: «Sono venuti quelli del Vittoriale, (...) il notaio del Vittoriale, quello degli eredi, l'avvocato. Il baule è stato aperto, abbiamo visto che c'erano tutti pacchi chiusi con stoffe cucite di molto pregio, di quelle che amava D'Annunzio, divisi annata per annata. Devono essere lettere o documenti. È stato aperto, richiuso e sigillato con l'impegnativa del Vittoriale di non toccarlo fino al 2000».

Sei morta il 29 gennaio del 1985.

Il consiglio d'amministrazione della Fondazione del Vittoriale ha fissato al 5 febbraio del 2000 l'apertura pubblica del baule.

Quanto mi sarebbe piaciuto esserci, Luisa. Vedere i pacchetti che venivano tirati fuori – di certo con cautela, con trepidazione – dallo scrigno che li aveva contenuti per anni.

Immagino in quel baule damaschi, sete, velluti, taffetà nei colori più accesi – dal rubino allo smeraldo al turchese –, rameggi d'oro e d'argento: l'esteta che voleva fare della propria vita un'opera d'arte, non avrebbe accettato che la testimonianza del vostro amore fosse contenuta in involucri non eleganti.

Non eleganti... Al riguardo, mi sovvengono sue parole di rimprovero: «Ti mando un mantello d'autunno, le scarpette... Venturi scrisse ad Aelis di averti veduta in Piazza e d'averti trovata 'non elegante'! Ti mando altre 5000 lire per provvedere all'eleganza». Persino fuori dalla portata dei suoi occhi – eri a San Polo, a casa dei tuoi – dovevi essere all'altezza di lui.

T'immagino in giro per Venezia a cercare magnifiche stoffe, t'immagino che sfiori i tessuti mentre nel tuo ricordo scorre la vista di lui che palpa una pezza con voluttà, con disprezzo se all'apparenza sontuosa non corrisponde l'eccellenza della qualità. T'immagino mentre torni a casa contenta, mentre pregusti la gioia di tagliare e cucire la custodia dell'anno... vediamo... 1922? T'immagino accanto ai vetri di una finestra, china, una massa di capelli bianchi, l'ago in mano, gli occhiali sul naso: un piccolo punto e un altro nella tasca che chiude i pacchetti sottraendo le lettere anche alla tua vista.

Mi piace pensare, però, che quelle lettere tu le abbia ricopiate per continuare a leggerle anche dopo la chiusura del baule, per non separartene mai.

Questa, per esempio:

> Nulla mi piace fuorché te. E mi sembra di averti perduta.
> Il palazzo è vuoto. Fiume è senza musica. Non si pensava che tu fossi un elemento di così profonda vita, qui.
> Il pianoforte non è stata più aperto.
> La sala è abbandonata. Non è più permesso a nessuno di trattenervisi.
> [...]
> Ti ricordi dell'estrema voluttà, e dello specchio terribile, e degli ultimi minuti quando ti preparavo la bevanda con le mie mani?
> Ora so quanta fosse la mia felicità nel momento in cui tu finalmente entravi, e la porta era chiusa, e tutte le pene e tutte le fatiche sparivano, e non v'era in me se non l'impazienza di spogliarti e di divorarti.
> Ho orrore di quel letto nascosto dietro gli stendardi e rischiarato dalla lampada rossa.
> Quando partisti, ebbi il presentimento del rischio. Te lo dissi. Si sa quando si parte, non si sa se ritorni. E la morte è in agguato a ogni svolta di strada, a ogni limitare.
> Eri ansiosissima di rivedermi, di ritornare al tuo «grande piccolo angolo». E all'improvviso non ti piace più di venire. La sorte ti rapisce a me, oscuramente.

Oh assenza, il peggiore dei mali!
Certo, non ti meritavo. È giusto.
E la musica è finita.
Silenzio.

Non è mai finita la tua musica per lui. È andata come sappiamo.

Fine della storia, dunque. Di questa mia con te.

Ripongo penne e quaderni, stacco i post-it dai libri consultati, chiudo l'ultimo dei numerosi file di Word denominati *Luisa Baccara*, distinti uno dall'altro solo dalla data, e finalmente cerco di dedicarmi ad altro.

Non è facile.

«Si può rompere un rapporto così?» mi chiedo. «Puoi smettere di frequentare chi t'ha posseduto cuore e mente per quasi tre mesi e tagliare il discorso chiudendo un file?»

Ripenso alla ragazza che mi scrisse: «Sentimi, signora, ti chiedo: si può troncare un amore con un messaggio su WhatsApp, senza neppure il coraggio di guardarti in faccia?»

No, non si può. Devi averlo il coraggio di guardare in faccia chi vuoi abbandonare.

E allora sono tornata al Vittoriale.

Sono tornata per dirti che mi sono arresa, Luisa, che ho preso atto della tua volontà di restare blindata. Del resto, che sciocca sono stata ad avanzare pretese! L'avevi sempre detto che non avresti fatto come le altre che rilasciavano interviste, che ogni tanto esumavano un suo scritto, un gioiello, lucrando su ciò che era stato dono d'amore. Tu hai continuato a essere di lui, stop. E lui di te, anche per mezzo di quell'ultimo suo fiato che avevi raccolto e che continuavi a custodire dentro di te.

Gardone, dunque.

È un giorno d'autunno inoltrato, il Covid rende tutto più difficile. Fa freddo, un vento forte strappa le foglie.

Niente visite guidate, stavolta, nessun appuntamento per consultare carte.

Visto da lontano, il Vittoriale sembra avvertire: *Attenzione, qui c'è la Storia, si percorre la Storia, si vive in un frastaglio di tempo sempre vivo, come sempre vivo è colui che ideò e realizzò questo complesso monumentale.*

Cammino a passo lento verso la Prioria.

Tu sempre nei miei pensieri, Luisa.

In tanto negarti, in tanta beffarda sottrazione, alla fine mi hai riportato qui. Nel frattempo, però, mi hai permesso di approfondire uno scampolo di Storia e Letteratura che altrimenti sarebbe rimasto relegato ai margini della scolasticità: nomi, luoghi, versi imparati per rispondere bene a un'interrogazione e poi dimenticati.

Ripenso al titolo del racconto che non scriverò: *Prove di vita intima.*

Sorrido pensando che quelle prove, in realtà, sono state le mie con te: il tentativo di farmi grimaldello che scalza le serrature della tua intimità e le viola.

E tu ti sei opposta.

Chapeau!

Dunque?

Dunque ti saluto, Luisa, riconsegno le fantasticherie alla figuretta cicalante che evocai il giorno in cui giunsi e mi congedo.

Mentre imbastisco di questi pensieri, mi tornano in mente alcuni versi di Kavafis:

Itaca ti ha dato il bel viaggio,
senza di lei mai ti saresti messo
sulla strada: che cos'altro ti aspetti?

E se la trovi povera, non per questo Itaca ti avrà deluso.
Fatto ormai savio, con tutta la tua esperienza addosso
già tu avrai capito ciò che Itaca vuole significare.

«Fatta ormai savia, con tutta l'esperienza addosso, finalmente capisco che cosa tu, Luisa, hai significato...»

Sbalordisco. Mi ritrovo a ridere.

Ero venuta armata, forse a rinfacciare, a recriminare come fanno gli amanti respinti, a chiedere conto e soddisfazione del silenzio, delle giornate perse, delle frustrazioni e delle arrabbiature e invece... Mi hai dato il viaggio, Luisa, il magnifico viaggio...

Per l'aria odore di caldarroste. L'autunno tinge di porpora certe foglie, d'oro certe altre.

D'improvviso comincia a piovere.

Davanti a me una coppia, lei si stringe a lui che le cinge teneramente le spalle, lei indossa uno scialle a fasce chiare, lui una paglietta e un completo bianco: camminano abbracciati, complici come possono esserlo solo due vecchi amanti.

Voi siete!

Mi fermo.

Alcuni cani, storditi dagli effluvi, vi danzano intorno.

E piove.

...Piove dalle nuvole sparse.
Piove su le tamerici
salmastre ed arse,

piove su i pini
scagliosi ed irti,
piove su i mirti
divini...

Ascolta...

E tu davvero ascolti, Luisa, ti pieghi verso di lui che ti sta sussurrando sul collo parole ardenti.

...Piove su le ginestre fulgenti
sui ginepri folti di coccole aulenti

E andate di fratta in fratta, or congiunti, or disciolti.
Io resto a guardarvi intanto che lentamente sfumate via.

Odore di caldarroste, di legna bruciata.

Piove sulle mie mani, sui miei vestiti leggeri, sulle favole belle che continuano a illuderci, Luisa. Come l'amore, che talvolta ti piglia alla sprovvista, ti salta addosso e non molla la presa. Come certi cani selvaggi che si aggirano per le colline.

«Quello che non puoi mai sapere all'inizio è con quale intensità e quanto a lungo amerai; in quali modi un amore finito ti darà la caccia, un salto dopo l'altro come fuoco misterioso che ti scorre per le vene».*

Del resto, Luisa, potrebbe non essere così?

Bibliografia

Gabriele D'Annunzio, *Il befano alla befana. L'epistolario con Luisa Baccara*, Garzanti libri, collana saggi, Milano, 2003.
Antonella Federici, *Luisa Baccara*, Neri Pozza, Vicenza, 1994.
Giordano Bruno Guerri, *D'Annunzio. L'amante guerriero*, Mondadori, Milano, 2008.
*Helen Humphreys, *Cani selvaggi*, Playground, Roma, 2007.

Igiaba Scego

Come un arredo

Laure

Il suo nome è Édouard. Ha diciassette anni. È confuso. Arrabbiato. Molto arrabbiato. Quando hanno chiamato terra non si è precipitato a guardare la baia di Guanabara come gli altri. Non gli importava dove davvero fosse. Sapeva bene che era su quella nave per i motivi sbagliati. E nulla poteva cambiare in lui, o almeno così pensava, quella lussureggiante baia tropicale che si stagliava maestosa davanti ai loro occhi. E dire che all'inizio la traversata dell'Atlantico con le sue difficoltà lo aveva entusiasmato. Su quella nave mercantile aveva trovato anche dei coetanei con cui fraternizzare e dopo un po', come al solito (succedeva anche ai tempi del collegio), era finito a fare la caricatura di tutti. Sulla nave erano ventisei uomini di equipaggio, incluso un signore nero che aveva il comando della stiva, quarantotto cadetti, dei maiali, una manciata di pecore e varie provviste. Di tutti, persino dei maiali, Édouard aveva fatto il ritratto. La sua mano d'altronde non riusciva a stare ferma. Aveva bisogno di creare, attraversare colori, linee, ombre. Era come respirare. Come esistere. Ma il padre questo non l'aveva capito. Si erano separati a Le Havre: «Vi accompagnerò ad imbarcarvi» aveva insistito suo padre. Usava sempre il voi formale con lui, creatura dei suoi lombi. A Édouard questo non piaceva. Si sentiva una proprietà, non un figlio. Ma Papa Auguste era così, tutto d'un pezzo, con la sua barba folta da cosacco e gli occhi incavati dalla fatica. Édouard sapeva che Papa Auguste sognava per lui una carriera da magistrato. Una di quelle professioni sicure e ben viste dalla borghesia a cui apparteneva. Ma poi c'era stato il Louvre a cambiare le carte in tavola. Chi ce lo aveva portato? Probabilmente suo zio. Doveva essere stato suo zio per forza. Édouard Fournier, così si chiamava il fratello della mamma. Lo zio amava l'arte e aveva notato che il nipote aveva una predilezione per i colori, le forme, le linee. Doveva incoraggiarlo. Fu lui che portò Édouard e l'amico Antonin Proust, l'inseparabile Antonin Proust conosciuto al collegio Rollin, ad ammirare la forza brutale di Caravaggio, le linee sinuose di Botticelli, la carica eversiva di Delacroix e la voluttà delle curve immaginifiche di Ingres. Il Louvre era una scatola magica dove trasportati sulle ali della vittoria della *Nike di Samotracia* si poteva volare attraverso i secoli e apprendere la sapienza cupa dei fiamminghi per poi, cambiando sala, entrare nelle viscere dell'esuberanza estetica degli italiani. Non ne aveva mai abbastanza Édouard del Louvre. Era in tutta Parigi il suo luogo preferito. Ma poi Papa Auguste glielo proibì, «non metterete più piede in quel postaccio». Tutto precipitò quando Édouard venne a casa con la richiesta esplicita di poter iscriversi all'Accademia di Belle Arti. Al collegio dopotutto era stato un pessimo studente, sempre distratto, sempre con un taccuino in mano, a ricalcare le orme dei suoi pittori preferiti come El Greco o Velázquez con quei loro giochi di specchi e la disperata inutilità del vivere che traspariva dai loro quadri. Sentiva che quei pittori, soprattutto gli spagnoli, avevano colto la futilità estrema dell'esistenza rendendola però un'eterna corsa a ricercar sé stessi. Era la ricerca del colore che tanto lo affascinava in quegli spagnoli, quei visi che parlavano di infinito. Anche lui voleva arrivare a quell'esattezza partendo da poche macchie vaghe di un colore giustapposto come se fosse solo una fatalità. Goya poi gli aveva preso l'anima. Quella Maja tutta nuda in offerta, ma anche fredda, lontana, in fondo cattiva. «Che estasi!» La Maja a volte la sognava la notte e gli veniva duro. Ma Papa Auguste voleva che lui si iscrivesse a giurisprudenza.

«Pago io, siete sotto la mia giurisdizione, moccioso, e farete quello che voglio io».

Édouard non era tipo da scenate. Non urlò contro suo padre. Ma decise di boicottarlo. Per questo un giorno, con disappunto anche della madre, disse che sarebbe diventato marinaio e Papa Auguste si dovette arrendere alla volontà di quel figlio troppo cocciuto.

Ed eccolo ora a poppa, insieme a tanti giovani, con gli ormoni vorticanti desiderio, a guardare una baia tropicale arrivargli addosso come una nemesi a cui non si può sfuggire.

Non sa chi gli disse: «Alza gli occhi, Édouard». Il ragazzo era chino, ingobbito, già schiacciato da una vita che non voleva vivere. Ma poi quell'«alza gli occhi», detto con entusiasmo e con un pizzico di pazzia, lo convinse. Alzò gli occhi e vide un arcobaleno di colori sgargianti investirlo come una tempesta. Era stato Louis, un ragazzo di Grenoble, piuttosto in carne, con le lentiggini ad aver parlato.

Aveva fatto anche a lui un ritratto e mentre lo disegnava pensava a quei rinoceronti che di tanto in tanto si trovavano sulle stampe antiche viste al Louvre. Era rotondo, pacioso, ma con un'aggressività che poteva travolgere chiunque se provocata. In quel momento era eccitato. «Guarda» urlava, «è lì che perderemo la verginità, Édouard. È lì che succederà». Anche Luis aveva diciassette anni. Anche lui era vergine come Édouard.

Rio de Janeiro era strana. Umida, troppo calda, affollata. Gli odori all'inizio lo avevano stordito. Ma poi la curiosità aveva preso il sopravvento. A Édouard piaceva andare per i mercati, a prendere appunti su quella frutta mai vista prima di mettere piede lì. Poi quei visi o troppo tondi o troppo smunti che gli si paravano davanti erano un autentico spettacolo. Aveva scritto allo zio che «le brasiliane, quelle bianche, erano assai belle. Ma non è come ce le immaginiamo in Francia». Scrisse anche: «Sono pudiche come suore di clausura. E sempre controllate da qualche lacchè. Non hanno la leggerezza delle nostre belle parigine. Una brasiliana con difficoltà ti concederà un sorriso».

Poi c'erano le nere.

Di quelle scrisse a un amico dicendo che

> prima di Conrad, il mozzo della stiva, non avevo mai visto un nero, mai in vita mia te lo posso giurare. La pelle d'ebano di Conrad però non è come quella che ho visto nei quadri del Louvre, è diventata blu a furia di stare in quella stiva con le provviste. Blu che a tratti si trasforma in un grigio stinto quando viene notte. Invece poi a Rio li ho visti questi neri di cui parlano tutti. E ho visto le

nere di cui si favoleggiano meraviglie. Non so, Antonin, sono state in parte una delusione e in parte una rivelazione. Alcune hanno un muso da scimmia e delle ossa grosse come bufali. Non sono attraenti. Non sorridono. E hanno una ruga che gli spezza la fronte in due, una ruga triste e solitaria. Poi ci sono anche delle ragazze snelle, alte, ossa lunghe, seno prosperoso, pelle non troppo marrone, turbanti bianchi in testa. Quelle sono belle. E poi ci sono le mulatte più chiare ancora. Qui ho scoperto che quello che noi definiamo nero ha tante sfumature. Nessun nero è uguale a un altro. Ma anche le nere non sorridono. Sono piegate da incombenze. Le vedi sciamare nella città come api operaie. Con quelle lunghe vesti bianche, che le infagottano tutte come salami. Solo una donna mi ha sorriso. Al mercato. Era una donna piuttosto vecchia. Mi ha sorriso con gli unici due denti che aveva in bocca. Uno spettacolo deprimente, Antonin. Come deprimente è stato vedere come vendono gli schiavi al mercato. Navi li portano dall'Africa e sembra di stare a scegliere delle vacche. Sono contento che da noi la schiavitù non esista più da un anno. È una istituzione terribile.

Le lettere che mandava allo zio, ad Antonin e agli altri maschi della sua cerchia erano di questo tono. Tutti volevano sapere di più di quelle brasiliane, volevano sapere se Édouard ne avesse baciata qualcuna. Se si fosse spinto come Don Giovanni verso il loro velo più intimo. Édouard su quelle richieste di sapere di più glissava. Non aveva il coraggio di dire a zio e amici che era ancora vergine.

Louis, che di cognome faceva Fauvelle, lo aveva accompagnato in un bordello a dir la verità. Glielo aveva consigliato un altro mozzo della loro nave: «C'è una certa Mademoiselle Flauvy che è la fine del mondo». Il nome era francese, ma lei era una bianca figlia di quei tropici, che aveva messo su un commercio niente male per marinai alle prime armi. Insomma era specializzata a sverginare marinai inesperti. Ormai aveva una certa età, ma la sua muscolatura forte riusciva ancora a farla sembrare una ragazzina. Soprattutto le sue cosce erano forti. Mademoiselle Flauvy negava di avere sangue nero nelle vene. E a chi insisteva con quella diceria lei rispondeva facendo uscire fuori un albero genealogico che risaliva ai tempi di Carlo Magno. Per lei la prostituzione non era un lavoro, non un semplice meretricio, ma una missione. O almeno quella era la voce che circolava tra gli equipaggi, soprattutto tra quei marinai ancora da sverginare. E Louis di Grenoble, Louis Fauvelle, aveva trovato l'indirizzo e aveva trascinato lo scettico Édouard con sé. La casa di Mademoiselle Flauvy era nei pressi della rua Obrador, infilata in mezzo a caffè licenziosi e postriboli pompeiani. Una casa posta su un piano unico, con due stanze, la prima quasi una sala da aspetto dove un cliente poteva sostare prima che arrivasse il suo turno. Quella mattina la mademoiselle non aveva clienti. «Siete fortunati» disse, nel suo francese stentato, pieno di nasali portoghesi, la domestica nera che li aveva accolti, «Mademoiselle vi riceverà subito». Édouard fu meravigliato dall'abito di quella donna nera. Un abito bianco, candido, abbottonato fino al collo. Un abito che mai si sarebbe aspettato di vedere nella casa di una prostituta. Le gonne erano ampie, a balze, e davano alla figura di quella donna color pece la consistenza di una nuvola. Anche la stoffa gialla che la donna si era arrotolata malamente sulla testa le dava una certa strana leggerezza. E poi gli occhi. Erano vispi, allegri, ironici soprattutto quando chiamava la sua padrona Mademoiselle. C'era in quell'ironia un disprezzo impossibile da celare.

«Entri prima tu o prima io?» chiese Louis di Grenoble.

«Tiriamo a sorte».

La sorte scelse Édouard.

Quando la donna nera li chiamò, Édouard si alzò come una cavalletta pronta all'attacco. Era nervoso. E stremato dall'odore di vagina e spezie che emanavano quelle sale.

Quando entrò in quella stanza illuminata solo di candele, vide che mademoiselle era lì, al centro esatto, distesa in un mare di cuscini. Esposta. In mostra. Seni piccoli, mano sul pube, ma non nel pudico modo che tante volte aveva visto nei quadri del rinascimento italiano. C'era in quella sua mano qualcosa di volgare, meschino, diretto che a Édouard quasi fece venire la nausea. Era una bella donna, il doppio dei suoi anni, uno chignon ben legato in testa e il viso non ancora strapazzato dai clienti per fortuna, era probabilmente lui il primo della giornata. Fu quando i suoi occhi incrociarono gli occhi di lei che arrivò il panico. Il viso della donna era rigido, lo sguardo assente, duro. Non c'era nessuna espressione in lei. Nessuna gioia, ma anche nessun dolore. Non era triste, né felice. Né arrabbiata, né serena. Forse era noia quella che lui le leggeva in faccia? Chissà! Sta di fatto che questa accoglienza così fredda lo aveva paralizzato. Non riusciva a immaginarsi sopra quella donna a morderle i seni. Cosa fare? Poi sentì una mano sulla spalla. Era la donna nera, la domestica. Aveva un grosso mazzo di fiori variopinto in mano. «Cosa fai ragazzo? Não tem que ter medo è soamente uma mulher». La seconda parte della frase lui non l'aveva capita. Ma notò che la donna gli stava sorridendo. Poi in un lampo fu dalla padrona con quel mazzo di fiori in mano. Glielo tese. La donna, Mademoiselle Flauvy, chissà poi qual era il suo vero nome, era ancora lì nuda, annoiata, senza espressione. Aspettava che lui si avvicinasse e le saltasse semplicemente sopra. Vista l'inesperienza, tutto sarebbe durato meno di un secondo. Lo voleva davvero tutto questo Édouard? Il ragazzo era stordito. «Non devi avere paura, Não tem que ter medo» gli disse la domestica nera sorridendo. Édouard non sapeva cosa rispondere. Sentì solo il fruscio delle ampie gonne bianche della donna nera e pensò «forse è un angelo». Poi la vide, per la seconda volta, porgere i fiori alla donna inerte affondata sul mare di cuscini con pazienza e rassegnazione. La domestica era comunque sempre sorridente, i suoi occhi erano vispi e allegri. C'era della malizia in quel suo consegnare quel mazzo di fiori. Un segreto che condividevano tra donne. Mademoiselle non si prese la briga nemmeno di guardare quei fiori. Disse solo in un francese autoritario, che a Édouard tanto ricordò Papa Auguste: «Allora ragazzo che vuoi fare?»

Édouard uscì di lì. Incrociando Louis gli disse solo «è tutta tua, la mademoiselle». E così dicendo corse via da quella casa che odorava troppo di vagina, spezie e risentimento.

Passarono gli anni. Édouard aveva smesso da tempo di essere solamente Édouard, ma era ormai Édouard Manet, pittore, apripista di avanguardie artistiche, maestro, innovatore. Non tutti lo amavano a Parigi, molti consideravano il suo stile piatto e senza anima. E poi quelle scene così quotidiane disturbavano i cultori delle forme classiche, pulite e senza fronzoli che una certa alta borghesia commissionava ancora agli artisti. Manet era diverso. Voleva essere assorbito dai volti delle persone intorno a lui. Voleva dentro i suoi quadri il loro sguardo, il lampo di quella vita che ancora abitava le loro membra. Faceva schizzi veloci di tutto quello che lo colpiva, fosse un dolente chitarrista o una prosperosa cameriera di cabaret. E li inseriva in un vuoto fatto di impressioni, più che di sostanza. Come quando una madre stanca guarda verso di lui e un bambino sognante, al di là delle inferriate, segue il movimento di un treno, che per chi guarda è solo immaginato. In primo piano solo la donna e il bambino. Era fatto così Manet. Lavorava di sottrazione. Voleva solo un sentimento accennato. Non voleva spiegare tutto e riempire la tela di dettagli. Voleva sfidare chi osservava la sua opera in un lavoro di completamento. Come se il quadro fosse solo l'appendice di un dialogo serrato ancora tutto da costruire. Come tanti artisti trovava materiale per le sue tele tra il IX e il XVII arrondissement. Place de Clichy e place de Pigalle erano la sua dimora. E poi si concedeva svariate, se non quotidiane, passeggiate verso il Louvre, il suo amatissimo Louvre. Era lì che si abbeverava ai suoi El Greco, Velázquez, Ingres. Lì che, studiando chi lo aveva preceduto, poneva anche le basi di una sfida con quei modelli. Era dal 1857, dopo un viaggio in Italia, che era ossessionato dalla *Venere di Urbino* di Tiziano. Quella donna, sensualmente sdraiata, era un tarlo. Il suo viso così amichevole, l'eleganza dei suoi gesti. «Mio Dio! Estasi». Era un quadro che ammirava, ma che allo stesso tempo voleva metaforicamente distruggere. Anni dopo quel viaggio in Italia, perso in questi pensieri, incontrò Laure. Avvenne così il loro incontro. Édouard, ormai un uomo con la barba che assomigliava parecchio al suo defunto padre Auguste, si scontrò con Laure. Alcuni immaginano che sia andata così, io lo immagino. Forse però lui all'inizio la vide solo da lontano, mentre accudiva una bambina. Laure era una bambinaia. Era nera. Venuta da una di quelle isole dal nome esotico per i francesi del XIX secolo, Martinica, Guadalupa, Haiti, venuta dopo l'abolizione della schiavitù. Non erano molti i neri a Parigi in quegli anni. Ma di anno in anno erano sempre più visibili, anche perché si erano concentrati tutti nelle stesse zone dove risiedevano Manet e i suoi amici artisti. Ed è così che nel IX arrondissement e nel XVII si videro presenze di lavoratori neri. Erano tutti sottopagati, tutti classe operaia, tutti con la grande difficoltà di arrivare alla fine del mese con qualche spicciolo in tasca. A loro erano destinati i lavori più umili. Erano loro che costruivano Parigi e aggiustavano le fogne, loro che svuotavano le cantine e disossavano i terreni. Loro che pagavano il prezzo più alto, con il sudore caldo sulla fronte e le ossa marcite per l'umidità. Loro chiamati liberi, ma che erano in fondo ancora schiavi. E poi se si era donna e nera le strade per sfangarla erano poche. O si finiva in qualche casa come bambinaia o in qualche bordello come meretrice. Laure era bambinaia. Dalla bambina che accudiva, con amore e con un certo timore, si vedeva che lavorava per ricchi signori che avevano fatto vestire la loro figlia di sette anni come una bambola di porcellana. Laure parlava sottovoce, teneva la piccola per mano e quando lei scoppiava a piangere le accarezzava la testa. La bambina era di quelle buone. Ubbidienti. Ma ogni tanto, come è normale, scappava al controllo di Laure per arrampicarsi sugli alberi e allora dietro Laure la pregava che «non sta bene», «che lei era una bella signorina e non poteva giocare come un maschiaccio», «e che si sarebbe rovinato l'abitino e che per carità Christine scendi se no perdo il lavoro». Manet non sappiamo se le parlò subito. Se si sono scontrati, forse qualcosa lui gliel'avrà detta, tipo uno scusa, scusate la mia distrazione, qualcosa gliel'avrà detta di sicuro. Ma forse non si sono scontrati. E questo avrà dato la libertà a Manet di osservarla. Ogni qualvolta la guardava sentiva l'odore penetrante della baia di Guanabara entrargli prepotentemente negli orifizi nasali. Ed eccola di nuovo quella Rio de Janeiro con le sue donne bianche, nere, mulatte. Quella Rio de Janeiro che lo aveva visto in fuga da una prostituta. Una Rio che per lui aveva la consistenza dell'abito bianco di una donna nera, bella e possente come una nuvola prima della pioggia. Manet vedeva Rio in Laure – anche se ancora non conosceva il suo nome – quella Rio che gli aveva donato certi colori aspri e sgargianti di cui dopo, nella sua carriera di pittore, non avrebbe potuto fare a meno.

Rio...

E allora ogni giorno andava al giardino delle Tuileries a vedere Laure, con il suo abito a quadrettoni e il suo turbante rosso che terminava con un grande fiocco dorato. Che bella pelle compatta aveva Laure. E dire che a diciassette anni aveva considerato quella pelle brutta, da scimmia aveva scritto a qualcuno quando ancora stava a Rio.

Invece, vista sotto i raggi del sole del giardino delle Tuileries, la pelle di Laure riluceva di riflessi diamante che davano a quel marrone una nuova vita. Laure era, anche se tutta infagottata, molto bella. Moderna. Dava la cifra di quello che stava diventando Parigi. Una città mondo che conteneva anche lei, la sua pelle d'ebano e la larghezza dei suoi fianchi da matrona. Aveva un corpo regale. Irresistibile per un pittore come Manet. La voleva far sua nel disegno, come quei due poveri ubriachi, schiavi dell'assenzio che aveva visto in un locale vicino casa. Era quella la gente che gli interessava. Ubriachi, negre, pifferai magici, donne depresse che voltavano le spalle ai figli e al futuro. Quella gente, quella Parigi non la raccontava nessuno, e lui invece voleva raccontarla. Ci vollero pochi schizzi per ricreare Laure nella tela. Aveva memorizzato ogni centimetro della sua pelle. La mise su tela accanto a tre bambine viste con la loro tutrice isterica, avvistate alcuni giorni prima di lei. Nel quadro ci mise anche un uomo. E sul bordo destro lei, Laure, con la sua tenuta da bambinaia esotica e la bambina che doveva tenere d'occhio. La fece senza occhi, senza orecchie, senza naso, senza ciglia. Il volto vuoto, fatto solo di quella pelle d'africana che si portava addosso con un certo orgoglio. Il quadro piacque al suo circolo d'amici. Piacque soprattutto a Jeanne Duval, l'amante creola di Baudelaire, che disse di quel quadro una sola parola: bello. Sì, solo bello, senza aggiungere ulteriori commenti. Manet si chiese se la donna, originaria di Haiti, stesse pensando a sua madre. Non glielo chiese.

Mesi dopo Édouard Manet parlò con Laure. La trovò ai giardini. All'inizio le chiese se voleva fare delle pulizie a casa sua. Laure era sospettosa. Non si aspettava che quell'uomo bianco con la barba le si avvicinasse. Scosse la testa, spaventata. Laure sapeva che fine avevano fatto certe sue sorelle, finite a soffrire sotto gli orgasmi rumorosi degli uomini bianchi. Lei aveva promesso che non sarebbe mai finita così. Lo aveva promesso a sé stessa. L'uomo le assicurò che aveva buone intenzioni. Laure scosse la testa. «Ho già un lavoro» disse, «non ho bisogno di lei». «Ma io ho bisogno di lei» disse il pittore. E le fece uno schizzo. Laure prese il foglio su cui il pittore aveva scarabocchiato linee e curve. Vide la sua faccia. Era così somigliante. «Ma lei è un mago?» chiese. «In un certo senso» sorrise Édouard Manet. Il sorriso era sempre quello timido e asimmetrico dei suoi diciassette anni.

Laure posò parecchie volte per il pittore. Era stancante stare ferma ad aspettare che lui la guardasse. All'inizio per Laure fu una fatica sostenere quello sguardo che la spogliava, che esaminava ogni centimetro di pelle e ogni riccio che fuoriusciva dal suo turbante. Ma per stare ferma lui la pagava, bene, troppo. E insomma i soldi in quella Parigi tremenda le servivano eccome. Quindi stava ferma, immobile, senza un sorriso, come aveva ordinato lui.

Ed ecco che Laure ebbe il suo primo ritratto. Non fu l'ultimo.

Nel ritratto conosciuto dai posteri come *Ritratto di una negra*, oggi *Ritratto a Laure*, la donna aveva un sorriso sbilenco, simile a quello del pittore, che le attraversava il viso quieto da parte a parte. Non era più una massa di colore informe, non più anonima. Si vedevano i suoi occhi buoni, le sue ciglia fitte, la fronte ampia. Il naso era grande, africano, possente, bello. Nel quadro si vedeva solo l'orecchio sinistro ingentilito da una perla. Poi c'erano la collana, il turbante pieno di colori e un po' di rassegnazione per essere finita in una tela, intrappolata per sempre dentro a quell'attimo eterno. Poi c'era la pelle. Il pittore, Édouard, ma lei non osava chiamarlo per nome anche se lui glielo aveva permesso, le aveva chiesto di abbassare il vestito: «Ho bisogno di vedere le spalle... sì, così... bene, Laure... un po' di più». Ed ecco che quel marrone intenso della pelle quasi si confondeva con il bianco dell'abito. Uno dei suoi abiti bianchi della domenica, quando si ritrovava per qualche ora libera dalle incombenze lavorative, a chiacchierare con quei pochi neri come lei, che si illudevano che la métropole potesse davvero cambiare loro la vita. Nessuno tra loro osava dire all'altro che Parigi era un'ingrata. Che li avrebbe spremuti come limoni e poi buttati via. «La métropole, me la ficco nel culo la métropole!» le diceva sempre Pierre, un giovane delle sue isole che la voleva portare via con sé, «a casa saremo più felici, Laure». «Ma io sono più vecchia di te, Pierre, una volta a casa vedrai le donne più giovani e mi odierai. Diamoci compagnia qui, abbiamo solo questo io e te, il futuro non sappiamo che aspetto avrà».

Vedendo il ritratto Laure vide la sua stanchezza, quel sorriso tirato era quello che usava quando stava a casa dei padroni. Ne aveva tanti in quella lurida Parigi, nessuno in quella città ingrata l'aveva presa fissa come domestica, e doveva incrociare tutte quelle madame francesi che le davano da lavorare e doveva correre da casa a casa. Da madame a madame. Le padrone francesi volevano sempre buone maniere, sorrisi finti e lei aveva imparato in fretta a fare quello che chiedevano.

«Ma questo ritratto signor Manet non mi piace» disse Laure, «non mi piace, mi fa vecchia, mi fa stanca, preferivo essere senza viso come nell'altro quadro».

Il pittore non disse nulla.

Sapeva che la verità faceva male.

Doveva dare a Laure il tempo di vedersi bella, perché lui bella l'aveva fatta. O almeno credeva. Lo chiese anche agli amici e a Jeanne Duval, l'amante creola dell'amico Baudelaire: «Ma vi piace?» Lei pianse: «Sto male, temo di stare male. Prima che muoio mi devi disegnare così, come questa Laure. Oh quanto assomiglia a....»

«Assomiglia a chi?» chiese Édouard Manet, ma Jeanne Duval non rispose. Continuò a piangere.

«Disegnami così. Promettimi che lo farai, per la nostra antica amicizia, per il tuo amico Baudelaire che sai quanto mi ama. Prima che muoia. Prima che il male mi distrugga».

Édouard Manet non promise formalmente.

Ma promise.

Édouard era ossessionato da Laure, come era ossessionato dalla *Venere di Urbin*o di Tiziano.

Lui sapeva bene perché.

Era l'odore di Rio de Janeiro, la stanza di Mademoiselle Flauvy e di quella verginità che quella notte non era riuscito a perdere. Tutti si aspettavano che sarebbe saltato addosso a quella donna in mostra, che odorava di vagina. Ma lui non aveva fatto nulla. E la domestica nera lo aveva capito e in fondo consolato, a modo suo. Quella donna nera era stata partecipe del suo pudore e della sua confusione. Per questo le voleva ancora bene.

Édouard non sapeva dire quando gli venne l'idea di sfidare Tiziano e di realizzare una scena più realistica di quella sua Venere distesa. Non era una scena da borghesia quella, e lui, Édouard Manet, non se la voleva cavare con la mitologia come avevano fatto i suoi predecessori. Niente più Venere. Avrebbe trovato un nuovo nome alla sua nuova Venere. Certo, lo avevano fatto tutti in fondo, cavarsela con la mitologia, anche il suo amato Ingres aveva preso quella scorciatoia. La sua grande odalisca era però così maestosa con quelle sue tuniche romaneggianti e accanto a lei quella donna nera, nera come Laure, e sensuale, di cui si intravedeva un seno nudo. Sentiva una strana sensazione Édouard Manet. Come se Ingres sapesse che lui era stato dentro a una situazione simile, una donna nuda in attesa e una domestica nera. Ma in Ingres tutto era maestoso, classico, regale... nella testa di Édouard Manet la scena nel postribolo di Rio sembrava ancora volgare, troppo volgare per essere messa su tela. Esitava. E quella parola, volgare, gli vorticava in testa come un uragano. C'è davvero qualcosa che si può definire volgare in pittura? La realtà, l'odore di spezie e vagine era forse volgare? «Siamo ancora a questo punto nel XIX secolo?» pensò. E fu allora, mentre era impegnato in una delle sue solite passeggiate verso il Louvre, che decise di sfidare sia Tiziano e la sua *Venere di Urbino*, sia Ingres e la sua grande odalisca. Sfidare quei classici attingendo a quel suo ricordo di Rio de Janeiro. Gli serviva però Laure per farlo. Lei avrebbe dato un gusto nuovo alla composizione. Doveva cercarla. Il più presto possibile. Ormai sapeva dove abitava, a dieci minuti da casa sua, a rue de Vintimille. L'avrebbe pregata. Pagata bene.

Ma prima di andare da lei doveva andare dalla sua prediletta, Victorine Meurent. Chiederle di posare ancora per lui. Lei lo faceva con grazia. Le piaceva stare immobile a guardarlo fare i suoi scarabocchi. Così li chiamava. Scarabocchi. Lui rideva e le chiedeva: «Quando mi farai vedere i tuoi?» Lei però ancora non gli aveva fatto vedere nulla.

Édouard Manet però non aveva mai insistito. La pittura ha i suoi tempi per essere mostrata.

Doveva convocarle insieme, vedere che effetto gli faceva vederle insieme, una accanto all'altra, la nera vicino alla bianca.

Fu un effetto strano. Ebbe la nausea, come quando stava in mare e nascondeva il fatto ai superiori, non voleva far sapere che era un mozzo da buttare via.

«Sta bene, Édouard?» chiese Victorine Meurent che aveva con lui un tono sempre un po' formale anche se ormai si conoscevano da anni.

A Édouard Manet tremava la folta barba.

«Rivestiti, Victorine. E tu scusami, Laure, se ti ho fatto venire. Ti pagherò la seduta lo stesso».

Poi uscì dalla stanza.

Era furioso con sé stesso. Non era Victorine Maurent il problema. Sapeva bene come disegnarla.

Aveva capito che non sapeva come disegnare Laure. Ancora una volta era Laure lo scoglio.

Doveva superarlo.

Di donne nere ne avevano fatte in parecchi. Al Louvre c'era quella donna conturbante, troppo conturbante, di Marie-Guillemine Benoist. L'aveva guardata mille volte quella donna, per cogliere un suo pensiero, un suo rimprovero. Il suo seno sembrava quello piccolo e pieno di promesse di certe donne che aveva visto a Rio de Janeiro, anche loro con turbanti bianchi in testa e vesti candide. I mozzi, compagni di quella sua strana avventura giovanile, gli avevano spiegato che quella era carne da padrone. Roba prelibata, delizia della piantagione. «È un peccato che la Francia abbia abolito la schiavitù nel 1848. Noi non potremmo mai avere certi privilegi. Alzarci, cercare una donna, una qualsiasi di queste nere, ingropparcela prima di fare colazione e se poi ne abbiamo la forza ingropparcene un'altra se ne abbiamo ancora voglia e continuare così, saziandoci solo a tarda notte. Non sarebbe un sogno, Édouard?», così parlavano i suoi compagni di allora. Édouard non rispondeva. Non sapeva dire se fosse d'accordo o se la sola idea lo facesse vomitare. La sua reazione al mercato di schiavi era stata di schifo assoluto e Louis di Grenoble lo aveva deriso per questo: «Sono bestie, non ti far venire le convulsioni per loro, Édouard».

Bestie.

Ora che conosceva Laure, che ci aveva parlato un po' – Laure parlava sempre del suo arcipelago e dei manghi, «Lo ha mai mangiato un mango, signor Manet?» – no, ora che conosceva Laure, non aveva il coraggio di usare quella parola, bestia, per definire i neri come lei.

Nemmeno la donna nera ritratta da Marie-Guillemine Benoist e nemmeno quel Joseph che aveva fatto da modello a Géricault era una bestia. E no, nemmeno quella donna dagli occhi grandi, scrutatori, di Ingres, era una bestia.

«Piuttosto sono le nostre muse. Sono loro che ci spingono a descriverci come mai prima d'ora. A vederci interi come mai prima d'ora». Fu un pensiero fugace che ruotò per un attimo nella testa di Manet. Come venne se ne andò pure via.

Parigi stava cambiando. Édouard lo vedeva dalla luce più intensa dei lampioni, dalla frenesia dei corpi in movimento, da quei corpi neri che erano venuti a portare i loro sentimenti al centro della métropole.

Erano i neri, quella classe di lavoratori sottopagata, quegli stranieri così familiari, con quel francese fiorito, con quegli occhi grandi, con quelle ossa di ferro, a fare la differenza in quella città ancora troppo tradizionale. I riti della borghesia dovevano essere spazzati via. In pittura tutto doveva essere rivoluzionato, il colore, i contenuti, la visione. Tutto. «Dobbiamo essere più moderni, ancora più moderni di quello che pensiamo di essere. Spingerci dove non ci siamo spinti ancora. E poco importa che non ci capiscano». *La colazione sull'erba* era stata travisata, Édouard lo sapeva, ci soffriva. Non l'avevano intesa, la consideravano disdicevole, incompleta, sciatta. Si era arrabbiato, le critiche feroci lo indisponevano, ma gli avevano dato nuova linfa per agire, reagire. «Con *Olympia* gli farò rimangiare anche le virgole». Aveva già il titolo per quel quadro che avrebbe avuto due muse particolari. La sua modella preferita, Victorine, con quel suo sguardo dolente, e Laure, la musa che nessuno si aspettava, la chiave che aveva Édouard Manet verso la modernità. Avrebbe strabiliato il pubblico. Ne avrebbero parlato.

E così fu. Fu così che *Olympia*, il nome che più della metà delle prostitute di Parigi usava, fece il suo ingresso nella storia dell'arte.

Quella mano sul pube, l'ufficio del meretricio esposto senza ritegno e oh mio Dio che offesa verso Tiziano, ma anche verso il povero Ingres.

Di *Olympia* si dissero molte cose.

Si disse che «Dinanzi al quadro di Manet scoppia un'epidemia di pazze risate» o che «Quando l'arte scende a un livello così basso non merita neanche il disprezzo». Qualche visitatore provò a sfondarla con gli ombrelli, mentre anche qualche amico prese le distanze da lui. E poi ci fu Louis Leroy, che non era mai stato tenero con lui, che scrisse: «Se un giorno dovessi dedicare una sola riga di elogio all'*Olympia*, vi autorizzo a legarmela al collo e ad espormi in pubblico: me lo sarò meritato». Solo Baudelaire gli mandò una lettera di ringraziamento, mentre Émile Zola lo difese a modo suo. Si parlò molto del corpo nudo di Olympia. Molto di quella mano volgarmente messa sul pube. A parte Zola pochi parlarono del gatto. Nessuno invece parlò di Laure. La consideravano un arredo. Una donna nera vestita di bianco. Era come un soprammobile. D'altronde chi era stato a Venezia ne aveva visti di soprammobili a forma di africani, li vedevi nelle pensioni veneziane, vedevi anche candelabri con la testa dei mori. Si usava. Erano simulacri di tempi antichi, di quando Venezia era ricca e si poteva permettere degli schiavi in ogni dove. Sì certo, era un arredo quella donna che porgeva i fiori, non poteva essere altro. D'altronde i quadri sono sempre stati pieni di moretti vicini alla gran dama di turno. Ecco un motivo in più per odiare Manet: Olympia, con quella sua volgarità, non poteva essere una gran dama. Era solo una che vendeva sé stessa e quello che aveva di più sacro per pochi spiccioli. Era odiosa. Olympia era odiosa. Un esempio pessimo. Non arte, ma meretricio.

È così che rimase Laure in quel quadro: un arredo. È così che la videro tutti, anche dopo la sua morte e la morte di Édouard Manet, avvenuta a Parigi il 30 aprile 1883.

Non sappiamo oggi dove sia morta Laure, non sappiamo dove sia stata sepolta, non sappiamo se abbia avuto dei figli, una discendenza. Non sappiamo nemmeno bene da dove venisse: Africa, Caraibi? O era nata in Francia? Di lei abbiamo solo le espressioni vaghe di un volto fatto di massa di colore, fraintendimenti, modelli classici e modernità parigina. C'è un altro quadro, questa volta non di Manet, dove Laure è ritratta. Il pittore si chiama Jacques-Eugène Feyen e il titolo del quadro è *Il bacio infantile*. Il quadro non è di pregio come quelli di Manet, ma ha la chiarezza che oggi può avere un selfie. Vediamo la cura di Laure verso i bambini della padrona. È più solare, o almeno sembra, la nostalgia l'ha ricacciata in gola. È elegante nei suoi abiti da domestica. È bella. Immensamente bella.

Sì, Laure una musa immensamente bella.

Anna Siccardi

Nelle scarpe di Dora 

Dora Maar

Parigi, 16 luglio 2019

Place Pompidou è semideserta, la luce densa del mezzogiorno la fa sembrare una baia che scende al mare. Invece è il sagrato di una strana cattedrale che oggi porta un'insegna in bianco e nero:

DORA MAAR
LA PLUS GRANDE RÉTROSPECTIVE JAMAIS
CONSACRÉE EN FRANCE À L'ŒUVRE
DE DORA MAAR (1907-1997)

Sopra la scritta, l'immagine gigantesca di una donna di spalle, un lungo abito scintillante, una stella a sei punte al posto della testa. È Dora? È una sua opera? Se non è lei (e non è lei, come scoprirò tra poco, ma la modella di un suo scatto) è comunque un'immagine eloquente: una donna che non si mostra, le braccia alzate come davanti a un plotone, con uno scherzo al posto della testa. Potrebbe essere un buon inizio per il mio articolo.

Galerie 2, niveau 6: la mostra è all'ultimo piano. M'infilo nel percorso di scale mobili che si snodano nei tubi trasparenti e ritrovo la meraviglia di questa ascensione. Tu sali, Parigi s'inchina, la memoria va alla mia prima volta al Pompidou. Ero bambina, a mia madre ricordava *Metropolis*, io mi immaginavo adulta dentro la navicella di *Star Treck*. Oggi mi sento di nuovo bambina dentro un immenso giocattolo vintage. Ogni età ha le sue allucinazioni.

La prima impressione è che i muri siano troppo grandi, la luce troppo forte. Le fotografie della Maar – che vedo dal vivo per la prima volta – sono più minute e più cupe di come mi aspettavo: sembrano carotaggi nel muro, piccoli pozzi che chiedono di avvicinarsi e guardare dentro. Assia, Nusch, donne senza nome, gli scatti di moda e i collage surrealisti, i reportage dalle strade di Barcellona. Tante anime, forse troppe; come se Dora volesse dirmi che poteva essere chiunque, senza però mai scegliere chi. Mi aggiro per le stanze e sento crescere un disagio, un dispiacere: come se la grandiosità di questa mostra – crudelmente retrospettiva, visto che per anni è stata considerata più come donna di Picasso che come artista lei stessa – fosse un'ammenda collettiva. Meglio tardi che mai, forse. Ma è proprio così?

Mi colpisce l'immagine di una barchetta persa tra onde di capelli. Poco oltre, un nudo statuario si replica e ingigantisce nella propria ombra. C'è qualcosa di sacro, ci vorrebbero tanti confessionali per guardare queste opere come si deve. E in effetti il movimento dei pochi visitatori ricorda una processione, con brevi inchini davanti a ogni immagine – alcune sono poco più grandi di diapositive – un attimo di immersione e poi avanti, alla prossima.

C'è anche qualcosa di incompiuto, di inespresso e, su tutto, incombe la sua biografia, o quello che di lei si è voluto ricordare. Le sue opere mi piacerebbero di più o di meno se non conoscessi la sua vita?

I pannelli esplicativi all'ingresso di ogni sala tentano di svincolare la Maar dal ruolo asfittico di «musa», spostando l'attenzione sul suo sguardo rivoluzionario e sull'ironia surrealista. A me sembra uno sguardo coraggioso, sì, ma anche un po' dolente e, di ironico, vedo che la sala più gremita è l'ultima, la più grande, quella dedicata a Picasso. Dora, qui, è il soggetto, cioè l'oggetto, di dipinti che ho visto sui libri di storia dell'arte. *Dora con le unghie verdi*, *Dora sulla spiaggia*, *Dora e il minotauro*, *Dora seduta*, una parete intera di *Dora che piange*. Mi chiedo se il curatore della mostra si sia reso conto di aver riprodotto esattamente l'andamento della vita di Dora: timidi esperimenti, l'evoluzione di un segno stilistico, la ripetizione ossessiva, lo smarrimento, Picasso. Dopo Picasso, s'intravede l'uscita.

Mi avvicino a *Dora e il minotauro*, attratta dai suoi colori solari e delicati, in netta antitesi con la scena descritta: una specie di stupro zoomorfo ritratto con sfacciata indulgenza. Il minotauro infuria su Dora, lei distoglie lo sguardo da lui e volge i begli occhi al cielo, chiedendo riconoscimento più che aiuto.

Assorta in questi pensieri ci metto qualche istante a registrare la presenza di una donna al mio fianco. Il suo viso è proprio accanto al mio, sta studiando anche lei il minotauro, chissà se ci vede più violenza che erotismo, come me.

Indietreggio per lasciarle spazio davanti all'opera, ma lei si ritrae insieme a me e mi guarda. Ha gli stessi occhi che mi puntano dai ritratti della sala, le stesse sopracciglia affilate, la mascella un po' troppo squadrata, l'acconciatura tirata in volute che ho visto nelle tante immagini di Dora. È *lei*? Un pensiero assurdo, dev'essere il caldo. Lei mi guarda le scarpe, un paio di Nike.

«La mitologia precipita tutto nello stesso tempo, non trova?» mi dice.

Io mi limito a sorridere e intanto la osservo. È molto bella. Ha un cappotto scuro e pesante totalmente fuori stagione, stretto in vita da una cintura decorata. Le décolleté a mezzo tacco, la broche appuntata al colletto, i bracciali di smalto, il trucco da diva: tutto richiama gli anni Cinquanta. Porta una piccola borsa di coccodrillo che sposta da una mano all'altra: ha le unghie verdi.

«Mi segua» dice.

Il cappotto volteggia pesante sui passi lunghi – è molto alta – e mi chiedo se sia una performance. Una sosia di Dora al posto dell'audioguida? Mi porta davanti a una Dora che piange – la più celebre: *Weeping woman* del 1937.

«Qui Picasso era all'apice del suo amore» mi dice. «Veda lei» aggiunge, e quasi ride. Il volto della donna ritratta è squartato, distrutto, deflagrato in solchi: la Dora dell'epoca ha trent'anni ma qui è vecchissima, e più che piangente sembra smembrata.

«E pensi che mia madre, quand'ero bambina, nel consolarmi da un pianto disperato mi disse che nessun uomo avrebbe potuto resistere alle mie lacrime. Secondo lei, nel pianto, i miei occhi diventavano bellissimi».

Ho capito: è una fanatica. Uno di quei personaggi eccentrici che si identificano totalmente con i loro beniamini, tanto da assumerne l'aspetto e l'identità. Si chiamano *cosplayer*.

«È stata la mia prima condanna» continua la cosplayer ripensando alle parole della madre. «Mi ha instillato l'idea che il dolore porti amore».

Mi è capitato di vedere un documentario sui cosplayer dei manga giapponesi; si vedevano orde di ragazzini trasformati in Lady Oscar, Pokemon e Doraemon sfilare per le strade di Tokyo. Ma qui siamo a Parigi e questa, che certo non è una ragazzina, ha scelto Dora Maar.

«Del resto sono sempre le donne a condannare le donne» conclude, e si avvia verso l'uscita.

La seguo ancora.

Vorrei chiederle da quanto tempo si traveste da Dora e se esiste un fan club dedicato, ma lei mi afferra il braccio in cerca di appoggio. È incerta sulle scale mobili che sprofondano nel cielo di Parigi.

«Come le è sembrata la mostra?» mi chiede.

«Patetica» dico io. La sento irrigidirsi, quindi aggiusto il tiro: «Nel senso che crea empatia. Si vede l'amore di Dora per la bellezza, per l'eleganza ma anche per la gente comune. Però c'è una specie di tentennamento, come avesse paura a scegliere. Peccato, poi, il tributo finale a Picasso».

«Perché?» mi chiede, continuando a guardarmi le scarpe.

«Perché come sempre c'è lui. Anche in una retrospettiva su Dora, la calca è davanti alle opere di Picasso».

«Davanti a Dora vista da Picasso, vorrà dire».

«Be', comunque» e a questo punto stiamo imboccando rue du Renard, verso la Senna, «è come se neanche a vent'anni dalla sua morte Dora potesse esistere se non nell'ombra di Picasso».

«Curiosa scelta di parole» dice lei, rallentando. «Oggi è *precisamente* l'anniversario della morte di Dora, che però, qualcuno potrebbe obiettare, non esiste nell'ombra di Picasso, ma nella sua luce. E forse a lei piaceva».

Il suo passo è tornato veloce, io le arranco dietro e mi guardo intorno per intercettare la curiosità o lo stupore di qualche passante. Niente. A nessun altro sembra strano vedere Dora Maar per strada, coperta da un cappotto invernale in luglio, con le unghie verdi affilate come lame, in pieno 2019. Mi viene il sospetto che comunque non la riconoscerebbe nessuno; Lady Oscar farebbe girare mille teste, Dora Maar passa del tutto inosservata. Penso una cosa banale, ossia che l'immaginario è più potente del reale, ma poi penso che anche Dora Maar è in un certo senso un personaggio immaginario: il manga di Picasso.

In fondo a rue du Renard ci troviamo sul lungofiume che lambisce l'Île de la Cité. Notre Dame è ancora in rianimazione, nera nel suo esoscheletro di ponteggi e sormontata da gru che si muovono silenziose sul suo corpo. Dora si ferma: «Cos'è successo?» chiede con un filo di voce.

Io realizzo che questa signora è talmente calata nell'interpretazione di Dora negli anni Cinquanta da non aver registrato l'incendio che pochi mesi fa ha quasi distrutto la cattedrale.

«È andata a fuoco» dico, forse in un eccesso di sintesi, ma non so cosa aggiungere.

Proseguiamo lungo il ponte e Dora ogni tanto si ferma, si sporge al parapetto a osservare il fiume che scorre. La sento parlare tra sé e sé, sembra che reciti dei versi:

E i nostri amori
bisogna che io ricordi

la gioia veniva sempre dopo la pena
venga la notte suoni l'ora
i giorni se ne vanno, io rimango*

E poi da capo, come una litania, ma senza tristezza. Come fosse una filastrocca riemersa dall'infanzia.

Passata l'Île imbocchiamo rue des Grands Augustins e, al numero 7, Dora si ferma a guardare oltre il cancello verde (lo stesso verde delle sue unghie, mi pare) che chiude una corte spoglia. Sembra che cerchi qualcuno. C'è una targa accanto al portone:

PABLO PICASSO
VISSE IN QUESTA CASA DAL 1936 AL 1955
QUI HA DIPINTO
GUERNICA NEL 1937
E UGUALMENTE QUI BALZAC HA AMBIENTATO
IL SUO ROMANZO
IL CAPOLAVORO SCONOSCIUTO

«Questo è lo studio che gli ho trovato io» dice la cosplayer, passando alla prima persona. Mi chiedo se esistano regole precise. «Avevo intuito che gli serviva più spazio. Non credo che avrebbe potuto concepire *Guernica* al Bateau-Lavoir».

«E Dora ha fotografato tutte le fasi della creazione, no? Forse sulla targa andrebbe ricordato...»

* Da Guillaume Apollinaire, *Le Pont Mirabeau*

«Fotografavo lui»; dice in un soffio. «Mi piaceva vederlo lavorare. Mi dava le spalle, era una tregua da quel suo sguardo feroce. Era francamente insostenibile» dice, gettandomene addosso uno dei suoi, altrettanto intensi. «Vedo che è molto informata» aggiunge.

«Ho letto qualcosa. Devo scrivere un articolo sulla mostra».

«È una giornalista?»

«Non proprio. Pubblicista».

La sua espressione si ammorbidisce, come se quel *non proprio*, per una volta, ispirasse fiducia anziché diffidenza.

«Non proprio» ripete. «Come me» dice sorridendo, e mi afferra riprendendo il cammino. Io guardo i suoi artigli verdi sul mio avambraccio e per un attimo mi sento graziata: sto passeggiando per Parigi con Dora Maar, o con una cosplayer così fanatica che è come se fosse quella vera.

Svoltato l'angolo ci ritroviamo in rue de Savoie. Dora si ferma davanti a un portoncino stretto e stinto ed estrae un mazzo di chiavi dalla borsa.

«E quindi avrà un sacco di domande da farmi, immagino» dice nell'aprire.

«Dove stiamo andando?» è la prima che mi viene in mente.

«A casa mia».

L'androne del palazzo è buio, ancor di più per il contrasto con la luce della strada che ci chiudiamo dietro le spalle. Intravedo solo le sue gambe chiare che s'inerpicano per le scale, sempre più strette e sempre più ripide.

Arriviamo all'ultimo piano e il mio fiato rotto risuona alle spalle di Dora, che mantiene una compostezza olimpica mentre gira la chiave in una dozzina di mandate. Poi un'altra chiave, in un'altra serratura, in un'altra dozzina di mandate. L'intera operazione sembra richiedere un tempo infinito.

«Paura dei ladri?» riesco a chiedere con un filo di voce.

«Dei mercanti. Dei galleristi. Dei giornalisti».

Poi si gira e mi guarda: «Quelli veri».

Questa cosa del mio essere *non proprio* giornalista le è piaciuta tanto, evidentemente, forse perché anche lei si sente così. *Non proprio* Dora, *non proprio* artista, *non proprio* musa, *non proprio* grande amore, *non proprio* di Picasso.

Finita la raffica di mandate, entriamo in quello che a questo punto mi prefiguro come un bunker, un rifugio, un nascondiglio. In realtà è un bell'appartamento, con ampie finestre sulla strada, soffitti alti, molta luce che svela un po' di trasandatezza.

«Si accomodi» mi dice accennando a uno dei due divani del salotto, per poi sparire oltre una porta. Sento il rumore dei suoi tacchi allontanarsi, poi fermarsi e riprendere. Io non mi accomodo affatto, resto in piedi e cerco di mettere a fuoco dettagli, colta da una specie di voracità visiva. Le pareti sono coperte di quadri e disegni, qua e là qualche specchio in cui vedo sfilare la mia espressione allibita. Quelle sui muri sembrano tutte opere di Picasso. Copie – non può essere altrimenti – ma impeccabili. Un ritratto di Dora a sanguigna, un altro a matita, sul camino il maestoso *Dora con le unghie verdi* che abbiamo appena visto al Pompidou. Mi aggiro per la stanza sentendo crescere una strana ammirazione per una messinscena tanto perfetta e un desiderio improvviso di abbandonarmi alla finzione e crederci fino in fondo. Forse il cosplay funziona così, per contagio: si intravede la verità dietro la verosimiglianza e si sceglie di varcare la soglia invisibile che porta al regno del *non proprio*.

Vagando rischio di inciampare nei libri, raccolti ovunque in pile insieme a quaderni, fasci di cartoline rilegate, riviste. Sul tavolo basso tra i divani, un quotidiano. Lo raccolgo: è datato 16 luglio 1997, cioè la data di oggi ma di 22 anni fa. Eppure sembra fresco di stampa.

Dora ricompare alle mie spalle, è a piedi nudi e non l'ho sentita arrivare. Porta un vassoio con una teiera e delle tazze. Le conto, sono tre.

Solo allora mi accorgo della presenza di un'altra donna nella stanza.

È immobile, profondata in una poltrona nell'angolo, quasi nascosta tra due grandi librerie sovraccariche di libri e oggetti. Mi sembra molto vecchia e la sua voce suona lontana quando mi dice: «Buongiorno».

«Mi scusi» dico, dominando lo spavento. «Non l'avevo vista».

Sarà per il controluce in cui appena si intravede, o per contagio con i tratti cubisti di alcune opere alle pareti, ma il suo volto sembra scomposto, scardinato.

«Ma chi è?» sussurro.

Dora mi guarda come se fossi stupida.

«È Théodora» dice, posando il vassoio con cautela.

«Henriette Théodora Markovitch» la corregge la vecchia.

«Tiene terribilmente al suo nome» sussurra Dora iniziando a versare il tè.

«È stato il primo atto di sottomissione» dice la vecchia. «Storpiare il tuo nome».

«Lo facevano tutte» dice Dora alzando le spalle. «Nusch Éluard non suona forse meglio di Maria Benz? E poi ero già Dora Maar prima di incontrare lui».

«È così che si prepara il terreno».

Mi ritrovo seduta al centro della stanza, equidistante da queste due signore che sembrano gemelle di età diverse. Una potrebbe essere il cadavere dell'altra. Mi chiedo se in casa ci siano altre Dora, una per ogni età. Immagino una Dora bambina, che piange dagli occhi splendidi in camera da letto. E una Dora ragazza, in cucina, appena arrivata a Parigi da Buenos Aires. Forse c'è anche una Dora che fa l'amore con Picasso, da qualche parte.

«Da Théodora a Dora hai perso Dio!» ringhia la vecchia. «Per poi passare il resto della vita a cercarne un altro...»

Dora mi si siede accanto, sorseggia il tè e parla piano, dentro la tazza.

«Pare che a un certo punto, dopo che mi aveva lasciata, io abbia detto 'Dopo Picasso, solo Dio!' Io non ne sono sicura, potrei aver detto 'Dopo Picasso, solo Io!', ma sa come sono i giornalisti» mi fa. «Quelli veri».

«Ne è valsa la pena? Eh?» continua la vecchia. «Vorrei che un giorno rispondessi sinceramente a questa domanda».

«Mi perseguita» dice Dora. «È convinta che le abbia rovinato la vita».

La vecchia continua a borbottare.

«La grande musa, sì. Chi lo dice? I posteri, forse. Ma lui, lui: come ti chiamava Picasso? Ripassa».

Dora appoggia la tazza e recita senza inflessione: «La macchina del dolore, la donna che piange, la malattia, la gelosia».

La vecchia scoppia a ridere. «La gelosia! Questa te la sei inventata adesso».

Poi si rivolge a me e mi fa cenno di avvicinarmi.

Mi accosto alla poltrona e non trovo di meglio che sedermi per terra, ai suoi piedi. La vedo bene, da qui: il suo volto non è precisamente scomposto, ma qualcosa di scardinato c'è. Dora ritira le tazze e il vassoio e lascia la stanza.

«Io ero un'artista, sa? Anzi, io *sono* un'artista».

«Lo so» la rassicuro. «Arriviamo ora dalla mostra del Pompidou».

Lei rigetta le mie parole con un gesto della mano, come a scacciare una mosca. Mentre parla mi sembra che il suo volto cambi colore, virando dal verde al blu al rosa.

«No, no! Tutto ciò che si può dire oggi di me è corrotto. Tutto è filtrato, distorto, perso per sempre. Tutto è *grazie a* o *nonostante* Picasso. L'idea stessa di musa: sembra nobile, eh? È la versione poetica della bestia sacrificale. Bataille, Picasso, Éluard, Brassaï: ci scambiavano, ci prestavano, celebrarci era un piccolo prezzo per disporre di noi. Ci sarebbe voluta gentilezza, ma è un'erba che non cresce sui cammini ambiziosi».

Declama queste ultime parole con una specie di teatralità, non capisco se ci creda fino in fondo o se mi stia prendendo un po' in giro. I suoi grandi occhi sono sbiaditi e nelle sue mani corre una tensione che vibra nell'aria.

«Ma grazie alla fama di Picasso anche il lavoro di Dora è venuto alla luce...» tento io.

«Ah, la luce! Io sono una fotografa. Lo ero, prima che Picasso mi convincesse a lasciare tutto per dipingere. E ovviamente come pittrice non valevo nulla rispetto a lui... Io stavo bene nell'ombra. La camera oscura era la mia placenta. Sa cosa succede se si fa entrare la luce in camera oscura?»

«No».

«Sparisce tutto. È una di quelle rare situazioni in cui la luce cancella, anziché svelare».

Io la ascolto e intanto il mio sguardo si ferma su una foto posata sulla libreria. Ritrae Dora e Picasso, abbracciati, davanti a una casa di campagna. Lui, come sempre, riesce a sovrastarla nonostante la stazza modesta. I suoi occhi bucano l'immagine. Dora è alle sue spalle, lo cinge da dietro in un gesto che, col senno del poi, appare timoroso. Più che abbracciarlo, lo trattiene.

«Quella è la casa di Ménerbes» dice Théodora. «L'ultimo regalo. Faceva così con tutte: quando decideva che era finita, cercava una casa dove abbandonarti. A Olga aveva regalato un castello inquietante. A Marie-Thérèse un appartamento la cui distanza dal suo studio era calcolato esattamente sul proprio desiderio. Vicino, ma non troppo. A Dora toccò Ménerbes, così malconcia e diroccata che ci vollero due anni solo per metterla in sicurezza. Più che una casa, le diede un'impresa che la tenesse fuori dai piedi».

«Dora sembra felice, in questa foto».

«Ah, sì, lo era! Pensava che ci sarebbero stati insieme, che sarebbe stata la loro casa. Tipico dei regali di Picasso: significano il contrario di quello che sono. Ci fu anche un anello di rubini, lui glielo regalò quando già aveva iniziato la relazione con Françoise. La sera che si ritrovarono al ristorante loro tre, in tre, lui faceva così, ti metteva davanti al fatto compiuto, Dora capì cosa stava succedendo e tornando verso casa, con lui che le dava della pazza, oltrepassando un ponte, se lo sfilò e lo gettò nella Senna. Avrebbe dovuto buttare giù lui, non l'anello».

Mi tornano in mente le soste che Dora ha fatto lungo il ponte, venendo qui, come in cerca di qualcosa. E quelle parole. *I giorni se ne vanno, io rimango.* Pensavo che rimuginasse sull'incendio di Notre Dame, ma forse cercava il suo anello. O Picasso.

Dora torna, ha di nuovo indosso il cappotto, le scarpe e tutto il resto.

«Andiamo» mi dice.

Io mi alzo sotto lo sguardo di Théodora. Ora tace, non si muove, sembra retrocedere nell'ombra del suo angolo. Dalla sua nuova, oscura fissità mi lancia uno sguardo che sento addosso fino alla porta e poi giù per le scale.

«La perdoni» dice Dora. «Oggi è il giorno della sua morte, l'umore non è dei migliori».

Lungo le scale, mentre scendiamo rapide, sale una processione di persone: uomini e donne che sembrano usciti dalla stessa epoca di Dora. «Stanno andando a salutarla» mi dice lei. «La condanna di Théodora è questa memoria puntigliosa, ostinata. Richiama tutto e tutti. Io non ricordo quasi nulla, e sa cosa? Preferisco così».

Qualcuno accenna un saluto a Dora, che procede senza curarsene. Una bionda dai grandi occhi azzurri spicca per altezza e bellezza al fondo alla processione. Fissa Dora e ci aspetta all'inizio delle scale.

Dora rallenta e si ferma davanti a lei. Senza dirsi una parola si scambiano due schiaffi sonori che mi fanno sobbalzare. In un soffio Dora è in strada, io con lei.

«Marie-Thérèse» ringhia Dora tenendosi la guancia arrossata per lo schiaffo. «L'intramontabile puttana. Tutta luce e miele. Immagino abbia letto qualcosa della nostra zuffa, proprio davanti a Picasso che ci incitava. Be', ai tempi le ho prese, data la sua stazza bovina».

Ride, e rido un po' anch'io.

«Però alla fine lei si è impiccata» aggiunge sottovoce. «Io no».

Siamo in boulevard Saint-Germain, e intuisco dove mi voglia portare Dora.

«Marie-Thérèse si impicca» ripeto io. «E se non sbaglio l'ultima moglie – Jacqueline – si spara un colpo in testa poco dopo la morte di lui. È così?»

«Picasso era un magnete» annuisce lei. «Un magnete della morte. Non le dico la fatica di resistere».

Le grandi tende dei Deux Magots disegnano una mezzaluna d'ombra nella luce ancora forte del pomeriggio. Abbarbicati ai tavolini, gruppi di turisti con i trolley attirano gli sguardi irritati dei camerieri e dei clienti abituali. Dora fende la folla all'ingresso ed entriamo senza esitazione. Punta un tavolo d'angolo – misteriosamente libero – e si siede. Io con lei. Sembra divertita.

«Ora sarebbe il momento del gioco della lama» dice.

Si riferisce al suo incontro con Picasso, riportato da tutte le biografie, avvenuto ai tavoli di questo locale – forse proprio a questo tavolo? – in cui Dora aveva attirato la sua attenzione sfilando dalla borsa un coltello e giocando a piantarlo nel tavolo, tra le dita aperte, sempre più velocemente. Alla fine si era anche ferita. Conosco la storia, ma la lascio parlare.

«Non fu un incontro casuale. Era stato Éluard a dirmi che dovevo conoscerlo, e me lo aveva già presentato sul set di un film di Renoir. Picasso non mi aveva degnato di uno sguardo, quel giorno. Si era dedicato alle giovani attrici e comparse del film».

«Però poi...»

«Però poi Éluard aveva insistito che io capitassi qui, come per caso, in un giorno e a un'ora in cui aveva appuntamento con Picasso: questa volta mi avrebbe notata».

«E così è stato».

«Un incontro nato dai peggiori auspici: la sua indifferenza iniziale, la mia ostinazione e una messa in scena da pazza. Ah, e una ferita: l'avevo appena conosciuto e già sanguinavo».

Un cameriere si ferma al nostro tavolo e Dora gli chiede due bianchi, senza consultarmi.

«È stato quello il momento in cui ho tradito Théodora e tutte le sue premonizioni. Ho seguito Dora, l'ambiziosa, la sfrontata. E lui si è infilato esattamente lì, nella distanza tra me e me. Si può dire che me la sia cercata, immagino».

Io resto in silenzio. Mi guardo intorno cercando di immaginare come potesse essere questo locale e i suoi avventori negli anni Trenta. Come potesse sentirsi lei, nel vedere entrare l'uomo che voleva. Cosa avrà pensato lui, davanti a una donna così seduttiva e determinata.

Su tutto grava un'atmosfera un po' troppo triste, che voglio scrollarmi di dosso.

«Ma immagino anche che siate stati felici, per qualche tempo».

Dora mi guarda con un'aria incerta.

«Direi di sì. O no? Sa che non lo so? Forse la risposta giusta è *non proprio*».

Mentre parla accarezza il marmo del tavolino come a misurare la forma esatta della felicità. Ha mani incredibilmente belle e grandi.

«Il guaio di stare vicino a un personaggio come lui» continua «è di ridursi a una caricatura. Una proiezione, per usare un termine fotografico. Non so più come siano andate davvero le cose, perché le storie degli altri hanno riscritto la mia».

«Avrebbe potuto dire la sua» dico io. «Raccontarla lei stessa, la storia della sua vita».

Dora ride e secca in un sorso il bicchiere.

«Oh sì! Come ha fatto Françoise Gilot, la donna che ha preso il mio posto. Ma lei è stata l'unica di noi a lasciarlo, a uscirne intatta. La mia sarebbe stata l'autobiografia di un abbandono. E poi» e a questo punto si avvicina come a dirmi un segreto, «ho qualche buco di memoria».

Ora mi viene in mente che dopo essere stata lasciata da Picasso Dora finisce in un ospedale psichiatrico.

«Ero finalmente la regina di Tebe e mi hanno internata!»

Ricordo di aver letto del suo delirio crescente, le sfuriate senza vestiti in strada, la terapia con Lacan durata anni e culminata in una specie di conversione mistica. In mezzo, qualche elettroshock, così in voga ai tempi.

«Le chiamavano applicazioni elettriche» dice, leggendomi nel pensiero. «Detta così, sembra un esercizio di arti decorative, non trova?»

Vorrei chiederle se ne è valsa la pena, ma è la domanda che già la perseguita tra le mura di casa e non vedo perché dovrebbe rispondere proprio a me.

Le strade stanno scurendo oltre le vetrate. Dora guarda l'orologio, un piccolo orologio da polso smaltato.

«Dovrei andare» dice.

«Dove?»

«Da Théodora. Sta per morire. Ogni anno, nel giorno di oggi, ci ritroviamo nella nostra casa, come prima. Io le faccio il tè e lei mi dice sempre le stesse cose e mi fa sempre le stesse domande».

«E lei, non le risponde mai?»

Sento aleggiare tra noi la domanda di Théodora, l'unica a cui vorrei una risposta anch'io: *ne è valsa la pena?*

Dora si alza, raccoglie la borsa e io faccio altrettanto. Prendo il portafoglio per pagare i bicchieri di vino, ma lei, con un gesto della mano in cui è identica a Théodora, fa per dirmi di lasciar stare.

Usciamo indisturbate sotto un cielo improvvisamente cupo.

«I giornali ci metteranno dieci giorni a dare l'annuncio della mia morte, e sa perché?»

«No».

«Per dare tempo ai burocrati, ai mercanti e alle fondazioni di svuotare la casa. Hanno preso tutto, tranne le crepe e le mosche che lui aveva disegnato sui muri dell'appartamento. Quelle sono state cancellate da imbianchini inconsapevoli».

Me li immagino e mi scappa da ridere.

Dora esita, poi si incammina.

«Voglio farle vedere un'ultima cosa» dice.

La seguo, di nuovo, sembra che ormai io non sappia fare altro che seguire questa donna.

Dora punta dritto verso la chiesa di Saint-Germain e io ripenso alla storia della sua conversione. Secondo le sue biografie fu lo stesso Lacan, dopo sette anni di trattamento, a suggerirle di darsi alla fede: pareva l'unica compensazione possibile al baratro che gli anni con Picasso le avevano scavato dentro. Mi assale il terrore che mi porterà in chiesa e mi obbligherà a inginocchiarmi con lei, fianco a fianco davanti all'altare come poco fa, davanti al minotauro al Pompidou.

Invece Dora scarta e costeggia la chiesa, verso un giardinetto sulla fiancata sinistra, uno spazio cintato dall'aspetto anonimo, ma che invece ha un nome curioso: square Laurent-Prache.

Sostiamo un momento davanti al cancello d'ingresso, poi Dora lo varca e io con lei.

Ed ecco l'ultima cosa che mi vuole mostrare. Su un piedistallo di pietra poggia una grande testa di bronzo, un po' sproporzionata, per eccesso, rispetto al suo supporto. È una testa di donna, dai tratti primitivi e squadrati che richiamano senza dubbio sia la mano dell'autore che l'identità della modella. È una Dora, di Picasso. La targa affissa al piedistallo è fuorviante:

À
GUILLAUME APOLLINAIRE
1880 – 1918

Dora attende accanto alla scultura, mi osserva in cerca di una reazione. Quello che ho davanti a me è un doppio stonato, una proiezione dalla carne al bronzo, da un tempo a un altro, da un uomo a una donna a un altro uomo ancora. Mi ricorda il nudo che ingigantisce nella propria ombra che mi ha colpito tra le opere di Dora.

«Crudele, no?» mi chiede lei.

«Non capisco la targa» dico io.

«Ai tempi non capirono la testa, invece. Gli avevano commissionato un monumento funebre per Apollinaire e lui fece me».

«Uno scherzo» tento io.

«Non proprio. Una dichiarazione d'amore, o un'anticipazione del mio funerale».

«Non gliel'ha mai chiesto?»

«Oh, parlare con lui! Che idea».

Io giro intorno alla scultura, c'è un'altra targa sul retro ma è poco leggibile.

«Devo andare» dice Dora, «Théodora mi aspetta. Ma... posso chiederle io una cosa?»

Le sorrido, anche se ho un po' paura della domanda.
«Le sue scarpe» dice.
Io le guardo. «Cosa?» chiedo.
«Sono belle».
«Grazie» rispondo. Non capisco.
«Sono... senza sesso».
Io rido. In effetti c'è un certo dislivello di femminilità tra il mio abbigliamento e il suo. Del resto, non mi arrischierei mai a visitare una mostra con indosso dei tacchi.
«Posso averle?» chiede infine, quasi arrossendo.
«In che senso?» chiedo io, spiazzata. Più da me stessa, penso poi: è una domanda veramente assurda.
«Se possiamo scambiarci le scarpe» dice sfilando le proprie e scendendo di qualche centimetro al mio livello.
«Sì» dico io, incerta. Mi sfilo le Nike, sperando non puzzino troppo.
Ci accovacciamo entrambe, per infilarci le scarpe dell'altra. Sento i miei piedi prendere una forma nuova, a contatto con l'impronta calda dei suoi. Lei sembra felice come una bambina e dopo lo scambio siamo alte uguali. Un lampo di follia le attraversa lo sguardo: «Le grandi rivoluzioni possono passare da cose molto piccole» mi dice.
Si avvia con un'agilità nuova e io la osservo attraversare la piazza nelle mie scarpe senza sesso. Rimango nelle sue scarpe scambiate accanto alla sua testa scambiata.

Devo andare anch'io. Voglio ripassare davanti al Pompidou e rivedere la donna gigantesca sull'insegna, con le spalle al mondo, le braccia alzate e una stella al posto della testa. Mi incammino cercando un nuovo equilibrio, un nuovo passo nelle scarpe di Dora. Tutto, da qui, è un po' diverso.

Chiara Tagliaferri

La regina del silenzio

Kate Moss

Cominciava sempre così: «Facciamo un gioco?»

E io: «No».

Ma poi me lo facevano fare lo stesso.

Il gioco del silenzio mi ha sempre fatto schifo. Niente nuvole e tramonti da contemplare o grandi pensieri a cui pensare: il primo che si azzardava a parlare pagava pegno. Lo attendevano punizioni noiosissime. Ricordo l'odore del sudore: tutti stretti nei nostri vestitini acrilici, i corpi vicini che non volevamo, il fastidio del contatto, le cosce che friggevano sul velluto dei divani e noi sfiniti, in attesa del primo che sarebbe crollato. «Schiantati tu per me, sacrificati e fai finire tutto questo». Guardarci negli occhi era escluso, rischiavi di scoppiare a ridere, così durava tanto, tantissimo: minuti, ore, settimane a fissare il vuoto. Nella mia testa: «Diventerò vecchia in silenzio, morirò in silenzio, senza sapere perché».

Gli adulti erano impegnati a fare gli adulti in un mondo in cui noi ragazzini non dovevamo essere sorvegliati quanto, piuttosto, dimenticati. Così, in qualunque posto venissi portata, uno dei grandi a un certo punto ci diceva: «Facciamo un gioco?»

Zitta, poi, lo sono stata per moltissimi anni, e per mia scelta: non avevo più molta voglia di parlare. *La muta di Portici* mi chiamava mia madre, e io – come Fenella – auspicavo la lava del Vesuvio non per finirci dentro, ma per inondare tutto e tutti. Perché io non ero mai io. Scollata dall'aspettativa che avevo sul mio corpo: legnosa rispetto alle altre, andavo via liscia e lunga mentre attorno a me tutte sapevano cosa fare dei loro movimenti. Le mie ossa di notte si spostavano – *clack clack* –, principalmente generavo rumore di giunture.

Ci è voluta Kate Moss per ritrovarmi. Lei, che è la regina del gioco del silenzio, senza aprire bocca ha sistemato tutto.

Quando viene sputata fuori da Croydon, un sobborgo londinese che ha ancora i muri anneriti dal carbone e puzza di birra, è la sorella tisica di Barbie. La Skipper con cui non volevamo giocare, perché ci ricordava troppo noi. Bassina, un corpo duro, vestiti simili ai nostri, Skipper è la versione depotenziata di quello che tutte, fino a quel momento, ambivamo a essere: la biondissima nella decappottabile rosa con la vita scintillante. Eppure, Skipper-Kate ha cambiato il mondo.

Ha 14 anni, ho 14 anni. Ancora non so che esiste, ma i tetti delle case che vede dalla sua camera sono gli stessi che vedo io, cambia solo il colore: i suoi grigi, i miei rossastri. La pioggia, la nebbia e il fastidio, invece, sono gli stessi.

Le emozioni ci arrivano per corrispondenza, insieme ai cataloghi: da me «Postalmarket», da lei chissà cosa. Claudia, Naomi, Carla e Linda entrano a casa mia in questo modo. Lei no. Lei, me la sono andata a cercare.

La madre di Kate, Linda, fa la barista. Peter, suo padre, è un agente di viaggi. Spesso lui, che lavora per la Pan Am, la porta con sé nelle trasferte: New York, San Francisco, Miami. E lei: «Quando tornavo a Croydon, alla nostra auto senza aria condizionata, alla casa senza piscina, mi dicevo: *io qui non resto*. Rimanere a Croydon: non ho mai pensato che fosse quello il mio destino».

Per lei *Cristo si è fermato a Croydon*, per me *Cristo si è fermato a Piacenza*. Sono posti in cui non si va, se ci si passa non ci si ferma, se ci si nasce si vuole scappare. Tutti ci scansano perché siamo portatrici di oblio, puzziamo di dimenticatoio.

«La cosa più divertente di Croydon sono le risse» mi dirà Kate, quando inizieremo a parlare.

«I miei amici si schiantano in moto, uno – il più bello di tutti – quando gli hanno tolto il casco l'hanno trovato con la testa spappolata e hanno seppellito solo il corpo. La madre ha dato di matto» le racconterò io.

A dieci anni Kate si veste da punk: vecchie t-shirt della madre convertite in microabiti, capelli cotonati, rossetti viola e verdi, smalto nero. È la ragazzina in cerca di miracoli nei mucchi della spazzatura, e appena ha qualche sterlina torna a casa con le braccia cariche di sacchetti: dentro, i vestiti arraffati nei negozi dell'usato. Lei regina degli stracci, io con il grembiule. Nella mia scuola elementare è obbligatorio: fino in quinta, i bambini devono essere tutti uguali. Nel mio grembiulino nero con il colletto di merletto bianco sembro una vecchina triste. Nella tasca destra ho un fazzoletto di cotone che mia madre mi infila ogni mattina, stirato e inamidato. Il fazzoletto sa di lei: ci mette qualche goccia di Madame Rochas, il suo profumo. Quando lo annuso, sto meglio.

Kate ha un fratello più piccolo, Nick. Si diverte a vestirlo come se fosse la sua bambola. Dirà: «Gli abiti mi sono sempre piaciuti, vestivo da bambina Nick, lo chiamavo Sylvia. Ho ancora una sua foto con il neo, le tette finte, sembrava Elizabeth Taylor». E Nick: «Quando ero più piccolo mi picchiava, e all'età di sei o sette anni mi faceva fumare perché lei fumava, e così non lo avrei detto ai nostri genitori». Io ho una sorella più grande che è una bambola vivente: capelli biondi, occhi azzurri, sorriso da Stregatto di *Alice nel paese delle meraviglie*, vestita di squame argentate e promesse ai ragazzi che spesso dimentica, lasciandoli sospesi.

Quando Kate ha tredici anni, i suoi divorziano. Nick va a vivere con il papà, lei rimane con la madre. Inizia a bere, torna alle tre di notte, nessuno le dice niente. Al cinema ha visto *Christiane F. – Noi, i ragazzi dello zoo di Berlino*: come la protagonista del film, anche Kate ha un bomber argentato e capelli lunghi, ma se la cava meglio: «Perché se sai di non avere nulla contro cui ribellarti, inizi a ragionare di testa tua».

Quando Linda guarda la figlia pronta per uscire: «Non puoi essere normale?» E Kate: «Perché? A te sembra di essere normale?»

La madre inizia sempre le sue frasi con una negazione: «Non farti la coda da una parte, non metterti le scarpe con il cinturino, non puoi uscire in questo modo».

Dalle mie parti, invece, le domande contengono una mia mancanza: «Truccati un po'. Non sei stanca dei capelli corti? Guarda tua sorella com'è femminile». Poi, quando ho tredici anni, mio padre si ammala e spariscono tutti, anche le domande. Resto sola con le mie mancanze.

Dopo cena, la sera, io e Kate ce ne andiamo in camera. I poster sopra al suo letto: David Bowie, Marilyn, Rob Lowe. Quelli attorno a me: Rupert Everett, Luca Carboni, Walter Zenga. I suoi miti sono più luccicanti e dannati dei miei, in compenso ci incontriamo su George Michael. Kate adora *Everything She Wants*, e allora provo a farmela piacere anche io, che non sono andata mai più in là di *Careless Whisper*.

«Qualcuno lavora per vivere / qualcuno lavora per divertimento / ragazza io lavoro solo per te / ti do tutto / e tu dici che vuoi di più». Kate è così, ma non si tratta di ingordigia, lei sa che il mondo è stato fatto perché tutto si pieghi ai suoi desideri. Lei e George a un certo punto diventeranno davvero amici e, per un periodo, anche vicini di casa: sceglieranno una collina affacciata su Saint-Tropez, due ville limitrofe a guardare gli scintillii della baia dove Francis Scott Fitzgerald scriveva *Il grande Gatsby* (il libro preferito di Kate), mentre la storia con Zelda andava a ramengo. Nel 2017, Kate rinuncerà a un viaggio in India per essere presente al funerale di George.

A quattordici anni Sarah Doukas, fondatrice dell'agenzia Storm, la pesca all'aeroporto JFK di New York come si fa con i cigni di plastica colorata al luna park. Kate e Nick hanno accompagnato il padre in un viaggio di lavoro alle Bahamas, lei è seduta su una valigia, ha le cuffie del walkman in testa, sta pensando a tutto e a niente. Non è una ragazzina straordinaria: se la scomponi pezzo per pezzo, non ti ritrovi in mano singoli prodigi. E forse questo è il trucco: sezionata non funziona, eppure tutta insieme è talmente fuori dall'ordinario da diventare detonante, rendendo perversa l'innocenza. Si presenterà al provino con la divisa della scuola, la madre la accompagnerà solo in quell'occasione, poi le dirà: «Basta, se è questo che vuoi fare, lo fai da sola». E lei: «D'accordo». Tra il bar, la casa, i fratelli a cui badare, Linda non ha tempo di seguirla.

A quattordici anni do il bacio più bello della mia vita. Alessandro Beretta ha appena fatto goal e corre da me grondante sangue: ha rivoli che gli scorrono sulle ginocchia e sulla faccia, si è fatto un buco vicino al sopracciglio destro. Ha combattuto come un eroe, come un eroe vuole il premio. È una fontana rossa, zampilla e non emette un suono e, quando ci baciamo, struscio la guancia sul suo sangue, lo voglio su di me: sono uno zombie dell'amore.

Almeno in questo, batto sul tempo Kate. Lei mi racconterà che il bacio migliore lo riceverà a 21 anni, da Frank Sinatra, al party per gli ottant'anni di lui: Kate sta fumando in un angolo, stranamente sola, all'improvviso si ritrova circondata dalle guardie del corpo di Frank che arriva, la guarda, non dice una parola, la stringe tra le braccia e la bacia.

A quindici anni Kate, la notte, scappa di casa: John Galliano la aspetta per portarla a ballare al Quiet Storm. Lei si cambia in macchina, ha nella sacca minigonne che somigliano a fazzoletti sgualciti e scarpe altissime. Si ubriaca di *snakebite*, un morso di serpente fatto di sidro e birra, balla con Boy George e Kylie Minogue, alla madre racconta che dorme da James Brown, il suo migliore amico che fa il parrucchiere a Croydon e che porta nella nascita polvere di successo per osmosi anagrafica. Kate lo va a trovare in negozio quasi tutti i giorni, si siede sulla lavatrice del retro, bevono caffè, fumano molli nella loro indolenza.

«Ciascuno cresce solo se sognato» scrive Danilo Dolci. E Kate è sognata da Galliano, che racconta così la prima volta in cui i suoi occhi si sono posati su di lei: «Stavamo cercando ragazze nuove, selvagge, e quando la vidi pensai: *wow, ho trovato il mio piccolo diamante grezzo*. Era incredibile: ha infilato il vestito e lo ha capito subito, lo ha fatto suo. E poi la camminata, la postura, i capelli, più che una bellezza era un enigma. Già allora era guardinga. E credo che neanche oggi qualcuno sappia chi è davvero. Per indossare un abito ha bisogno di una storia, solo allora si libera della sua timidezza ed esce là fuori, sa dove sono le macchine fotografiche. È in grado di dire a un couturier che cosa funziona, e noi ascoltiamo. È l'unica musa che io abbia mai avuto».

«Da quando ho quindici anni, John mi ha suggerito come immaginarmi» dice Kate. Lui la mette in scena, lei ritrova sé stessa. «Tu sei Lucretia, una principessa Romanov riuscita miracolosamente a sfuggire all'eccidio di tutta la tua famiglia perpetrato dai rivoluzionari bolscevichi. Va', fuggi! Attraversa la pedana come se fossi inseguita dai lupi» le sussurra all'orecchio alla prima sfilata, e lei decide di attraversare così la vita.

Quando cammino, cerco sempre di capire chi abita nel quartiere in cui mi trovo. Di solito, mi basta osservare come la gente attraversa ai semafori. Chi scatta in avanti quando è ancora rosso, senza guardare se arrivano le macchine, non è quasi mai un aspirante suicida ma uno che, semplicemente, conosce il tempo. Ha cronometrato talmente tante volte i secondi che mancano allo scatto della luce verde, che sa quando può allungare il primo passo in tutta sicurezza. Quando guardo queste persone che non vogliono perdere tempo e marciano sicure verso la loro direzione, dimenticandosi di noi che rimaniamo indietro, penso a Kate. Anche lei conosce i millesimi di secondo della sua vita: senza avere in realtà la benché minima percezione di niente, sa tutto, perché sa dove si trova. Il suo corpo è il suo quartiere.

Quando John, ubriaco, verrà spedito agli inferi per le ingiurie antisemite urlate al *Café La Perle* parigino, Kate gli salverà la vita, chiedendogli di disegnarle l'abito del matrimonio. E lui, in cambio, le salverà le nozze. Mentre Jamie Hince la aspetta all'altare, tutto vestito d'azzurro, Kate immobile, davanti allo specchio, si volta supplicando John, lì con lei, di inventarle una storia. «Devi darmi un personaggio da interpretare» gli dice. E lui, sorridendo malizioso: «Hai un segreto nascosto sotto il velo. Sei l'ultima delle rose inglesi. Quando lui lo alzerà vedrà tutto il tuo licenzioso passato!» Solo a quel punto Kate sfila verso l'altare ondeggiando sorrisi, e lei e Jamie vivranno, per un po', felici e contenti.

Mentre Kate balla, io a quindici anni ho mio padre in rianimazione, poi morto. Quando a Gaia – una mia compagna delle medie – era morta la madre, tutti le avevano voluto più bene: gli amici, i professori, i parenti. Alcuni giorni dopo il funerale, era tornata a scuola con il bauletto della Naj Oleari giallo fiammante con delle piccole palme verdi. Profumava di lusso, era diventata più bella e più ricca. Per me, niente bauletti: ciascuno è impegnato a sopravvivere come può. In compenso, le maglie dello sguardo di mia madre si allentano per incapacità di tenere tutto insieme, così mi calo dal terrazzino della casa al mare, a Pietra Ligure, e finisco tra le braccia di un ragazzo che amerò molto accorgendomene poco. Mi aspetta per portarmi con il suo motorino al Barone Rosso, una paninoteca con Snoopy come insegna. Suona in un gruppo rock, i Wojtyła Sunrise. Quando finisce l'estate lo saluto e torno a Piacenza, nella mia scuola in cui studio cose che non mi serviranno a niente, mentre Kate si toglie la divisa e molla il Riddlesdown Collegiate: «Sapevo che avrei imparato di più fuori».

Io e Kate iniziamo ufficialmente a parlare nel 1990: ritaglio una sua foto in bianco e nero e la appiccico con lo scotch sull'anta interna del mio armadio. La accarezzo seguendo la linea dei suoi capelli ogni mattina: è in minigonna e reggiseno neri, le clavicole che contengono pozzanghere, gli occhi che somigliano a quelli di E.T. Non sorride, non desidera, non ha fame, non dice nulla. Non dirà mai nulla per i successivi trent'anni, eppure il suo disagio diventerà il centro di tutto. La sua vulnerabilità sembra un invito a fare di lei ciò che vuoi, eppure sarà sempre e solo lei a fare tutto ciò che vuole, di sé come degli altri.

La foto che ho nel mio armadio gliel'ha scattata Corinne Day, fa parte del servizio pubblicato su «The Face». Sono andate sulla spiaggia di Camber Sands, nell'East Sussex. Ci sono le nuvole, secondo me fa freddo, ma Kate dentro l'acqua – con il suo copricapo di piume dell'Amazzonia – sembra divertirsi. Eppure, tra le poche cose che dirà: «Corinne mi faceva piangere. Odiavo il mio seno, ero piatta, e su un lato avevo una voglia. Se guardo una sedicenne oggi, mi sembra impossibile che qualcuno le chieda di spogliarsi, ma allora era diverso. Il messaggio era: 'Se non fai quello che diciamo, non lavori più'. Io mi chiudevo in bagno a piangere, poi uscivo e obbedivo. E Corinne diceva: 'Più ti faccio arrabbiare, meglio vengono le foto'. La guardavo con odio, sapevo che in quelle foto ero davvero io, e io non voglio mai essere me stessa. Nelle foto scattate dagli amici faccio sempre le smorfie, chiudo gli occhi, sono terribili».

La migliore amica di Kate è Lucie de la Falaise, nipote di Loulou. La leggenda narra che sia stata battezzata con il profumo Shocking di Elsa Schiaparelli al posto dell'acqua benedetta.

La mia migliore amica: Marzia, occhi azzurri, capelli rossi, pelle trasparente. Dalla mia finestra vedo la sua finestra, è come se la toccassi, mi fa sentire bene. Lei è dentro la sua camera, sulla poltroncina rosa, fuori il fratello picchia suo padre, la madre cucina torte e nel silenzio che pone, tra lei e l'esterno, tutti pensano che siano felici.

Consumo la foto di Kate, a furia di guardarla sono convinta di essere lei, di avere le sue molecole. Come quando esci dal buio del cinema – dove hai fissato per più di due ore delle facce e dei corpi che ti piacciono da morire – e poi vai in bagno, incroci uno specchio per sbaglio e ci rimani malissimo: il naso, i capelli, le ginocchia, è tutto sbagliato.

Non succede solo a me, perché Kate ha il potere di far sfiorire istantaneamente il mondo al suo passaggio. Non è la prima volta che accade: nel 1976 Nadia Comăneci ha fatto lo stesso. Con il suo body bianco alle parallele asimmetriche, in un lampo ha cancellato l'identità delle ginnaste in gara con lei, che sono diventate automaticamente «le altre». Improvvisamente vecchie, imbarazzate nei loro corpi.

Come per Nadia, anche Kate è l'involontaria carta d'identità di chi, imprudentemente, condivide lo spazio di una foto con lei: Claudia Schiffer, Christy Turlington, Carla Bruni, il loro quadro in soffitta non funziona più, avvizziscono senza nemmeno un pugnale nel cuore. La fatica schizza fuori tutta insieme: il trucco esplode sulle loro facce che ora sembrano stanche, i capelli sono troppo pettinati e allo stesso tempo troppo sfibrati, le vene delle mani una cartina di tornasole. Indietro non si torna.

Intanto, Kate entra nei sogni di tutte e di tutti, lontanissima dalla perfezione e forse per questo unica candidata a trasformare il guasto nel nuovo mondo. Senza alcuno sforzo, è il *flash-forward* che cambia il senso del tempo e trasforma l'oggi nel futuro.

A un provino conosce Mario Sorrenti, un fotografo napoletano cresciuto a New York che, per arrotondare, vivacchia facendo il modello. Ha tre anni più di lei, capelli lunghi, magrezza e bellezza indossate con la disinvoltura casuale di chi sa di essere, principalmente, splendido. Si incrociano nuovamente dopo qualche settimana, camminano tutta la notte e poi, stanchi, si addormentano sul prato di Hyde Park.

Prima dell'alba uscirà nel 1995: Ethan Hawke e Julie Delpy non mi hanno ancora fatto credere che trovi l'amore nella carrozza ristorante di un treno e poi te lo porti sull'erba per baciarlo, ma Kate non ha bisogno di guardare nessun film, perché lei *è* il suo film. «Vivevamo sui divani degli altri per poter stare un po' insieme, e scappare dalla mamma di lei» dice Mario, e le soffitte bohème in cui lei si muove – tra scatole di muesli, materassi buttati a terra e calzettoni grigi – non sono più gelide, Mimì può anche morire di tisi e di freddo, ma Kate non ci pensa nemmeno per sbaglio. Quegli interni decadenti, che senza lei dentro farebbero stringere il cuore, le servono per diventare, immortalata da Mario, l'*heroin chic* più luminosa del mondo.

Nel 1992, a diciotto anni, Kate firma un contratto per Calvin Klein. Fabien Baron, direttore creativo dell'immagine del brand, la sceglie dopo un solo provino. «Era l'epoca delle supermodel, tutte molto formose, ma io volevo una donna più androgina, senza quei seni giganti». Modellando la forma imperfetta degli anni Novanta, Kate diventa l'icona post punk: arriva come uno schiaffo in faccia, porta violenza in un periodo in cui regna la restaurazione.

La prima campagna è firmata da Herb Ritts: Kate con un paio di slip bianchi di cotone e nient'altro è avvinghiata a Mark Wahlberg, jeans calati e boxer che spuntano. Lei catalizza un desiderio così forte che sembra far crepitare l'aria nelle foto, smuovendo la bidimensionalità delle immagini, eppure: «Lì ho avuto una crisi di nervi. Avevo diciotto anni, e non mi sentivo a mio agio a cavalcioni su quel ragazzo mezzo nudo. Sono rimasta a letto per due settimane, pensavo di morire. Sono andata dal dottore, lui mi ha detto: 'Ti prescrivo un po' di Valium'. Grazie al cielo la mamma di Mario non ne ha voluto sapere: 'Tu quella roba non la prendi'. Era solo ansia, ma non c'era nessuno a starmi vicino. Non avevo nessuno su cui contare. Nessuno si è mai davvero preso cura di me».

Quelle foto vengono considerate l'involucro di tutti i mali del mondo: pedofilia, anoressia, pornografia, droga. Kate è il vaso di Pandora: contiene ogni perversione immaginabile. Eppure: «Non avevo mai toccato l'eroina. Ed ero magra semplicemente perché lavoravo troppo. Ricordo che spesso dormivo a Milano in un bed and breakfast dove, al ritorno dal lavoro, non c'era niente da mangiare. Ero agli inizi, nessuno mi portava fuori a pranzo: solo Carla Bruni una volta fu davvero carina». Sette anni più grande di Kate, Carla si muove sicura in un mondo di cui conosce le coordinate e la mancanza di aspettative su di loro: «Non dobbiamo scegliere noi il make up o i vestiti, non è colpa nostra se qualcosa va male. Abbiamo la stessa vita di un uomo d'affari, viaggiamo, ma nessuno si aspetta da noi consapevolezza, *we have plenty of empty time to think of things*».

Nel 1993, Mario e Kate partono per le Isole Vergini britanniche, dieci giorni tutti spesati, una borsa di vestiti da utilizzare a piacere, l'ordine di divertirsi per tornare con degli scatti che trasformeranno una meravigliosa ragazza stropicciata nella nostra perpetua ossessione. La vacanza è un incubo per Kate: «Mi svegliavo al mattino e c'era lui, già pronto a fotografarmi, e io lo mandavo a quel paese.

Ho dovuto stare sdraiata per circa dieci giorni, lui non la smetteva più di farmi foto in quella posizione. Quando stai con un fotografo e lui inizia ad abusare della vostra storia per fare i suoi interessi, è normale che decidi di chiudere e te ne vai». Si lasciano, ma il passaggio ormai è avvenuto: quegli scatti affamati di Kate la trasportano da una dimensione di possessione privata a invasamento pubblico.

Per somigliarle compro il profumo che pubblicizza: ripeto davanti allo specchio «Obsession», «Obsession», abbandono spalline e maglioni giganti optando per canotte arrendevoli. È robaccia di raso, un «vorrei essere seta ma non posso», costa poco però assolve alla sua funzione: scivolare sul mio corpo per vestirmi della mia magrezza.

Ma niente Kate all'orizzonte. Sembro solo un'orfana scampata al massacro, e all'Onyx, la discoteca aperta la domenica pomeriggio: «Dove vai tu? Questo è il bagno delle femmine, devi andare in quello dei maschi».

Intanto Kate viene adottata da Naomi Campbell e Christy Turlington: «Adesso sei con noi». Si accampano tutte e tre all'hotel Ritz, a Londra. Si svegliano con il mal di testa perché hanno ballato tutta la notte indossando il cerchietto e Kate, con i capelli sporchi e l'aria sfatta è la più luccicante di tutte, forse perché si porta una narrazione addosso.

«Il segreto della longevità di Kate sta nel suo essere misteriosa» dice Anna Wintour, direttrice di «Vogue», «c'è in lei qualcosa di nascosto, ed ecco perché fotografi e giornalisti e artisti ne sono attratti. Perché faticano a dire esattamente chi o che cosa lei sia, e così le possono attaccare addosso le loro fantasie».

Se le altre sono modelle, Kate è prima di tutto la Sherazade testimonial di sé stessa e gli scià di Persia soccombono al suo passaggio, proprio come i vestiti: mastica e sputa gli abiti, li taglia, li mette al contrario, slaccia dei bottoncini, passeggia sulle macerie obsolete di ciò che gli stilisti hanno pensato per lei. Quando indossa qualcosa, lo trasforma in una sua opera. Dirà: «Voglio sempre tutto più corto, più corto, più corto. L'altro giorno Lila mi ha fermata: 'Mamma, smetti di tagliare quel vestito, ti sta bene così'».

Ma prima di Lila, nel periodo in cui dorme al Ritz tra Christy e Naomi, incontra Johnny Depp al Café Tabac, nell'East Village a New York. Lei arriva da una serata di tappeti rossi, un freddo cane e solo una giacca vintage, in seta cinese, posata sulle spalle non per proteggere ma per arredare. Escono insieme, vanno da lui, e la mattina dopo si svegliano con un metro di neve fuori dalla porta e Manhattan bloccata. «Se non fosse andata così, non so, forse non ci saremmo mai più cercati» dirà lei. «Potrei anche stare semplicemente ore a guardarlo mentre dorme». E lui, un giorno: «Kate, ho qualcosa nelle mutande, puoi darci uno sguardo?»: un girocollo di diamanti di Tiffany spunta dai boxer di Johnny. Per un compleanno lui le regala la prima edizione di *Alice nel paese delle meraviglie* con le illustrazioni di Salvador Dalí, poi le fa cantare *Tanti auguri* da Gloria Gaynor.

Kate molla il Ritz e si trasferisce a New York, lei e Johnny vanno a vivere al Waverly Place, una specie di *Friends* degli dei, i loro vicini di pianerottolo sono Carolyn Bessette e John Kennedy Jr: denti e capelli perfetti, una vita piena di futuro, nessun incidente aereo arriverà mai.

Johnny vuole andare a Los Angeles, Kate lo segue, ma poi si ritrova sola: lui è tutto un arrivi e partenze tra un film e l'altro. «Be', va' a fare shopping» le suggerisce quando lei si lamenta, così Kate è di nuovo la ragazzina piena di sacchetti zeppi di abiti vintage, anche se adesso c'è un autista ad aspettarla. Lei si ammala di tristezza, la storia va in frantumi e Kate sta male, malissimo. «Nessuno si è mai davvero preso cura di me, ma Johnny per un po' ci è riuscito. Io gli credevo. Se gli chiedevo: 'Che cosa faccio?', lui me lo diceva. E questo mi è molto mancato quando è finita. Un incubo, anni e anni di lacrime. Oh, quante lacrime».

Kate e Johnny si lasciano, Carolyn Bessette e John Kennedy Jr muoiono. Piange lei, piango io. Ma io lo faccio più per posa che per dolore. Al momento, non ho davvero niente di importante da lacrimare. Però così lei non si sente sola.

È più o meno in questo periodo che dice: «Gli uomini sono tutte puttane, non bisogna mai prenderli sul serio» mentre fa arrivare e sparire dalla sua vita Jonny Lee Miller, Lenny Kravitz, Daniel Craig. Madamina il catalogo è questo. Io provo a starle dietro come posso: un pugile, un veterinario, qualche cantante e qualche scrittore, un paio di architetti e uno sceneggiatore. Quando lascio lo sceneggiatore per il batterista di Franco Califano, lui getta nel Tevere tutti i miei vestiti, enfatico come i film che scrive. C'era anche un cappotto spigato, bellissimo.

Poi, Kate mi supera da destra: nel 2001 incontra Jefferson Hack, direttore e co-fondatore di «Dazed & Confused»: alto alto, faccia lunga, non bello. Lui la intervista per il giornale, e a un certo punto le chiede: «Il tuo nome è stato associato a diversi uomini, ma nessuna relazione a lungo termine. Non c'è nessuno, là fuori, alla tua altezza?» Kate lo guarda, ride e l'anno successivo i due aspettano Lila Grace. Mentre è incinta, Lucian Freud la invita a posare per lui.

Kate ha ventotto anni e spande meraviglioso disordine ovunque, Lucian ne ha ottanta e rovescia latrati contro ogni cosa che lo innervosisce. Chi conosce entrambi prevede disastri. Pochi anni prima Jerry Hall – che stava allattando, e per questo si era presentata con un po' di ritardo a un paio di sedute – è stata decapitata nel ritratto, la sua testa sostituita da Lucian con quella di un uomo. Lei gli ha fatto perdere la luce giusta, lui le ha fatto perdere la testa. Mick Jagger, furente, si rifiuta di acquistare il ritratto commissionato: quattro mesi di lavoro e uno scherzo come risultato. Lucian se ne frega e se ne sbarazza, vendendolo per una cifra blu a un collezionista.

Anche Kate arriva in ritardo, ma a lei Lucian tutto perdona. Trascorrono lunghissime giornate insieme, e anche molte notti. Il loro orario preferito va dalle sette di sera alle due del mattino. Lucian è sempre gentile con lei e un giorno, in taxi, le racconta che a diciannove anni, in marina – su un mercantile che percorreva l'Atlantico – aveva imparato la tecnica dei tatuaggi. Kate pensa a quegli ex marinai che si portano nel mondo nomi e volti di ragazze disegnati da Lucian sui loro corpi, e decide che anche lei vuole un suo tatuaggio.

«Mi piacciono gli uccelli» gli dice Kate. Lucian le mostra l'immagine di un suo quadro che potrebbe tatuarle: un pollo con la testa a penzoloni. «No, quello no» lei gli risponde. Allora lui ha un'idea: disegnerà la faccia di Kate sul corpo di Kate, ma lei si basta e gli dice di no, non ha bisogno del suo *Doppelgänger*. Alla fine patteggiano per un paio d'uccellini stilizzati, e Kate dimostra di avere rubato nella vita qualche rossetto e frugato in cesti di vestiti da una sterlina, quando dice in un'intervista: «Un Freud originale: quanto lo pagherebbe un collezionista? Qualche milione?»

Al momento del parto sono preoccupata per lei: succederà come a Sigourney Weaver in *Alien,* verrà squartata, è troppo magra. E invece: «Il parto è stato fantastico, con candele e una bottiglia di champagne. Mi sono divertita molto» mi racconta Kate. Dopo la nascita di Lila Grace va allo strip club Astral per prendere lezioni di pole dance. Diretta da Sofia Coppola, balla intorno a un palo nel video dei White Stripes e si porta avanti con il lavoro chiedendosi cosa farà di sé stessa, perché ancora una volta non è più tempo di pensare l'amore in due. Jefferson è sempre lì, pronto a regalarle – per il suo trentesimo compleanno – un telescopio antico con cui alzare gli occhi per cercare un altro regalo, la stella che lui le ha comprato, mentre Kate ha già deciso che lui, invece, è diventato una stella cadente. Qualche mese dopo incontra Pete Doherty, che ci mette giusto un paio di giorni per tatuarsi la lettera K all'interno di un cuore vuoto già pronto sul braccio, per ogni evenienza. Passa una settimana, e questo ragazzo con la faccia di Charlie Brown finito dentro *Trainspotting* grida al mondo che è pazzo di lei. Pete fa pasticci: viene arrestato per rapina e ricatto, finisce in prigione, non ha i soldi per la cauzione, lo sfrattano dall'appartamento per affitti mai pagati e pareti imbrattate, e Kate pensa che sì, è l'uomo perfetto per lei. Così s'infila in un paio di hot pants, vanno insieme al festival di Glastonbury, e poi lo invita a trasferirsi da lei.

Nel 2004 m'iscrivo alla mailing list di «Bingo con il morto», una specie di fantacalcio in cui la tua squadra è composta da potenziali morti famosi. A inizio campionato stilo la mia rosa: 24 partecipanti e un capitano, con un anno solare a disposizione per sperare che vengano ricoverati, incidentati, e possibilmente feriti a morte. Ci sono regole precise e punteggi che tengono conto di una scala gerarchica di disgrazie: pronto soccorso, operazioni chirurgiche, coma, morte naturale o morte violenta.

Siamo in un centinaio a concorrere: scrittori, giornalisti, redattori di radio e tv. Abbiamo tutti uno pseudonimo dietro al quale nascondiamo il piacere di guardare la sventura abbattersi sulle vite che invidiamo. Io sono Lola Velena e mi piazzo sempre nella parte bassa della classifica, come cacciatrice di morte valgo poco: scelgo nomi banali, ripiego su personaggi troppo noti (in questo caso i punti vengono divisi con i tanti che, come te, hanno quel nome in lista), o troppo anziani (più sono vecchi, meno «valgono»). Ho una fantasia scarsa, così mi accontento di racimolare qualcosina puntando su chi non fa altro che entrare e uscire dai *rehab*. Infilo Amy Winehouse (prenderò, purtroppo, molti punti nel 2011) e Pete Doherty, il nuovo fidanzato di Kate. È tutto un inciampare e un cadere la vita di Pete, tra cappellini, eroina e magrezza: mi darà soddisfazione, penso. E intanto, studio le loro giornate: sono diventati le supernove della cricca di Primrose Hill, i belli e dannati del quartiere di North London. Gli altri amici di merenda sono i fratelli Gallagher, Jude Law, Sadie Frost: tutti eternamente giovani, mai annoiati, pronti per le feste di domani e sempre con gli occhi stropicciati: «Dormire? Perché dormire? Ci sono così tante cose da fare» dice Kate. Pete compone per lei la canzone *La Belle et la Bête*: Kate arriva sul palco, pantaloni di pelle nera, pelliccia bianca, sigaretta in mano, afferra il microfono, ripete per una decina di volte la frase «*Is she more beautiful than me?*» E se ne va.

Mi rendo conto che non ho mai sentito la sua voce, prima. È acuta e un po' da cartone animato, ha qualcosa di stridulo, sale quando non te l'aspetti e quando ride, ride davvero. Io sono sempre felice e infelice insieme, lei spalanca la bocca e prepara i canini per mordere quel che trova.

Ma nel 2005 Kate, per un po', non ride più: il «Daily Mirror» la sbatte in prima pagina, fotografata mentre sniffa cocaina. Lei, ligia alla regola del «*Never complain, never explain*», non si scompone più di tanto.

Anche prima di questo pasticcio le sue interviste, da sempre, erano secche, laconiche, sospese in un tempo che non conosce guerre, crisi politiche, affanni. Non è a lei che si chiedono queste cose. «*People don't hear me talk. They don't expect me to*». Quando le chiedi perché preferisce il silenzio, risponde: «Non c'è granché da dire».

Una volta, su un red carpet, un giornalista le chiede una dichiarazione, e lei sorridendo: «No, sono muta». La reticenza a parlare genera attorno a Kate un enigma, che Christian Louboutin – l'inventore delle scarpe con le suole rosse – spiega così: «Ha avuto la rara intelligenza di non cedere alla tentazione di giustificare gli aspetti della sua vita che non hanno a che fare con il lavoro. Le cose davvero dolorose non sono mai state spiegate, e parte di questo mistero le si legge in faccia».

Qualche marchio la molla mentre lei molla Pete e se ne va in *rehab*, in Arizona. Alla *fashion week* parigina lo stilista Alexander McQueen la trasforma in ologramma e anche così, fantasmatica e indefinita, è il centro di tutto. Al termine della sfilata, Alexander esce in passerella correndo. Come sempre, ha una camicia a quadri e quando la apre mostra ridendo ai fotografi una t-shirt nera con la scritta «We love you Kate». Chi di voi è senza peccato, scagli la prima pietra.

Quando Kate torna a sfilare, moltiplica gli ingaggi e triplica il fatturato intrecciando depravazioni e copertine. I fotografi Luigi & Iango dicono che «aggiunge alla moda il desiderio», e lei, in effetti, arriva prima di noi a decodificare i nostri desideri e ce li mostra rendendo, appunto, desiderabili cose che nemmeno sapevamo di volere. «A volte vedo cose che gli altri non vedono» dirà, «accade in modo imprevedibile, mi sveglio la mattina e mi dico: ho voglia di mettermi un paio di leggings, e tutt'a un tratto sulle passerelle non trovo altro che leggings. È una specie di coscienza collettiva».

Ma tutto quello che scivola su di lei come una carezza, rimane su di noi impigliato. Perché se Kate trasforma il corpo in base a ciò che indossa come Mister Fantastic – si allunga, diventa alta o bassa, scheletrica o con molte tette – noi, no.

Però, come noi, anche Kate guarda con le amiche le foto dei tipi carini online. In questo modo si trova davanti, nel 2007, la faccia del chitarrista dei Kills, Jamie Hince. «Ero a casa di Lucie, e stavamo guardando foto di uomini su Google. A un certo punto è venuto fuori lui e ho detto: 'Uh, questo mi piace'. Un amico comune lo ha avvisato, lui è venuto da me, e abbiamo passato insieme i quattro giorni successivi. Alla fine ci siamo svegliati e gli ho fatto: 'Lo vuoi un sandwich al bacon?' Jamie si è messo a ridere perché era vegano e non lo sapevo. Ma non è rimasto vegano a lungo».

Con l'amore siamo coordinate. Nel 2007, davanti ai conigli giganti di *Inland Empire* bacio per la prima volta Nicola, l'uomo di cui mi sono innamorata. David Lynch ci protegge, sono felice.

Nello stesso anno, Kate firma la sua prima collezione per TopShop. Lei, che da tutta la vita ripete: «Io non voglio assomigliare a tutte le altre. Non compro imitazioni nelle grandi catene: o vado in un negozio di roba usata e prendo qualcosa da 10 pence, o spendo soldi per comprare un golf di cachemire davvero bello», adesso invade il mondo con pessime riproduzioni della sua cabina armadio.

Più o meno ogni giorno, mi capita di uscire di casa e sentirmi benissimo: faccia, vestiti, colori. Passa un'ora, forse due, e inizio a contare tutti gli errori che ho commesso: troppe collane addosso – pesano, adesso pesano – i pantaloni di pelle che mi fanno sudare, la fascia in testa: sembro Axl Rose quando canta di voler essere portato a Paradise City, dove l'erba è verde e le ragazze sono belle. Sono, soprattutto, Miguel Bosé quando – tubino di paillettes rosse, parrucca bionda, guanti di raso – sul set di *Tacchi a spillo* aspetta di essere chiamato da Pedro Almodóvar. A fine giornata Miguel è ancora lì, la parrucca un po' storta, il kajal sciolto, e quando Pedro finalmente va da lui, lo guarda e ridendo gli dice che è fresco «*como una mierda*». Per questo a maggio del 2007 vado in pellegrinaggio a Londra, direzione Topshop, 214 di Oxford Street, la mia Lourdes personale. Con i vestiti che Kate ha pensato per me, non mi sentirò più come Miguel.

«Per i miracoli si fa la coda e si gettano coriandoli» scrive Anne Sexton, e io mi metto paziente in fila, per otto ore. È il giorno della presentazione della sua collezione: oggi finalmente ci conosceremo. Polizia ovunque, cinque file di fotografi, stormi di ragazzine, eserciti di trentenni determinatissime, molte madri pronte a strappare lo stesso abito dalle mani delle figlie, qualche nonna che finge di essere lì per una nipote. Ci danno le istruzioni: abbiamo braccialetti con colori diversi in base al tempo di attesa, un numero massimo di capi che si possono comprare (cinque) e, una volta dentro, venti minuti di tempo per fare tutto. Dopodiché, ci sbatteranno fuori. Finalmente si apre il sipario di velluto: Kate è in vetrina tra i manichini, tutti urlano, tutti applaudono. Ha un abito rosso a balze, calpesta il pavimento maculato, io apro di più gli occhi per vedere meglio, sono lontana e capisco poco, ma lei riconoscerà la sua veggente: «Sono io, la tua Bernadette». Il tutto dura tredici secondi, poi la regina degli stracci con le sue *ruches* si dissolve. La caccia ha inizio. Non mi ha vista.

Quando riesco a entrare, quasi tutto è già stato polverizzato, l'abito rosso c'è ancora, costa 400 sterline ma senza Kate dentro mi sembra uno di quei mondi che sanno di liscio, Raul Casadei e balere padane che ho provato con molti sforzi a scrollarmi di dosso, dunque lo lascio lì. Le brutte Kate attorno a me s'infilano impazzite nelle copie acriliche di abiti patetici: siamo delle poveracce. Mentre noi capitoliamo, lei diventa *Sirena.* Nel 2008 Marc Quinn la trasforma in una golden Kate a diciotto carati: la statua, che finisce al British Museum, vale un milione e mezzo di sterline e pesa cinquanta chili, esattamente quanto il suo alter ego reale.

Per trasformarla nell'imperturbabile divinità che si annoda e s'intreccia mentre fa yoga, Kate gli permette di prendere il calco della sua testa, ma non gli concede il corpo. Le gambe ripiegate all'indietro, da ragno ubriaco, sono di un'altra, ma la faccia che esce da quegli intrecci è tutta sua, e ti perfora.

È la statua in oro più grande dai tempi degli antichi egizi, e si smonta in corrispondenza della saldatura centrale. Kate, invece, non si smonta, mai.

«Il mito è ciò che consente al reale e all'irreale di coesistere, una sorta di collegamento situato nello spazio architettonico della sua struttura. Noi camminiamo letteralmente dentro questo spazio di sogno» racconta Marc Quinn. E Kate è quel collegamento.

Nel 2010, Lucian Freud è malato. Kate lo va a trovare con Jamie, si sfila le scarpe e s'infila nel letto con lui: «L'ho tenuto caldo per te» le dice Lucian. Kate chiude gli occhi e sembra annusarlo. Lui la abbraccia e, mentre lei sorride, lui guarda oltre, verso la periferia di quello che sta lasciando, pieno di nostalgia per tutto.

Nel 2011 Lucian muore e Jamie chiede a Kate di sposarlo. Lo fa durante un viaggio ad Amsterdam, con un anello vintage degli anni Venti. Anche Nicola me lo chiede, lo fa a Roma, in casa sua che è diventata anche la mia.

Quando – il primo luglio del 2011 – Kate e Jamie effettivamente si sposano, la manager di lei, Jen Ramey, ha quasi paura a entrare nella chiesa del villaggetto nell'Oxfordshire scelta per la funzione: «Con le stronzate che abbiamo combinato, credevo che saremmo stati avvolti dalle fiamme dell'inferno». Ma il diavolo ama Kate e la lascia festeggiare tranquillamente per tre giorni: Beth Ditto, Snoop Dogg e Iggy Pop suonano per lei, lo champagne scorre,

Mario Testino si occupa delle foto e «Vogue» paga il conto: un milione di sterline per i diritti di riproduzione esclusiva delle immagini.

Ma sul matrimonio, finalmente, il mio riscatto: 6 agosto 2012, mi sposo a Koufonissi, Grecia. Kate, ti straccio. Tu con tutta quell'impalcatura e io con il caso finalmente al mio fianco. Anni e anni a guardarti e adesso ci sono: isola scelta senza mai averci messo piede, capelli color «*golden apricot*» e una coroncina di fiori freschi intrecciati da una mia amica, una tunica da sacerdotessa (datemi subito un'anfora su cui finire), Nicola e io bellissimi, tutti bianchi, su una barca: siamo noi Zelda e Scott, e no, non morirò bruciata in nessun incendio.

Kate e Jamie comprano casa: una dimora georgiana in mattoncini a Highgate, la stessa dove – quasi duecento anni prima – Samuel Taylor Coleridge, fuoriclasse del romanticismo inglese, ha trascorso i suoi ultimi anni di vita tra molto laudano e struggimento. «Sono venuta ad abitare in un centro di disintossicazione» ride Kate. Con gli anni, quello che di Jamie le piace tanto («ama fare le cose che piacciono a me, ha il mio stesso *sense of humour*, è divertente e al tempo stesso musone») diventa – come sempre – un guaio. Tutti quelli che dicono «le cose che abbiamo in comune sono quattromilaottocentocinquanta» pare si lascino, e così fanno anche Kate e Jamie.

Io e Nicola, però, no. Viviamo all'Esquilino, un po' di topi e il nostro personalissimo Samuel Taylor Coleridge di quartiere: Abel Ferrara con un impermeabile chiaro tra le panchine di piazza Vittorio, immerso in redenzioni tutte sue e concentratissimo in dialoghi con chissà chi.

Nel 2013 Stromae, ragazza e ragazzo allo stesso tempo in *Tous les mêmes* litiga con la sua metà maschile: «*Arrête, je sais que tu mens, il n'y a que Kate Moss qui est éternelle!*» Solo Kate Moss è eterna, mentre tutte noi invecchiamo, la gravità vince e le dee vanno in pensione: Linda ha deciso che è felicissima di mangiare, Cindy ha una figlia più bella di lei e Carla accarezza paziente la testa del marito – l'ex presidente della Francia Nicolas Sarkozy – che ancora si ostina a utilizzare gradini, pedane o rialzi per sembrare più alto di lei. E anche quando tutto sarà passato e dimenticato, resterà solo Kate, forse perché ancora nessuna – dopo di lei – è riuscita a imporre un nuovo canone estetico. Tutte le altre meravigliose creature imperfette di oggi ci fanno, per un poco, sperare nel miracolo ma niente, dobbiamo aspettare sempre lei che, a intermittenza, torna per farci vedere di che materia sono fatti i sogni. Quando decide di sfilare di nuovo, lo fa fumando in passerella: shorts e cellulite per Marc Jacobs. «Sono sempre io, Kate, e faccio quel che mi va».

Il 16 gennaio del 2014 Kate compie quarant'anni e si regala delle orecchie da coniglio in seta nera, per posare nuda sulla rivista di Hugh Hefner: copertina e 18 pagine dedicate a lei, celebrate con una festicciola al Playboy Club di Londra. Poi raduna un po' di amici e partono tutti insieme per le Antille, isola di Necker – proprietà privata di Richard Branson, patron della Virgin – per un party di tre giorni.

Il giorno del mio quarantesimo compleanno lavoro: seguo un brutto programma e sono incastrata in diretta, nella radio in cui sono seppellita da diciassette anni, in mezzo a persone invecchiate con me senza che nessuno di noi avesse previsto la possibilità di diventare grande, o triste. «*We were never feeling bored cause we were never being boring*» – come Zelda Fitzgerald – ma adesso misuriamo l'inedia delle nostre mancate scelte.

Ho organizzato un aperitivo: un locale con lucine, terrazza, champagne, compio gli anni ad aprile, abito dove c'è sempre il sole. E invece piove, ci ritroviamo umidi in un interno polveroso, odoro di cane bagnato e peonie che mi hanno regalato. Voglio un'isola privata, il cachet di Kate – 300.000 euro al giorno – e un grande Gatsby da mettere in scena.

Tra le mie ricerche su Google più frequenti negli ultimi anni: «Kate Moss cellulite». Le foto di Kate con la pelle a cratere, gli zoom sulla pancia gonfia, i cerchietti rossi attorno alle ginocchia (mia nonna diceva «a sacchetto di noce»), le chiappe in caduta libera. La guardo, mi guardo. Comparo gli effetti della legge di gravità su di me: mai fumato, bevo pochissimo, faccio boxe, conto le calorie. Le dico: «Mi spiace per te». Ma perdo ancora. Perché a lei del tempo che passa non le frega niente: «A me non sembra che sia passato tutto questo tempo. Certo, non sono più una casinista. Anzi, no: non voglio far scoppiare la bolla, rovinare l'illusione. Perché, quando nessuno mi vede, sono ancora casinista, eccome».

Dal 2018, niente più alcol per Kate. Va in giro con un rullo di giada in borsetta, la mattina si sveglia con acqua calda e limone e la sera – come Noodles di *C'era una volta in America* – va a letto presto. Quando il mondo si ferma per la pandemia scatenata dal coronavirus, Kate trascorre il lockdown in campagna, nel suo casale tra le colline delle Cotswolds: villaggi minuscoli traboccanti di pecore, erica a ricoprire anche i pensieri. Immaginarla intenta a bere centrifughe di sedano mi addolora, meglio pensarla in shorts e stivaloni, coperta di fango e biondissima, a intrecciare margherite tra i capelli di Lila Grace, che nel frattempo ha compiuto diciotto anni. Kate le fa da manager: Lila è «carina da matti», così si dice per chi, figlia di una dea, potrà essere bellissima, ma senza mesmerismo non farà incantesimi, perché quelli non si ereditano. Però Lila erediterà i cappottini di Fortuny degli anni Venti e dei pezzi di Madame Grès che Kate ha messo da parte per lei e, tutto sommato, non le va così male.

Io nel frattempo ho mollato la radio e faccio finalmente le cose che mi piacciono, mentre lei sfila atarassica verso nuove deflagrazioni. Al suo fianco ora c'è il conte Nikolai von Bismarck – dodici anni più giovane, ex alcolista, fotografo, discendente blasonato della famiglia prussiana – che la guarda inconsapevole del fatto che, presto, sarà solo un ricordo. Come tutti gli altri. In fondo, ha ragione Keith Richards: «Per essere una ragazzaccia, si è comportata sempre bene».

Arianna Ninchi

Le muse

Nadia Krupskaja (1869-1939)

> Se voi volete onorare la sua memoria, costruite degli asili nido, dei giardini d'infanzia, edificate case, biblioteche, policlinici, ospedali, ricoveri per invalidi e così via, e soprattutto mettete in pratica i suoi insegnamenti.

Nadežda Konstantinovna Krupskaja nasce a San Pietroburgo in una famiglia aristocratica che la educa però all'internazionalismo. Affascinata dagli ideali di Lev Tolstoj, insegna in una scuola serale domenicale frequentata da operai, svolgendovi anche attività di propaganda rivoluzionaria. Aderisce a un circolo marxista e lì, nel 1894, incontra Lenin. Condannata alla deportazione per tre anni, chiede di essere inviata nel villaggio della Siberia in cui già è stato deportato Lenin. Durante l'esilio e i sedici anni dell'emigrazione (tra Monaco, Londra, Ginevra e Parigi), lavora senza sosta per la causa rivoluzionaria. Nel 1917 il ritorno nel primo Stato socialista della Storia, l'Unione Sovietica, è trionfale.

Dirigente del Partito con deleghe vastissime (alfabetizzazione, università, biblioteche, teatro, cinema, musei...), ha la condizione della donna e della gioventù come interessi primari. Aveva già scritto *La donna lavoratrice* e nel 1917, con *Istruzione popolare e democrazia*, sistematizza il suo metodo didattico.

Lavoratrice instancabile, si occuperà sempre della corrispondenza con gli organi di partito e con i compagni (fino a quattrocento lettere al giorno), amando soprattutto rispondere ai bambini.

Bambini suoi non riuscirà ad averne, ma reagirà al dolore di questa mancanza, avendo come missione i destini della generazione futura: è opera sua l'organizzazione dei pionieri e dei giovani comunisti; suo fiore all'occhiello è il legame mai spezzato con i figli di Inessa Armand, amante di Lenin.

Dopo la morte di Lenin e nonostante Stalin, continua imperterrita a lavorare. Muore di peritonite acuta alcuni giorni dopo il suo settantesimo compleanno. Stalin, che le aveva inviato una torta (al veleno, qualcuno ha ipotizzato), porta personalmente l'urna con le sue ceneri dentro le mura del Cremlino, in una nicchia d'onore poco distante dal mausoleo, dove riposa la salma imbalsamata di Lenin.

Ricordata con riconoscenza dal popolo sovietico, il suo spirito aleggia scherzoso ma deliberativo in sede di esami all'università: «Qual era il cognome del marito della Krupskaja?» è la domanda trabocchetto con cui si usa decidere, certamente e rapidamente, della promozione degli studenti all'esame di storia.

Maria Callas (1923-1977)

Sono qui, peccato che non vieni, chi sa perché poi.

Anna Maria Cecilia Sofia Kalogeropoulou, in arte Maria Callas, nasce a New York e nel suo fato di donna greca è scritto che diventerà «la divina», la cantante lirica più famosa al mondo. Con determinazione e sacrifici coltiva il talento precocissimo. Ad Atene studia con Elvira de Hidalgo. È lei a sospingerla verso l'Italia, dove gli uomini, tanti, saranno per lei fondamentali: il direttore d'orchestra Tullio Serafin, il marito e agente Giovanni Battista Meneghini, Luchino Visconti, Franco Zeffirelli, Pier Paolo Pasolini.

Ha una voce potente ma ambigua, che fa discutere (apposta per lei si recupera la definizione ottocentesca di soprano drammatico d'agilità) e che divide (alla Scala sono ovazioni ma anche fischi e... ravanelli lanciati dai «tebaldiani»).

Nel 1949 il fato ha in serbo per lei una sostituzione per l'Elvira dei *Puritani* di Vincenzo Bellini: è la consacrazione. La vetta dell'Olimpo (che è la Scala) è raggiunta subito dopo.

Poi la metamorfosi: il peso cala (trentasei chili in una stagione) e sale la smania mondana. Nel 1959 scende dallo yacht *Christina* dell'armatore greco Aristotele Onassis per lasciare Meneghini e tuffarsi nella nuova passione. Seguono il dramma (tenuto segreto) del bimbo nato morto, lo choc per la decisione di Onassis di sposare Jacqueline Kennedy (con Callas che lo apprende dai giornali), la depressione, l'insorgere dei problemi vocali (a causa della dermatomiosite, riveleranno importanti foniatri poi).

Nel 1969 è Medea nel film di Pier Paolo Pasolini e l'intesa fra i due sfiora l'amore.

Nel 1973 è travagliata la relazione con il collega Giuseppe Di Stefano. Preda dei sonniferi, Callas si ritira nel suo appartamento parigino, dove muore per arresto cardiaco il 16 settembre 1977. Le sue ceneri saranno sparse nel mar Egeo: «Fai spargere le mie ceneri nell'Egeo [...]. Il mio Aristo è sepolto a Skorpios. E io là voglio finire. Lo abbraccerò attraverso il mare...» aveva detto alla fedele nutrice, pardon... domestica Bruna.

Amanda Lear

Uomo? Donna? Io sono ciò che mi si crede.

Amanda Lear, pseudonimo di Amanda Tapp, nasce (forse) il 18 novembre 1939 (forse) a Hong Kong. Subito avvolta da un'aura di mistero, cresce con la madre tra Parigi e Londra. Frequenta una scuola d'arte e una per modelle e qui un'insegnante ha l'intuizione di indirizzarla a Karl Lagerfeld: la carriera sulle passerelle può iniziare. Androgina, spigolosa, unica, sfilerà per Paco Rabanne, Yves Saint Laurent, Coco Chanel, Mary Quant.

Sono anni di incontri straordinari. Uno su tutti: Salvador Dalí. Lo conosce nel 1965 in un locale parigino, posa per lui e a lui si legherà in un «matrimonio spirituale» e anticonvenzionale durato sedici anni.

Nel 1973, con abito nero, lucido e attillato, una pantera al guinzaglio, è sulla copertina dell'album *For Your Pleasure* dei Roxy Music: è nata un'icona fetish e David Bowie la vuole per sé. Breve la relazione, intensa la collaborazione: lui le paga le lezioni di canto e danza e la indirizza verso la carriera musicale.

Con *Tomorrow* e *Queen of Chinatown* arrivano il successo internazionale e la consacrazione a «White Queen of Disco».

La sua voce bassa e sensuale – «Il mio produttore mi diceva: 'Devi essere la Dietrich della discomusic'. Mi faceva fumare e si registrava alle quattro di notte e lui era contento» – suscita dicerie intorno all'ambigua sessualità: Amanda sfrutta i pettegolezzi con piglio da stratega. Il suo maestro, del resto, era stato Dalí: «Da lui ho imparato tantissimo, ho imparato come pubblicizzarmi, far parlare di me. Tantissime cose». C'è lui, *ça va sans dire*, nel titolo della sua prima biografia ufficiale, *My Life with Dalí*, del 1984.

È il 2000 quando suo marito, Alain-Philippe Malagnac d'Argens de Villèle, muore nell'incendio della loro villa in Provenza. Per ricordare «il mio più grande amore», Amanda incide l'album *Heart*.

«Cavaliere dell'Ordine delle Arti e delle Lettere», Amanda Lear è stata modella, attrice, conduttrice, doppiatrice e pittrice, senza mai abbandonare la carriera musicale.

Sempre pronta a stupire, fantastica (forse) ottantenne, negli ultimi anni ha scoperto il teatro.

Pamela Des Barres

> Io facevo l'amore con Mick Jagger sui morbidi cuscini nel mezzo del suo soggiorno, ascoltando la musica di Bob Dylan. No, non c'era niente di meglio sulla terra, in quei giorni.

Pamela Ann Miller, meglio conosciuta con il cognome dell'ex marito Des Barres, «Miss Pamela» per gli amici della confraternita rock anni Sessanta e Settanta, è stata *la* groupie, la groupie delle groupie, la regina delle groupie, la «gurupie» nelle sue parole.

Nasce sveglia nella sonnolenta Reseda, California del sud, il 9 settembre 1948.

È adolescente quando, con dolcezza e sensualità innate, inizia a muoversi per ridurre i gradi di separazione fra lei e i suoi idoli musicali. «Bazzica» tante rockstar e con molte di loro intreccia amicizie e relazioni più o meno durature.

In Frank Zappa trova un mentore oltre che un amico: la introduce nella sua famiglia come baby sitter e fa di lei una star con The GTO's, le Girls Together Outrageously. Di quell'esperienza Pam dichiarerà: «Le GTO's furono indiscutibilmente la prima *girl-band* a dimostrare un carisma e uno spessore che avrebbero poi fatto da apripista ad altri gruppi femminili».

Nel 1987 racconta il suo passato sfrenato e promiscuo nel memoir *I'm with the Band: Confessions of a Groupie*, ed è subito bestseller.

Nel 1989 posa per «Playboy», una sua dichiarazione in didascalia: «Mi sarebbe piaciuto posare per 'Playboy' da giovane, ma i miei seni non mi precedevano. Ora le mie tette sono quasi famose, quindi non serve che siano più grandi».

Look eccentrico e provocatorio, la coroncina di fiori e le giarrettiere («Indossavo giarrettiere molto prima che lo facesse

Madonna»), ha fondato una linea d'abbigliamento, la *Groupie Couture*.

Operativa, tiene lezioni di scrittura creativa; vende memorabilia sul suo sito Internet; celebra matrimoni e per 2500 dollari si racconta ai fan nei fine settimana. Arzilla settantenne, vive a Los Angeles ed è felicemente single. Ha un nucleo di fedeli e affezionate allieve, che lei chiama «le mie bambole».

Ha all'attivo sei libri e dall'età di nove anni tiene il suo diario. Consiglia a tutti di tenerne uno.

Si è sempre spesa moltissimo per riabilitare la parola groupie: «La parola Groupie è un altro modo di dire Amore».

Alene Lee (1931-1991)

> «Fate tutto ciò che potete per aiutarmi a rimanere viva», in punto di morte avrebbe detto.

Afroamericana di etnia cherokee, Arlene Garris, meglio nota come Alene Lee, frequenta i caffè newyorkesi del Village negli anni Cinquanta del secolo scorso. Famosa per la sua bellezza, è anche una delle menti più brillanti del movimento che, di lì a poco, sarà famoso come Beat Generation.

Mentre trascrive manoscritti per William Burroughs e Allen Ginsberg, conosce Jack Kerouac e inizia una relazione con lui. Sconvolta nel ritrovare molto di sé falsato in Mardou Fox, l'afroamericana tossicomane protagonista del suo romanzo *I sotterranei*, Alene lo lascia.

Mentre, proprio grazie a Mardou Fox, diventa una leggenda vivente in tutto il Village e a Little Italy, Alene, con caparbietà, inizia a difendere la sua vita privata. Nel 1962 avvia una relazione con Lucien Carr, altro membro della Beat Generation. Se poco di lei era fin lì trapelato, meno ancora di lì in avanti trapelerà.

A causa dei ferrei accordi di anonimato pretesi dai biografi di Kerouac e per via dei rapporti ostili con alcuni di loro, Alene nemmeno viene citata nelle pubblicazioni dedicate alle donne della Beat Generation. Quando vi appare, è descritta come una figura marginale della vita di Kerouac.

Per decenni la sua figura resta un enigma. Fino a quando, nel 2009, lo scrittore Steven O'Sullivan pubblica un articolo su di lei (*Alene Lee – Subterranean Muse*) sulla rivista letteraria online «Beatdom». In seguito a questa pubblicazione, la figlia di Alene, Christina Diamente, si fa viva con un articolo sulla vita della madre e rendendo pubblici alcuni scritti e un racconto di lei. Rigettate le etichette razziste e umilianti di ragazza nera, groupie e drogata, Alene Lee ha di certo influenzato l'opera di Kerouac (ispirandolo anche per il personaggio di Irene May in *Book of Dreams* e *Big Sur*), di Carr e Ginsberg. Ha anche dato un suo *beat* orgoglioso, consapevole e indipendente, a questo movimento culturale.

Jeanne Hébuterne (1898-1920)

> E Jeannette?
> Jeannette ci ha lasciato quadri, non parole.
> Patti Smith in *Dancing Barefoot* le fa dire: «Here I go and I don't know why I fell so ceaselessly Could it be he's taking over me» (Ecco che vado e non so perché non finivo più di cadere forse lui mi sta prendendo).

Nasce a Meaux, non lontano da Parigi. Il fratello André è pittore e la introduce nella comunità artistica di Montparnasse. Per il contrasto tra la carnagione e i bellissimi capelli è per tutti *noix de coco* (noce di cocco). È modella solo per Foujita. Si iscrive all'Académie Colarossi e nel 1917 conosce Amedeo Modigliani. Lei ha diciannove anni, lui trentatré. Lei è timida e dolce, ma anche coraggiosa e decisa a realizzare i suoi sogni. Lui è squattrinato, alcolizzato, malato di TBC. Nonostante la disapprovazione della famiglia di lei, che rifiuta il 'genero' soprattutto perché ebreo, vivranno per tre anni un amore intenso e folle, tra tenerezza estrema e maltrattamenti. Jeanne diviene la musa di Modì e abbandona le sue aspirazioni artistiche. Dalla loro relazione nasce una bambina, che la madre chiama come lei.

La salute di Amedeo intanto peggiora. Ricoverato d'urgenza, muore il 24 gennaio 1920. Secondo quanto riferito dai presenti, lei era rimasta a guardarlo pietrificata e poi si era allontanata con piccoli passi all'indietro, senza mai volgergli le spalle.

Inconsolabile, il 26 gennaio Jeanne si lancia dalla finestra della casa dei genitori. Muore sul colpo. Ha 21 anni e un bimbo in grembo. I familiari la tumulano, quasi clandestinamente, nel cimitero di Bagneux, ma nel 1930, grazie all'insistenza del fratello di Amedeo, Giuseppe Emanuele, acconsentono al trasferimento al Père-Lachaise, per farla riposare infine accanto all'amato. Il suo epitaffio recita: *Compagna devota fino all'estremo sacrifizio.*

Ricordata soprattutto per il suo gesto estremo, Jeanne è stata una promettente pittrice. Di lei restano diciassette dipinti (ritratti dei genitori, del fratello, di Modì, autoritratti, nature morte desolate, l'inquietante *La suicida*) e cinquantatré disegni (molti nudi femminili) che, custoditi dal fratello, sono stati recuperati, dopo molti anni e per caso, da un operaio. Talvolta le opere di Jeanne accompagnano in giro per il mondo quelle del suo Modì: ancora insieme e in simbiosi, nell'arte.

Lou Andreas-Salomé (1861-1937)

Osare tutto e non aver bisogno di nulla.

Lou von Salomé nasce a San Pietroburgo in una famiglia dell'alta aristocrazia. A diciannove anni comincia a scrivere. Ha già fatto perdere la testa al precettore e il padre le fa cambiare aria. Zurigo per l'università e poi Roma per il clima mite (soffre di tisi). Qui conosce Paul Rée ed è l'inizio di una convivenza senza amore (per scelta di lei), che infrange ogni regola. Il filosofo parla di lei all'amico Nietzsche che, nel 1882, parte per incontrarla. Sarà il terzo uomo a chiederla in sposa e il terzo ad essere rifiutato. Ma il numero tre è perfetto, almeno per allargare la convivenza che, a quel punto, diventa «Trinità». Una foto ritrae Lou su un carretto con il frustino in mano: i due cavalli umani (troppo umani) ne usciranno con le ossa spezzate. «La grande rivoluzione russa» nella vita di Nietzsche lascia a ogni modo lo strascico di un capolavoro (*Così parlò Zarathustra*).

Intanto Lou è pronta per nuovi incontri e una vita cosmopolita. Il matrimonio bianco con Friedrich Carl Andreas (ha tentato il suicidio per convincerla) non la cambierà. E perché dovrebbe? Conosce il medico Friedrich Pineles e l'intesa non è solo intellettuale: lei ha trentasei anni e perde la verginità. Poi finalmente è l'amore, per Rilke, il giovane poeta René da lei ribattezzato Rainer: quattro anni insieme, due viaggi in Russia, il legame mai spezzato, l'ultima lettera di lui è per lei.

Per approfondire il suo interesse per la nascente psicoanalisi, Lou vi si consacra totalmente: con Freud la collaborazione è strettissima e non priva di divergenze. A Göttingen, Lou si dedicherà alla professione di psicoanalista fino alla morte.

Bellissima, magnetica, carismatica, spregiudicata, sovversiva, ha fatto scorrere fiumi d'inchiostro, degli altri e suo proprio: saggi, lettere, poesie, il best seller *La materia erotica*. Animata da istanze di liberazione da tutto quanto le sembrava limitante, è entrata in contatto con le menti più brillanti della sua epoca, molto se ne è fatta ispirare ma, soprattutto, moltissimo ha ispirato.

Rosalind Franklin (1920-1958)

> Io non ho una fede nella vita dopo la morte. La mia fede si appoggia sul futuro che puoi crearti da te, e basta. Come individuo puoi crearti il tuo futuro e il tuo destino, sei tu il solo artefice.

Nasce nel 1920 a Londra da una ricca e colta famiglia ebraica. Bambina paurosamente intelligente («*alarming clever*», nelle parole di una zia), mostra un precoce interesse per le materie scientifiche.

Si iscrive alla facoltà di Chimica e Fisica dell'Università di Cambridge. Si appassiona alla cristallografia e si laurea nel 1941, per poi specializzarsi a Parigi nella tecnica della diffrazione dei raggi X.

Torna a Londra come ricercatrice al King's College. Consapevole del suo valore, determinata, mette a punto una microcamera per produrre scatti ad alta definizione dei singoli filamenti di DNA. Risale al maggio 1951 la foto 51, poi considerata tra le fotografie più importanti e influenti di tutti i tempi.

Alcuni mesi dopo, a sua insaputa, quella foto viene mostrata a James Watson che, insieme al gruppo di Cambridge, sta lavorando alla struttura del DNA. L'elaborazione del modello a doppia elica è del 1953. Nel 1962, Watson, Francis Crick e Maurice Wilkins riceveranno il premio Nobel.

Nessuno nomina o ringrazia Franklin, nessuno riconosce il suo ruolo in quella scoperta o ammette l'ingiustizia di aver usato le sue ricerche. E Franklin non può nemmeno difendersi perché è morta, a soli trentasette anni, a causa di un tumore ovarico forse dovuto all'esposizione frequente ai raggi X.

Dovrà passare ancora molto tempo prima che il ruolo di Rosalind Franklin sia riconosciuto. E non solo nelle ricerche sulla struttura del DNA.

Il libro di Anne Sayre (*Rosalind Franklin and DNA*, 1975) è il primo a raccontare l'incredibile scienziata che Franklin è stata e l'ingiustizia che ha subito.

La storia, che le aveva «scippato» il Nobel, negli anni la sta risarcendo e nel 2022 la vedrà salpare alla ricerca di cristalli di vita su Marte: il rover della missione ExoMars si chiama come lei.

Zelda Sayre Fitzgerald (1900-1948)

Odori ancora di matite e a volte di tweed?

Nasce in Alabama. È la più corteggiata di Montgomery quando, nel luglio 1918, conosce l'aspirante scrittore Francis Scott Fitzgerald. Ricevuto per posta l'anello di fidanzamento, lo raggiunge a New York dove, il 3 aprile 1920, si sposano. Ed è subito (travolgente) successo. Non solo per *Di qua dal paradiso*, l'esordio di lui, appena uscito: Zelda e Scott diventano delle celebrità. Diventano, soprattutto, «I Fitzgerald». Le tendenze ereditarie rispettivamente alla malattia mentale e all'alcolismo sono già presenti, ma la leggenda non ne è ancora scalfita. Lei diventa la sua musa e lo aiuta volentieri così come volentieri inizia a pubblicare brevi pezzi umoristici su riviste. Il 26 ottobre 1921 nasce Scottie, la loro bambina. Sono sempre senza soldi e, pensando di diminuire le spese, nel 1924, si trasferiscono a Parigi. Iniziano le gelosie, i litigi. Zelda sente nuove ambizioni: si iscrive ai corsi di danza di Lubov Egorova ma, proprio quando viene chiamata dal San Carlo di Napoli, rinuncia. Tenta il suicidio e viene ricoverata con la diagnosi di schizofrenia. Intanto *Il grande Gatsby* è concluso e Zelda punta i piedi: il titolo deve essere quello.

Al ritorno in America, viene internata in un ospedale di Baltimora dove, in soli tre mesi, nel 1932, scrive il suo romanzo: *Lasciami l'ultimo valzer*. Furioso, Scott l'accusa di aver attinto a materiale al quale lui sta lavorando da anni. Superano la crisi, rimaneggiando insieme l'opera che, quando esce, è sommersa dalle critiche. Non va meglio con l'altra aspirazione di Zelda: la pittura. Entrando e uscendo dalle cliniche, con Scott continuerà a scriversi fino alla fine lettere appassionate, testimonianza del loro struggente amore.

A otto anni dalla morte di lui, Zelda rimarrà vittima di un incendio, intrappolata in una stanza del sanatorio, in attesa dell'ennesimo elettroshock.

Aveva fatto di tutto per non rientrare nello stereotipo della donna remissiva del Sud e si ritrovava intrappolata nel cliché di moglie squilibrata del grande scrittore. Per liberarsene dovrà attendere Nancy Milford che, nel 1970, con *Zelda: A Biography*, renderà finalmente giustizia alle sue doti e alla centralità del suo ruolo, aprendo la strada a numerose rivisitazioni femministe della sua figura. Aveva perso la guerra, ma non aveva smesso di sognare un lavoro a lei congeniale per guadagnarsi una posizione autonoma nel mondo.

Kiki de Montparnasse (1901-1953)

> Il primo pomeriggio non facemmo neanche uno scatto.

Alice Prin, in arte Kiki de Montparnasse, nasce poverissima in Borgogna nel 1901. Cresce in campagna con la nonna. Nel 1913 raggiunge la madre a Parigi e, dopo aver fatto i lavori più disparati, posa per la prima volta: è la chiamata alle arti. Elegge Montparnasse a suo quartier generale. È nel posto giusto al momento giusto: tra gli anni Venti e Trenta del secolo scorso la *rive gauche* conoscerà la sua epoca d'oro.

Sfrontata, ottimista e audace, lo sguardo magnetico, il sorriso enigmatico e «un corpo meraviglioso» a detta di Ernest Hemingway, a vent'anni Kiki è già una celebrità. Musa e sodale di tutti gli artisti che da ogni parte del mondo sono sbarcati a Parigi in cerca di fama, è la modella preferita di Kisling, Foujita, Soutine, Modigliani, quando dall'America arriva Man Ray: Kiki e il fotografo faranno coppia fissa per sei anni. Di giorno lui la ritrae in centinaia di scatti e consegna scandalosamente alla leggenda la sua schiena nuda con la foto *Le violon d'Ingres*. Di notte lei si esibisce in giro per locali in numeri di canto e cabaret ad altissimo tasso erotico.

La vita mondana degli anni ruggenti, la creatività e l'amore per l'arte, ma anche le scenate di gelosia, gli eccessi, l'alcol, le droghe, vengono registrati nella sua autobiografia del 1929, *Souvenirs de Kiki*, best seller in patria e circolato in versione pirata negli Stati Uniti.

Con l'arrivo degli anni Quaranta, l'occupazione di Parigi e la guerra, Kiki lascia temporaneamente Montparnasse e prova a mantenersi a galla con i suoi spettacoli, ma non riuscirà a liberarsi mai più dalla dipendenza da alcol e droghe. Muore a Parigi a 52 anni.

Modella, pittrice, cantante, attrice, Kiki è stata soprattutto la «Regina di Montparnasse». Per i suoi biografi, Billy Klüver e Julie Martin, è stata anche «una delle prime donne veramente indipendenti del secolo».

Sabina Spielrein (1885-1942)

Nei miei sogni ho ucciso l'uomo che doveva diventare il padre di Sigfrido, e poi nella realtà ne ho trovato un altro.

Nasce a Rostov sul Don. Colta, intelligente, inquieta, manifesta segni di sofferenza psichica a partire dalla perdita di una sorellina. La famiglia la fa ricoverare (per «isteria psicotica») nella clinica di Burghölzli, nei pressi di Zurigo, dove lavora l'ambizioso trentenne Carl Gustav Jung. Jung sperimenta con Sabine «la cura della parola», l'appena nato metodo psicoanalitico. Dopo otto mesi di ricovero, Sabina lascia la clinica e si iscrive all'università per laurearsi in Medicina e specializzarsi in Psichiatria. Non ha lasciato Jung: il rapporto tra i due si è anzi fatto pericoloso, travolgente. Sabina lo ama ma lui è già sposato. Già nel 1906 Jung scrive a Freud, confessando le sue difficoltà con la paziente. Anche Sabina si rivolgerà a Freud e verrà invitata a reprimere i propri sentimenti al fine di evitare lo scandalo. Rotti i rapporti con Jung (non la collaborazione che, fitta, si protrae per via epistolare), si stabilisce a Vienna ed è ammessa alle «riunioni del mercoledì sera» di Freud.

Nel 1912 sposa un medico russo di origini ebraiche come lei. Nel 1923 parte per Mosca dove, con Vera Schmidt (altra figura di spicco della psicoanalisi russa), apre l'Asilo Bianco e sperimenta nuovi metodi educativi per creare bambini liberi. Quando Stalin fa chiudere la struttura e vieta la psicoanalisi, Sabina continua a ricevere pazienti illegalmente.

Ritiratasi a Rostov, Sabina e le due giovani figlie saranno tra le 27.000 vittime del massacro nella sinagoga perpetrato dai nazisti nell'agosto 1942. Musicologa, pedagoga, una delle prime donne psicoanaliste, Sabina aveva difeso con forza l'originalità di teorizzazioni vissute sulla propria pelle. Freud e Jung la citano in note a margine. Il suo influsso sull'evoluzione del pensiero dei maestri è riemerso grazie allo psicoanalista junghiano Aldo Carotenuto che nel 1980, dopo il ritrovamento del diario di Sabina e delle sue lettere, pubblica *Diario di una segreta simmetria. Sabina Spielrein tra Jung e Freud.*

Regine Olsen (1822-1904)

> «Quindi, dopo tutto, hai giocato una partita terribile con me», avrebbe detto.

Nasce a Copenaghen, in una famiglia numerosa e altolocata. Ha quattordici anni ed è bellissima quando, nella primavera del 1837, incontra il ventiquattrenne Søren Kierkegaard. È amore a prima vista.

L'8 settembre 1840 si fidanzano ma, dopo un anno e quattro giorni, lui la lascia, senza dare spiegazioni. Sconvolta, la giovane tenta il suicidio. Inutili i tentativi di conciliazione del padre di lei: Kierkegaard conferma la decisione, le scrive una lettera d'addio e, per lasciarsi alle spalle i pettegolezzi della città (e le caricature sulle riviste), parte per Berlino.

Dopo sei anni, Regine sposa il suo vecchio precettore, Johan Frederik Schlegel. Sconvolto, Kierkegaard tenta di riavvicinarsi: scrive una lettera a Schlegel, chiedendo il permesso di parlare con sua moglie. Ancora chiusa, la lettera torna indietro. Sentendosi comunque legato a Regine, il filosofo le dedicherà tutte le sue opere. Opere nelle quali, tra un riferimento alla loro relazione e l'altro, è scandagliato tutto il non detto della scelta radicale di rinunciare a lei.

Nel maggio 1855 Regine parte per le Antille danesi, dove il marito è stato nominato governatore. Il giorno della partenza incontra per caso Kierkegaard e lo benedice. Non lo rivedrà più: il grande pensatore danese, precursore dell'esistenzialismo, morirà pochi mesi dopo, all'improvviso, a quarantadue anni.

Al rientro a Copenaghen, nel 1860, Regine scopre che Kierkegaard le ha lasciato la sua piccola eredità. Turbata, rifiuta il testamento. In un'intervista dirà anche di aver bruciato le tante lettere che lui le aveva restituito. Rimasta vedova (del marito), sopravvivrà quarantanove anni (all'ex fidanzato).

Nel 2017 Joakim Garff, teologo danese e studioso di Kierkegaard, ha pubblicato la prima biografia su Regine Olsen (*Kierkegaard's Muse: The Mystery of Regine Olsen*). Aveva già definito il loro amore «una delle storie d'amore più grandi della letteratura».

Luisa Baccara (1892-1985)

> No, no, no, non voglio, non voglio essere come tutte le altre signore e amiche che ogni tanto vedo che scrivono che fanno, no, non voglio. Io sono stata vicino a lui con l'anima, col corpo, sempre, notte e giorno. (Passa una fotografia della Baccara da giovane al piano) E quella ero io quando facevo i concerti, e ho rinunciato per lui.

Nata a Venezia il 14 gennaio 1892, mostra notevoli doti canore e a cinque anni già si esibisce al piano. Si diploma al conservatorio e, all'epoca dei suoi primi concerti, è salutata come una rivelazione.

Ha ventisette anni quando conosce il cinquantaseienne D'Annunzio. Tenta di resistere al suo corteggiamento (un cocktail a base di omaggi floreali e libri con dedica) ma dopo alcuni mesi cede. Lo segue a Fiume per esibirsi in una serie di concerti e il suo trasporto verso il Comandante la fa risultare ingombrante ai fedeli di lui.

Guido Keller e Giovanni Comisso organizzano un piano per levare la pianista di torno: durante una festa, progettano di rinchiuderla «in una gabbia come una gallina» per poi portarla in un'isola deserta. D'Annunzio non acconsente e il rapimento non ha luogo.

Bruna, la chioma selvaggia solcata d'argento, Luisa lascia l'argento della sua laguna per approdare su altre rive, a Gardone Riviera, nella villa che sarà il Vittoriale degli Italiani e il loro esilio dorato.

Nel 1922 lui cade da una finestra, ma è lei a cadere in disgrazia: segreto ma gravido di conseguenze quel «Volo dell'Arcangelo»: Luisa viene relegata al ruolo di ex e fatta traslocare negli appartamenti della governante. Mortificata, punita, attraverso le pareti e in un'angoscia febbrile, spia gli incontri del Vate con le amanti di passaggio. Si strugge ma resta, accontentandosi di suonare per lui e in parte risarcita dall'elezione a padrona di casa. «La legittima», la chiama.

È lei a tenergli la mano quando, il 1° marzo 1938, D'Annunzio muore. «La signora del Vittoriale» torna subito a Venezia, dove vivrà dando lezioni private. Morirà ultranovantenne, dopo aver sopravvissuto per quarantasette anni al suo unico grande amore.

Aveva donato al Vittoriale un baule di lettere. Aveva conservato per sé, tra i suoi diari, i ritagli dei giornali d'epoca che avevano parlato di lei come di una pianista eccezionale, destinata a una folgorante carriera.

Laure (?-?)

«*Laure, très belle négresse, 11 rue Vintimille, au 3e*» si legge sul diario di Manet in una pagina datata 1862 (Laure, nera molto bella, rue Ventimille 11, terzo piano).

Originaria dell'Africa o dei Caraibi, vive a Parigi nella seconda metà del XIX secolo e, secondo la storica dell'arte Griselda Pollock, incontra il pittore Édouard Manet al giardino delle Tuileries. Di certo posa per lui. È lei la domestica nera con mazzo di fiori della celebre *Olympia* (1863). Già apparsa in un angolo dei *Bambini nel giardino delle Tuileries* (1862), conquista il centro della tela con *La negra* (1863). Manet la ritrae in abiti semplici, da lavoro, e non in costume moresco o a seno nudo come si era soliti fin lì rappresentare le donne nere.

Modella occasionale, è forse lei la bambinaia del quadro *Il bacio infantile* di Jacques-Eugène Feyen (1865).

Non si sa se abbia posato per altri artisti dell'epoca. Nulla si sa di lei. Non se ne conosce il cognome. E per rendere noto il suo nome c'è voluta tutta l'ostinazione dell'afroamericana Denise Murrell.

Dottoranda in storia dell'arte alla Columbia University, Murrell è la prima a cercare notizie su di lei. Sconcertata per il silenzio totale attorno alla sua figura, si dà la missione di conquistare pagine sui libri per Laure e per tutte le modelle e i modelli neri ingiustamente ignorati. Lo fa a partire dalla sua tesi di laurea *Posing Modernity: The Black Model from Manet and Matisse to Today* (2014) e curando poi una mostra presso la Wallach Art Gallery della Columbia University. Il sogno di esporvi anche i quadri con Laure non si avvera, ma gli scambi intercorsi con Isolde Pludermacher, capo curatrice del museo d'Orsay, portano all'idea di un allestimento più grande a Parigi. Si arriva così, nella primavera 2019, alla mostra *Il modello nero, da Géricault a Matisse*: trecento opere esposte e ribattezzate con il nome delle modelle e dei modelli neri.

Non più *Olympia* ma *Laure*, allora. Non più *La negra* ma *Ritratto di Laura*. Completamente ignorata alla prima esposizione, al Salon del 1865, anonima e ai margini, è tornata al centro, con una sua identità bellissima.

Dora Maar (1907-1997)

Devi sapere che non ho mai veramente posato per Picasso. E devo confessare che, se avessi commissionato un ritratto, non sarei stata del tutto soddisfatta.

Di origine croata, Henriette Théodora Markovitch, meglio nota come Dora Maar, nasce a Parigi e trascorre a Buenos Aires un'infanzia agiata.

Vuole diventare pittrice ma, quando incontra Henri Cartier-Bresson, si appassiona alla fotografia e si iscrive all'École de Photographie de la Ville de Paris.

Pubblica i suoi primi scatti su riviste prestigiose nel 1930. Seguono anni di intenso lavoro: le foto di moda per Chanel e Schiaparelli, l'apertura di un suo studio fotografico in società con Pierre Kéfer, i reportage della Grande Depressione dalle strade delle città europee. Conosce Man Ray e spera di entrare alla sua bottega, ma lui la rifiuta: non c'era nulla che potesse insegnarle, le dice.

Attivista politica di sinistra, porta l'impegno anche nel suo lavoro: si spinge nelle periferie di Parigi e con profonda umanità ritrae, poverissimi nelle loro baracche, gli zonards: mendicanti, vagabondi, madri sole con i figli piccoli.

Il compagno Georges Bataille la introduce nella cerchia dei surrealisti. Con tocco lunare e sensuale, inizia a giocare con i negativi, crea collage, fotomontaggi, fa passeggiare un paio di scarpe sulla spiaggia.

Poi, nel 1935, arriva Picasso e la ragazza in carriera appende la Rollei al chiodo per diventare musa e, soprattutto, «donna che piange». La loro pericolosa relazione dura quasi nove anni e lascia Dora in uno stato di grave prostrazione. La religione e la pittura (fatta di forme stilizzate, nature morte e paesaggi disadorni) sono state la sua via per l'accettazione. È ormai anziana quando toglie la Rollei dal chiodo, scatta e rielabora dei vecchi fotogrammi. Nel 1995 la Fundación Bancaja di Valencia organizza la sua prima grande retrospettiva. Novantenne, muore in una casa di riposo: «Sacrificata al Minotauro», un giornale ha titolato. «Dora Maar. Nonostante Picasso», ha spiegato una delle mostre con cui oggi si celebra nel mondo il suo talento.

Kate Moss

> Il mio frigorifero è pieno di sedano. Al mattino preparo succhi di sedano per tutti.

Katherine Ann Moss, detta Kate, nasce nel 1974 alla periferia di Londra. Viso perfetto su adolescente grintosa, viene scoperta da Sarah Doukas, fondatrice dell'agenzia di moda *Storm*. È bassa, magra ai limiti dell'anoressia, lontana dalle giunoniche top del momento, ma il primo servizio fotografico (per la rivista inglese «The Face») è la caduta di un fulmine e davvero porta la tempesta. In territorio *grunge*, confine *eroin-chic*.

Arrivano le passerelle dell'alta moda, le copertine di «Harper's Bazaar», «Vogue», «Elle». Arriva, soprattutto, la trasgressiva campagna pubblicitaria per Calvin Klein.

Il vero scandalo la travolge per altri scatti, rubati, nel 2005, nell'atto di consumare cocaina. Perde la maggior parte dei contratti, ma la battuta d'arresto è solo momentanea e le serve a riacquistare carica elettrica.

Adorata dalle colleghe, dai fotografi (Mario Testino su tutti), è tra le supermodelle più pagate al mondo (secondo la rivista «Forbes») ed è comparsa su oltre trecento copertine.

Ha festeggiato i quarant'anni vestita da coniglietta su «Playboy» e inaugurando, a Londra, la mostra «Kate Moss: 40, a retrospective».

Ha portato la tempesta anche nei territori dell'amore (un ciclone ha sfasciato camere d'albergo con Johnny Depp) e, tra una turbolenza e l'altra, è nata Lila Grace, che ora fa la modella sotto la diretta supervisione di mamma Kate. Che intanto si è lasciata alle spalle gli eccessi e le notti brave, ha cambiato regime alimentare e scoperto lo yoga. Icona di stile, continua saltuariamente a posare.

Ringraziamenti

Le curatrici ringraziano Ponte alle Grazie, per aver creduto in loro e puntato su questo progetto.
La trasmissione e la redazione di «Milleeunlibro – Scrittori in TV», crocevia di alcuni incontri felici.
Flavia Capone, Marie Kraft, Maria Pia Vigilante e Giraffa Onlus, che da tempo attendono di prendere in mano e per mano l'antologia.
Laura Boldrini, Anne Goalard, Federica Vincenti, Chiara Bertini, Roberto Trifirò, Francesco Suriano, Daniele Griggio, Massimo Reale e Filippo Bologna, per i consigli preziosi.
Valeria Pasqualoni, Valentina Taddei, Maya Amenduni, Rossana Jemma e Julian Siravo, per le consulenze di varia natura.
Per l'ospitalità al mare, la famiglia Campagnola.
Per l'ospitalità futura, i teatri che verranno.

Gratitudine profonda va alle meravigliose scrittrici che, con entusiasmo e passione, hanno abbracciato l'idea. A Vincenzo Ostuni, soprattutto, che queste muse ha accolto e accompagnato.

Indice

Prefazione p. 11

Ritanna Armeni. Il testamento. *Nadia Krupskaja* 15
Angela Bubba. L'anello magico. *Maria Callas* 33
Maria Grazia Calandrone. Il cielo nello specchio della toeletta. *Amanda Lear* 60
Elisa Casseri. Groupieland. *Pamela Des Barres* 86
Claudia Durastanti. Qualcosa di più, e qualcosa di meno. *Alene Lee* 110
Ilaria Gaspari. Dancing barefoot. *Jeanne Hébuterne* 126
Lisa Ginzburg. Russland mit Rainer. *Lou Andreas-Salomé* 150
Chiara Lalli. La foto 51. *Rosalind Franklin* 165
Cristina Marconi. Troppi fuochi. *Zelda Sayre Fitzgerald* 183
Lorenza Pieri. Autoritratto della musa da morta. *Kiki de Montparnasse* 203
Laura Pugno. La via del fuoco. *Sabina Spielrein* 224

Veronica Raimo. Una ragazza di squisito sentire.
Regine Olsen 246
Tea Ranno. Prove di vita intima. *Luisa Baccara* 264
Igiaba Scego. Come un arredo. *Laure* 288
Anna Siccardi. Nelle scarpe di Dora. *Dora Maar* 309
Chiara Tagliaferri. La regina del silenzio. *Kate Moss* 329

Arianna Ninchi. Le muse

Nadia Krupskaja 359
Maria Callas 360
Amanda Lear 361
Pamela Des Barres 363
Alene Lee 364
Jeanne Hébuterne 365
Lou Andreas-Salomé 367
Rosalind Franklin 368
Zelda Sayre Fitzgerald 369
Kiki de Montparnasse 370
Sabina Spielrein 372
Regine Olsen 373
Luisa Baccara 374
Laure 375
Dora Maar 377
Kate Moss 378

Ringraziamenti 380